Le Rêve
de
Rose-Anna
Vachon

DU MÊME AUTEUR

Baie James : une épopée, essai, Libre Expression, 1983.
Joseph-Armand Bombardier, biographie, Libre Expression,
    1988.

Roger Lacasse

Le Rêve
de
Rose-Anna
Vachon

Libre Expression

Données de catalogage avant publication (Canada)
Lacasse, Roger
Le rêve de Rose-Anna Vachon : roman
ISBN 2-89111-580-5
1. Vachon (firme) – Romans. 2. Culinar inc. – Romans.
I. Titre.
PS8573.A262R48 1993   C843'.54   C93-097306-2
PS9573.A262R48 1993
PQ3919.2.L32R48 1993

Collaboration à la recherche
Jean-Pierre Chalifoux
Suzanne Gagné
Révision
Monique Michaud
Illustration de la couverture
Gilles Archambault
Maquette de la couverture
France Lafond
Photocomposition et mise en pages
Sylvain Boucher

© Éditions Libre Expression
2016, rue Saint-Hubert
Montréal, Qc H2L 3Z5

Dépôt légal :
4e trimestre 1993

ISBN 2-89111-580-5

À Hélène et à Martin

Le présent, qui contient les germes de l'avenir, porte l'empreinte profonde du passé.

Trevor Roger Hughs.

CHAPITRE PREMIER

— ÉCOUTEZ! On dirait des outardes.

La jeune fille cessa de racler le fond du poêlon dans lequel elle faisait griller de la farine pour un ragoût de pattes. Elle tourna la tête vers sa mère, Rose-Anna, qui déposait deux tartes à la rhubarbe sur l'appui de la fenêtre entrouverte où elles refroidiraient.

— Bien oui, t'as raison, Béatrice, répondit la mère qui vit la volée d'oies passer au-dessus de la grange couverte de bardeaux vermoulus.

— Fin mai? dit la jeune fille, étonnée. Elles reviennent tard des États!

Un frisson parcourut l'échine de la mère. Pourtant il faisait très chaud dans la cuisine où le poêle à bois ronflait depuis le déjeuner. Elle marmonna, d'un ton triste :

— Au moins, elles reviennent, elles...

Rose-Anna Vachon songeait à ses trois fils qui avaient bûché tout l'hiver dans le Maine et qui n'étaient pas encore rentrés au pays. Presque des enfants encore... Chaque printemps, elle craignait qu'ils ne décident de demeurer là-bas, où il y avait du travail et de bons salaires. Se sentant soudain oppressée, avec le poing elle se frappa légèrement la poitrine.

— Bonne sainte Anne, protégez-les!

Comme l'horloge sonnait onze heures, Béatrice n'entendit pas les derniers mots de sa mère. Elle regardait le calendrier. Sous l'image de la basilique de Sainte-Anne-de-Beaupré, la page marquée «Mai 1923 May» exhibait un cercle noir entourant la date du treize. La jeune fille essuya du revers de la main la sueur qui perlait à son front large et haut, puis elle se remit à cuisiner. Elle avait le visage plutôt carré, les yeux vifs et les pommettes larges. D'un naturel rieur, elle avait perdu le sourire depuis la mort de son grand-père Vachon, survenue deux semaines auparavant. Il était déjà vieux à la naissance de Béatrice et elle avait l'impression qu'en dix-neuf ans, il n'avait jamais changé. Grand-père Damase représentait pour Béatrice un élément de stabilité, un repère, dans un monde qui se modifiait et se transformait constamment. Depuis la mort du vieillard, à quatre-vingt-deux ans, la jeune fille éprouvait un vague malaise qui prenait parfois la forme d'un pressentiment : sa vie allait être bouleversée. Elle se mit à fredonner distraitement un cantique : «C'est le mois de Marie, c'est le mois le plus beau...»

Rose-Anna sécha ses mains moites sur le tablier blanc qui protégeait sa robe noire, et elle sortit sur le perron. Malgré sa corpulence, elle se déplaçait d'un pas alerte. Grande, les traits sévères, elle en imposait autant par sa carrure que par son regard autoritaire. C'était d'ailleurs elle qui dirigeait la vie de la famille et organisait dans ses moindres détails les travaux de la ferme. Cela ne l'empêchait toutefois pas de porter un amour presque admiratif à son mari, Arcade Vachon, ni de témoigner beaucoup d'affection à ses enfants.

Elle referma sans bruit la porte moustiquaire, s'adossa au mur de planches verticales et laissa échapper un profond soupir. On la croyait forte, elle l'était. Mais insensible?... Ses peines, ses inquiétudes, ses moments de découragement, elle les cachait sous un masque de sérénité, car il lui incombait d'insuffler aux siens, en commençant par son mari, courage et persévérance. Seule Béatrice, qui la secondait dans les tâches domestiques, devinait à quel point sa mère était une nature soucieuse.

Quand la grippe espagnole, «la tueuse» comme on la surnommait, avait fauché son fils Dominateur à l'âge de dix-sept ans, Rose-Anna avait cru qu'on lui arrachait un morceau du cœur. Elle ne connaissait qu'un mot pour nommer cette détresse : «souleur». Une peine si aiguë qu'elle en devient douleur physique. Il y avait de cela cinq ans, et pourtant le chagrin demeurait aussi vif que si le rire de Dominateur ne s'était éteint que la veille.

La mort... Cette mort dont Rose-Anna avait peur, on aurait dit qu'elle rôdait à présent autour de la famille. L'an dernier, une pneumonie avait emporté son aînée, Marie-Anne, qui venait de mettre au monde une deuxième petite fille baptisée Jeannette. La famille de son gendre, Émile Nappert, avait recueilli l'une des orphelines; Rose-Anna, elle, avait décidé d'élever Jeannette. La présence de ce bébé l'aiderait à se consoler de la perte de celle qu'elle appelait «ma plus vieille». Arcade, aussi heureux qu'à la naissance de chacun de ses onze enfants, avait descendu du grenier le berceau fabriqué de ses mains un quart de siècle auparavant. Répit de courte durée, hélas! Huit mois plus tard, Jeannette mourait de la gastroentérite.

Et puis, il y avait tout juste deux semaines, Damase Vachon, le père d'Arcade, s'éteignait à son tour. Il vivait avec son fils et sa bru depuis qu'il s'était «donné» à eux par contrat notarié, vingt-cinq ans plus tôt. Il avait été comme un deuxième père pour Rose-Anna. Quant aux enfants, ils perdaient un grand-père rieur et joueur de tours, un conteur qui était doué pour animer les veillées. Arcade? Il n'avait rien dit, selon son habitude; cependant les mots n'étaient plus nécessaires entre eux. À mille petits signes, Rose-Anna mesurait l'ampleur de son chagrin.

Elle tourna la tête vers le grand jardin où les laitues commençaient à friser au pied des lilas sur le point de fleurir. Au-delà des clôtures de perches, juste au-dessus de la ligne des arbres qui fermait l'horizon, elle distinguait le clocher du village, Saint-Patrice-de-Beaurivage, distant de trois kilomètres. Elle ferma les yeux et récita intérieurement la prière pour le repos des âmes des défunts, puis quelques invocations à sainte Anne qu'elle considérait comme sa patronne. Les cris des outardes la tirèrent de son recueillement.

La volée d'oiseaux repassait au-dessus des bâtiments, et Rose-Anna pensa encore une fois à ses trois fils exilés. La mort, elle n'y pouvait rien; il lui fallait se soumettre à la volonté du Seigneur. Mais la nécessité de devoir s'expatrier pour gagner sa vie, il devait bien exister des moyens de la contrer. Si Rose-Anna n'en trouvait aucun, ce n'était pas faute de jongler souvent avec cette idée. Elle aurait tout donné pour retenir ses fils au pays, les «établir» non loin, dans la paroisse ou au moins dans la région. Mais le travail était rare, même à Québec et à Montréal, et les fermes ne pouvaient faire vivre qu'un seul fils. La moitié des jeunes hommes de la paroisse était donc partie aux États-Unis.

Cela ne datait pas d'hier. Arcade lui-même avait travaillé là-bas durant sa jeunesse afin d'aider à payer la terre dont il avait ensuite hérité. Cinq de ses frères s'étaient installés chez les Américains, et y élevaient leur famille. Quand ils revenaient dans le comté de Lotbinière pour une courte visite, les descriptions enthousiastes de leur pays d'adoption ne pouvaient qu'enflammer l'imagination des jeunes qui savaient l'avenir fermé. Rédempteur avait été le premier des fils de Rose-Anna à tenter l'expérience. À vingt ans, il était allé travailler au mont Washington, dans l'État du New Hampshire, là même où son père avait œuvré une trentaine d'années plus tôt, puis l'année suivante, dans le Maine. En deux ans, Rédempteur avait amassé assez d'argent pour acheter une automobile et devenir représentant des engins et batteuses Mogul, aux alentours de Saint-Patrice. Sa mère savait qu'il pourrait à tout moment traverser de nouveau la frontière.

Suivant son exemple, ses frères plus jeunes avaient vite pris le chemin de la Nouvelle-Angleterre. Ils étaient à présent trois à s'être faits bûcherons dans le Maine : Louis, vingt et un ans, Joseph, dix-sept ans, et Amédée, seize ans. Même s'ils revenaient travailler sur la ferme l'été, Rose-Anna avait le pressentiment qu'un jour ils se fixeraient pour de bon aux États-Unis. Et plus tard, Paul et Benoît, les deux derniers, iraient les rejoindre. La famille serait brisée, Rose-Anna se retrouverait seule avec son mari et ses trois filles, Béatrice, Jeanne et Simone, sur la grande ferme dont l'exploitation requérait des bras nombreux et solides.

— Ça va, Rose-Anna ?

Elle sursauta, car elle n'avait pas entendu son mari sortir de la remise située entre la maison et la grange.

— Ça va.

Une plane dans une main, dans l'autre, le morceau de frêne qu'il transformait en manche d'outil, Arcade regardait sa femme avec inquiétude.

— Je te trouve bien jongleuse.

— Je pense à nos gars, Arcade.

15

Il connaissait les craintes de sa femme quant à l'avenir de leurs garçons et préféra ne pas revenir sur ce sujet. Dans son esprit, en parler c'était tourner en rond; il se contenta d'approuver d'un air entendu. Les oies arrivaient alors au-dessus d'eux. Arcade rejeta la tête en arrière pour les observer, les étudier. Au cours des jours suivants, il les recréerait dans un morceau de pin, avec pour seuls outils une râpe et un canif. C'était son passe-temps favori, et ses sculptures d'oiseaux avaient le don d'émerveiller par leur réalisme.

— Ils ne sont pas écriveux! lâcha Rose-Anna, un léger reproche dans la voix.

Ce n'était pas que l'amour maternel qui s'exprimait de la sorte. Elle se sentait responsable de ses enfants, même de leur salut éternel, et elle acceptait mal qu'ils puissent en venir à ne plus avoir besoin d'elle. Arcade le savait et prit mollement la défense de ses fils.

— Pas de nouvelles, bonnes nouvelles...

Rose-Anna trouva que son mari avait, en dépit de sa solide carrure et de son crâne dégarni, l'air d'un gamin pris en faute. Cela l'émut. Arcade avait beau être de douze ans son aîné, Rose-Anna avait toujours senti le besoin de veiller sur lui, car c'était un homme bon dont on aurait facilement pu abuser. Cette attitude protectrice venait aussi de ce qu'elle détenait l'autorité dans le couple. Durant les onze étés qu'il avait passés aux États-Unis, Arcade s'était habitué à dépendre d'un patron. Il manquait donc d'esprit d'initiative et s'en remettait à Rose-Anna pour l'organisation des travaux de la ferme. Mais ce n'était pas un paresseux, loin de là, et il trimait d'une étoile à l'autre pour tirer d'une terre rocailleuse la subsistance de sa famille.

Aux yeux de Rose-Anna, Arcade avait d'autant plus de mérite qu'il n'avait pas l'âme d'un cultivateur et n'aimait pas le travail de la terre. Son premier métier avait été celui de maréchal-ferrant, et l'animation de la forge lui manquait quand il se trouvait seul aux champs.

— Grand-père Giroux arrive! s'écria Béatrice, en sortant précipitamment de la maison.

— Papa? fit Rose-Anna étonnée. Bonne sainte Anne!

La porte moustiquaire claqua sur le chambranle. Ce bruit sec avait le don d'agacer Rose-Anna; trop préoccupée cette fois pour réprimander sa fille, elle se contenta de grimacer. Qu'est-ce qui amenait son père? Il fallait que ce soit important pour qu'il fasse les vingt-quatre kilomètres depuis Sainte-Marie-de-Beauce! Surtout qu'il était venu deux semaines auparavant pour les funérailles de Damase Vachon.

On entendit le battement des sabots d'un cheval sur le chemin de terre.

— Le vent porte dans l'autre sens, déclara Arcade en approchant du perron.

Il parlait pour lui-même, s'expliquant pourquoi il n'avait pas entendu approcher le visiteur. Le boghei entra dans la cour.

— Whoa! lança Ferdinand Giroux, en tirant sur les rênes. Whoa!

Rose-Anna chercha à lire sur le visage de son père les raisons de cette visite inattendue.

— Et maman?

— Ta mère va très bien, répondit-il. Et moi aussi, si ça t'intéresse!

Il lança un clin d'œil complice à Arcade qui prenait le cheval par la bride. Rose-Anna s'empressa de se justifier:

— Je m'inquiétais...

17

Après avoir embrassé sa fille et serré la main de son gendre, Ferdinand Giroux pinça le menton de Béatrice.

— Pas encore mariée? Une jolie fille comme toi? Ma sainte foi, les gars sont rendus aveugles!

Béatrice rougit et bégaya que rien ne la pressait de s'engager. Grand-père Giroux savait-il qu'elle avait récemment éconduit Émile Nappert, le mari de sa défunte sœur? Ou qu'elle avait un amoureux qui vivait aux États-Unis?

Mal à l'aise, la jeune fille rejoignit Arcade qui lui confia le cheval.

— Je vais dételer, grand-père, dit-elle.

— Ça vaut pas la peine.

Rose-Anna donna le bras à son père qu'elle entraîna vers la maison.

— Vous restez à dîner, papa! Vous allez justement goûter à la cuisine de Béatrice. Elle a préparé un ragoût de pattes.

— Dans ce cas-là, je me ferai pas prier.

Il se retourna vers sa petite-fille qui menait le cheval à l'étable:

— Il a eu chaud, donne-lui pas à boire tout de suite.

La soupe aux légumes qui mijotait embaumait toute la cuisine, et Ferdinand Giroux se sentit en appétit. Il refusa le vin de pissenlit que lui proposait sa fille et demanda qu'on lui serve plutôt de l'eau fraîche.

— Qu'est-ce qui nous vaut le plaisir de votre visite, monsieur Giroux? s'enquit Arcade tout en actionnant la pompe.

Le beau-père prit place dans la berçante qui avait été celle de Damase et répondit d'un ton énigmatique:

— Une affaire à vous proposer, mes enfants.

Intrigués, Arcade et Rose-Anna approchèrent des chaises. Le vieil homme bourra sa pipe, prenant un malin plaisir à les faire languir. Ostensiblement, Rose-Anna jeta un coup d'œil à l'horloge qui marquait midi moins vingt :

— Les enfants vont bientôt arriver de l'école.

Un peu déçu qu'elle lui gâche ainsi son plaisir, Ferdinand entra dans le vif du sujet.

— Vous savez que mon voisin d'en face, Cléophas Leblond, est mort il y a quelques jours?

— Le boulanger? demanda Arcade.

— Y avait des enfants en bas âge, me semble? renchérit Rose-Anna.

— Oui, trois filles et un garçon. Bien, pour faire une histoire courte, la veuve songe sérieusement à vendre son commerce. Alors j'ai pensé à vous autres. Rose-Anna, avec tes dons de cuisinière... Y a personne qui cuit du pain aussi bon que le tien. Toi, Arcade, tu ferais la *run* de pain. Pis vous avez des enfants pour vous aider.

Il s'arrêta, attendant des questions ou des protestations. Arcade se disait que ce serait tellement plus facile et plus agréable que de s'échiner sur une terre. Quant à Rose-Anna, elle pressentait que ce commerce lui offrirait la possibilité de fournir du travail à ses fils, de les retenir au pays.

Le regard de Ferdinand Giroux alla de l'un à l'autre. Leur mutisme l'étonnait. Il ignorait que pour une fois, chacun d'eux se permettait de rêver.

— Je me suis dit, Arcade... reprit-il. Vu que ton père est parti, Dieu ait son âme, vous êtes déliés du contrat de donaison; y a plus rien qui vous retient sur la ferme. Vous pourriez donc vendre, parce que m'est avis qu'aucun de vos garçons voudra prendre la relève.

Par politesse pour son gendre qu'il aimait, Ferdinand s'adressait à lui. Mais la plupart du temps son regard demeurait fixé sur sa fille, car il n'ignorait pas que la décision viendrait d'elle. Rose-Anna savait que son père avait raison : ses fils ne seraient jamais agriculteurs. Toutefois, ce n'était pas suffisant pour lui faire perdre son réalisme.

— Une terre est pas vendable par les temps qui courent, dit-elle.

Le ton de voix de sa femme ramena Arcade à la réalité.

— Changer de métier? J'ai cinquante-sept, monsieur Giroux, je suis plus une jeunesse.

— Quel métier? T'as jamais été un habitant, Arcade, admets-le. Même trop sensible pour faire boucherie! T'as cinquante-sept? C'est bien en quoi, ça serait le temps d'arrêter de suer sang et eau pour récolter à peine de quoi survivre. Je te vois, moi, faire la livraison du pain à Sainte-Marie...

Comme les yeux d'Arcade redevenaient rêveurs, Rose-Anna jugea préférable d'intervenir.

— Sa boulangerie, j'imagine que la veuve Leblond en fera pas cadeau au premier venu. Au jour d'aujourd'hui, Arcade et moi on a quinze piastres pour toute fortune.

— Ça, je m'en doutais.

— Et puis, conclut-elle, même si on trouvait un acheteur... la terre vaut sûrement moins que la boulangerie.

Rose-Anna se leva pour s'assurer que ni la soupe ni le ragoût ne collaient au fond des casseroles. Elle en profita pour vérifier et rectifier l'assaisonnement des plats. Arcade croyait la discussion close, mais c'était compter sans la ténacité de son beau-père.

— Pour dire la vérité, j'ai parlé avec la veuve Leblond. Ce qu'elle cherche, c'est un acheteur fiable, capable de faire marcher le commerce. Elle espère pas nécessairement du comptant, mais plutôt un revenu annuel stable. Je lui ai parlé de vous autres, courageux, travaillants et honnêtes; elle aimerait ça vous rencontrer.

Le regard de Rose-Anna balaya lentement les murs de la cuisine avant de s'arrêter sur le visage de son père :

— C'est un commerce qui marche bien?

— Ça m'en a tout l'air.

Puis, elle dit encore, d'une voix absente, comme si elle répondait à une objection formulée intérieurement :

— C'est certain que temps difficiles ou pas, faut bien manger quand même. Le pain, on se prive de ça juste en dernier.

Elle ne voulait pas se bercer d'illusions, mais il ne fallait pas non plus pécher par excès de prudence. Et si elle tenait enfin le moyen de garder toute sa famille autour d'elle, ce moyen qu'encore ce matin elle désespérait de jamais trouver?

Rose-Anna tourna la tête vers Arcade et lut dans ses yeux qu'il s'en remettait à son jugement.

— Avertissez Mme Leblond qu'on passera la voir demain, dit-elle à son père. Ensuite, on décidera.

— C'est très sage, s'exclama Ferdinand Giroux qu'enchantait la tournure des événements. Vous allez peut-être cesser enfin de tirer le diable par la queue!

Sur le perron, Béatrice demeurait bouche bée. Elle en avait assez entendu pour comprendre de quoi il retournait. Vendre la ferme? Déménager à Sainte-Marie?... Elle aimait cette grande maison à pignons où elle était née, ce paysage qui l'avait vue grandir. Saint-Patrice, c'était chez elle. Sa vie serait donc bouleversée, ainsi qu'elle en avait le pressentiment depuis la mort de grand-père Vachon?

* * *

Rose-Anna et Arcade sortirent de chez Ferdinand Giroux et traversèrent lentement la rue de la Station, à Sainte-Marie. Le regard de la femme s'attarda sur la maison des Leblond qui lui paraissait solide et grande à souhait. Des arbres de bonne taille l'ombrageaient, une galerie couverte courait sur la façade et se prolongeait sur un côté. Tout le charme de la demeure venait de cette galerie aux poteaux finement tournés et au toit orné d'une dentelle de bois.

Arcade étudiait plutôt la disposition des lieux et le voisinage. Le terrain suffisait tout juste pour la maison, la boulangerie, une écurie et un hangar. Il faudrait se contenter d'un petit jardin, si... Depuis que son beau-père avait fait miroiter cette possibilité d'un pareil changement de cap dans leur vie, Arcade en rêvait tout éveillé. Mais il nourrissait la crainte un peu superstitieuse que ce déménagement ne se réalise pas, justement parce qu'il le désirait trop.

La veuve Leblond descendit de la galerie pour les accueillir. Presque aussi grande qu'Arcade, elle était d'une carrure qui étonnait chez une femme. De noir vêtue, elle présentait un visage où le chagrin et l'inquiétude se lisaient malgré ses efforts pour les dissimuler. Les visiteurs offrirent leurs condoléances et la veuve répondit par une phrase qui vantait les qualités de son défunt.

— Notre visite est peut-être un peu rapide, fit Rose-Anna, comme pour s'excuser.

— Non, non. J'ai laissé entendre à votre père que je suis pressée.

— Mais, il vous a dit qu'on a pas...

La veuve coupa la parole à Rose-Anna d'un geste qui signifiait quelque chose comme «nous verrons», ou encore, «chaque chose en son temps». Elle les guida vers la boulangerie.

— Un bâtiment presque neuf, comme vous voyez. On l'a reconstruit après le grand feu de 1908. Vous vous rappelez?

Ils se souvenaient de cet incendie qui avait failli détruire Sainte-Marie, une nuit de septembre. Tout le village avait dû lutter contre le feu qui avait quand même détruit onze maisons et trois granges, sans compter les dépendances.

— On n'avait pas d'assurance... Croyez-vous que mon Cléophas s'est découragé?

Elle s'arrêta un instant, non pour attendre une réponse mais pour produire plus d'effet.

— Pas une miette! Il a retroussé ses manches, puis on a reconstruit, tous les deux. C'était un homme dépareillé, mon Cléophas...

Arcade secoua la tête et répliqua, d'un ton compatissant :

— C'est bien triste, partir si jeune.

Après un bruyant soupir, la veuve lâcha :

— Puis je reste avec quatre jeunes enfants sur les bras!

— Et c'est pour ça que vous voulez vendre? demanda Rose-Anna qui jugea l'occasion propice pour rappeler le but de leur visite.

— Une femme seule peut pas élever une famille et faire marcher un commerce en même temps.

La main sur la poignée de la porte, Mme Leblond dévisagea ses visiteurs.

— Faut pas se faire d'illusions, c'est dur le travail de boulanger.

Rose-Anna répondit du même ton :

— Pensez-vous que c'est facile de faire produire une terre?

La veuve sourit. Elle aimait l'esprit de décision et la volonté qu'elle sentait chez cette Rose-Anna Vachon. En désignant l'intérieur d'un geste circulaire, elle annonça :

— Vingt pieds de façade, trente-cinq de profondeur en comptant la resserre pour la farine et la graisse.

Dans la pièce toute blanche, trônait un four en briques rouges, immense en comparaison avec le four d'argile que l'on voyait devant la plupart des maisons de ferme. Pour tout ameublement, un pétrin, de grandes tables et des armoires où faire lever la pâte. Arcade, lui, examinait le four.

— On chauffe le four aux croûtes d'épinette. Quand la température est bonne, on vide la braise et la cendre, puis on enfourne le pain. Mais... je vous montrerai tout ça, si vous achetez.

Du bout de son soulier, Rose-Anna balaya discrètement un petit tas de saleté accumulé contre la patte du pétrin, mélange de poussière et de farine. De quoi attirer la vermine, se dit-elle. Un ménage de fond en comble s'imposerait.

— Combien avez-vous de clients réguliers? demanda-t-elle à la vendeuse.

Surprise par une question aussi directe, la veuve Leblond répondit :

— Allons dans la maison pour parler.

Avant de sortir, elle leur offrit deux pains, en disant :

— Regardez-moi cette croûte dorée : pas une seule crevasse! J'ai un secret pour ça.

Rose-Anna interpréta ces paroles comme de bon augure. La veuve Leblond espérait bien leur vendre. Si Rose-Anna manœuvrait habilement, l'affaire avait toutes les chances de se conclure. Car elle était décidée. Elle sentait l'intérêt d'Arcade pour ce nouveau métier, et surtout, elle croyait que la boulangerie pourrait fournir du travail à leurs fils.

La veuve les fit pénétrer dans la maison par la cuisine d'été attenante. Le rez-de-chaussée comportait une vaste cuisine, un salon double avec porte d'arche et une salle à manger. Quatre chambres se trouvaient à l'étage et il paraissait facile d'en aménager d'autres dans le grenier éclairé par de bonnes fenêtres. La veuve déposa sur la table une bouteille de gin et trois verres.

— Y a rien comme un petit remontant avant de discuter de choses sérieuses.

À la vérité, Mme Leblond n'avait besoin d'aucun prétexte pour boire; elle commençait chaque journée par une rasade de gin et retournait plusieurs fois à sa bouteille avant qu'arrive le soir.

— Juste un doigt, dit Arcade.

Rose-Anna couvrit son verre de la main. Elle ne buvait pas d'alcool, sauf quelques coupes de vin de cerises durant les fêtes.

— Pas pour moi, merci. Mais je prendrais bien de l'eau, s'il vous plaît.

Ils trinquèrent, puis la veuve vida son verre d'un seul trait. Elle se resservit aussitôt, en disant :

— Comme ça, ma boulangerie vous intéresse?

Rose-Anna se garda bien de montrer trop d'empressement.

— C'est un commerce qui marche bien? fit-elle.

— Si le boulanger a pas les deux pieds dans la même bottine, oui. Faut pas craindre les longues journées d'ouvrage, puis faut avoir de l'entregent.

— J'ai été maréchal-ferrant, dit Arcade. J'aime ça travailler avec le public.

Intérieurement, il s'étonnait que sa femme paraisse si peu enthousiaste alors qu'en route elle avait proposé qu'ils récitent un chapelet pour la réussite de l'affaire. Rose-Anna revint à la charge :

— Justement, madame Leblond, vous en avez combien de clients?

— Des réguliers? Je dirais deux cents.

— Ça fait combien de pains par semaine?

— Six cents, six cent vingt-cinq.

Ces chiffres correspondaient en gros aux estimations faites par le père de Rose-Anna. Elle calcula mentalement qu'avec le pain qui se vendait six cents, la boulangerie rapportait environ trente-six dollars par semaine. Il faudrait acheter la farine et les autres ingrédients, le bois pour chauffer le four, et surtout payer Mme Leblond; mais il serait possible de gagner honorablement la vie de la famille avec la boulangerie. Mieux, en tout cas, que sur la ferme de Saint-Patrice. Et puis, se dit Rose-Anna, rien n'empêche d'essayer de trouver plus de clients.

— Y a moyen de bien vivre avec la boulangerie, affirma la veuve Leblond qui devinait les pensées de Rose-Anna.

— Ça dépend un peu aussi du prix qu'il faudra la payer, répliqua cette dernière. Vous demandez combien?

— Pour la boulangerie et le fonds de commerce, la maison, les dépendances et le roulant, sept mille dollars.

— C'est une fortune! se récria Arcade dont les projets s'évanouissaient d'un seul coup.

— Un prix juste et honnête, rétorqua la veuve, piquée au vif. À peine deux mois avant que mon mari meure, on a fait évaluer notre bien par le notaire. Il est arrivé à ce montant-là.

Consciente qu'elle traitait avec Rose-Anna et que tout allait se jouer dans les secondes suivantes, Mme Leblond regarda sa visiteuse qui avait baissé les paupières, sans doute pour réfléchir. Arcade surveillait le visage de sa femme avec autant d'intérêt que le faisait la vendeuse.

— C'est un prix raisonnable, déclara Rose-Anna. Mais... Vous savez, madame Leblond, on a pas d'argent comptant. On a une grande ferme, c'est vrai, mais ça peut être long avant de trouver un acheteur.

La veuve Leblond eut un large sourire et remplit de nouveau son verre.

— M. Giroux, votre père, est un homme que j'estime beaucoup, et puis on m'a dit que les Vachon sont des gens honnêtes, qui tiennent parole. Je vous propose de financer la transaction. Vous me paierez cinq cents dollars par année, plus les intérêts.

Du regard, Rose-Anna consulta Arcade. Il ne désirait rien d'autre que ce coup de barre dans sa vie; cependant il s'en remettait à sa femme pour juger si c'était la meilleure chose à faire. D'un signe du menton, elle insista pour qu'il se prononce. Il comprit que l'idée de sa femme était faite.

— Ça me paraît une offre acceptable, dit-il.

Rose-Anna regarda la veuve droit dans les yeux.

— Nous acceptons votre proposition, madame Leblond.

Ils échangèrent une poignée de main pour sceller l'affaire; la parole avait pour eux une telle valeur que la visite chez le notaire fut remise à plus tard. Après que la veuve eut fortement insisté, Rose-Anna accepta une larme de gin afin qu'ils trinquent tous les trois.

— La vente de la boulangerie, ça me donnera un revenu régulier pour élever mes enfants, expliqua la veuve d'un ton ferme. C'est pour ça que je tolérerai pas de retard. Si vous me payez pas à la date convenue, je reprendrai mon bien après les trois jours de grâce.

— Les affaires sont les affaires, répondit Rose-Anna qui comprenait la position de la vendeuse. De notre côté, faut attendre septembre avant de déménager. On peut pas se permettre de perdre les récoltes de foin, d'avoine, d'orge et de patates.

— Dans ce cas-là, ça vous prendrait quelqu'un à qui je pourrais montrer le métier durant l'été.

— J'ai l'homme qu'il faut, fit Rose-Anna, en pensant à son fils Rédempteur.

Ils se quittèrent en se donnant de nouveau la main et les époux Vachon retournèrent chez le père de Rose-Anna.

Après le dîner chez Philomène et Ferdinand Giroux qui se réjouissaient d'avoir bientôt leur fille et leur gendre pour voisins immédiats, Rose-Anna et Arcade reprirent le chemin de Saint-Patrice. Le repas avait été tellement animé, occupé à échafauder des projets d'avenir et à chercher des moyens de faire prospérer la boulangerie, que les époux Vachon sentirent le besoin de faire la route en silence. Un silence lourd d'une émotion impossible à exprimer, mélange de joie et d'appréhension. Ce n'est qu'une fois leur maison en vue qu'Arcade ouvrit la bouche.

— Te rends-tu compte, ma femme? C'est comme si on commençait une nouvelle vie. À notre âge!

Il y avait une certaine incrédulité dans sa voix, ou plutôt l'hésitation de celui qui se demande s'il a vraiment droit au bonheur qui lui arrive. Rose-Anna crut sentir chez lui un peu de culpabilité à l'idée d'abandonner la terre qu'il avait héritée de son père.

— C'est pour nos enfants qu'on le fait, répondit-elle en posant la main sur le bras de son homme qui tenait les rênes. Pour leur bonheur.

Arcade approuva d'un signe de tête. Son regard s'accrocha aux énormes empilements de roches qui bordaient ses champs. Chacune de ces pierres, il avait fallu l'arracher du sol, la lever à la force des reins, la transporter jusqu'au tas qui grossissait d'année en année. Une corvée qui se répétait chaque printemps, depuis vingt-cinq ans. Arcade quitterait tout ça sans regret.

La longue automobile noire de Rédempteur stationnait dans la cour, capote levée. Paul, dix ans, tenait le volant et faisait semblant de conduire, tandis qu'à côté de lui, Benoît, d'un an plus jeune, s'impatientait en attendant son tour. Jeanne et Simone, âgées de treize et de douze ans, prenaient place sur la banquette arrière, comme de grandes dames donnant des instructions à leur chauffeur.

Pendant que les plus jeunes jouaient dans la voiture, Rédempteur discutait avec sa sœur Béatrice. Appuyé sur une aile, le jeune homme buvait une bière à petites gorgées. Chapeau penché vers l'arrière de la tête et cravate dénouée, il arborait un grand sourire alors que Béatrice, assise sur le marchepied, avait la mine basse. Déjà bouleversée à l'idée que la famille quitte la ferme et déménage à Sainte-Marie, Béatrice apprenait le départ imminent de son frère Rédempteur.

— J'ai répondu à Joseph que je le rejoindrais à Portland avec mon auto. Y a rien de bon à faire par ici, tandis qu'aux États... Ah! et puis je veux voir du pays.

* * *

Rose-Anna n'eut aucune difficulté à convaincre Rédempteur de travailler à la boulangerie. Il aimait tenter de nouvelles expériences, mais surtout, la vente de machinerie agricole stagnait. Rejoindre ses frères aux États-Unis était bien sûr la solution qu'il aurait préférée. Toutefois, il se sentait des obligations envers ses parents, et la mort de Marie-Anne ayant fait de lui l'aîné, cette situation créait des responsabilités. Sans son aide, Arcade et Rose-Anna ne pourraient pas gérer en même temps la ferme et la boulangerie durant l'été. De plus, grâce à ce commerce, la famille aurait peut-être les moyens de payer les études des plus jeunes et Rédempteur pensa qu'il devait faire sa part. Puis, se disait-il, il ne serait jamais trop tard pour reprendre la route des États-Unis.

— Sois un bon garçon!

L'ultime recommandation de sa mère le fit sourire. Il s'amusa même à la répéter quelques fois à voix haute en roulant vers Sainte-Marie. Rose-Anna faisait sans doute allusion à cette veuve Leblond qui allait l'héberger durant tout l'été. Ah! À vingt-quatre ans, Rédempteur était bien plus déluré que ne pouvait l'imaginer sa mère. Au fait, de quoi avait-elle l'air, cette veuve? Jusque-là, il ne s'était pas arrêté à l'idée de vivre durant trois mois chez une étrangère. Il appuya sur l'accélérateur; l'automobile cahota un peu plus sur la route conçue pour les attelages de chevaux, et le nuage de poussière qui s'élevait sous les roues s'épaissit encore plus.

Chemin faisant, Rédempteur s'était fait des idées, et il ressentit une vive déception à la vue de Mme Leblond. Aussi grande et aussi costaude que lui, elle avait le visage dur, les traits rudes. Elle le détailla de la tête aux pieds, d'un œil indifférent.

— Tire-toi une chaise, mon garçon, dit-elle. On va pas se mettre à faire des manières.

Sans le lui avoir proposé, elle déposa un verre de gin devant Rédempteur qui, la gorge empâtée par la poussière de la route, apprécia ce geste. Il faut dire aussi qu'il aimait boire à l'occasion. D'un naturel curieux, Mme Leblond fit parler Rédempteur de ses voyages aux États-Unis, jusque tard dans la soirée. La bouteille était à moitié vide quand vint l'heure du coucher.

En le réveillant à l'aube, la veuve demanda, narquoise :

— Pas trop mal aux cheveux?

Rédempteur ne se sentait pas en forme, mais il se garda bien de l'avouer.

— Commence par aller nourrir le cheval, le grand air t'éclaircira les idées!

Le ton sec et colérique que la veuve Leblond utilisait souvent, même en s'adressant à ses enfants, cachait en fait une sollicitude un peu bourrue. Ce trait de caractère, Rédempteur l'avait rencontré déjà chez sa propre mère.

31

Mme Leblond était d'une force physique peu commune. Les premiers jours, Rédempteur s'étonnait chaque fois qu'il la voyait trimbaler deux poches de cinquante kilos de farine à bout de bras comme s'il s'agissait d'oreillers de plumes. Elle soulevait un sac à hauteur d'épaules et le vidait dans le pétrin sans paraître faire le moindre effort.

Le métier de boulanger était plus dur que ne l'avait cru Rédempteur, lui qui pourtant avait connu les travaux de la ferme et le bûchage en forêt. Quand on arrivait de l'extérieur, l'air chaud qu'embaumait la levure ou le pain cuit faisait saliver et naître dans l'esprit des images d'abondance. C'était une toute autre chose que de passer des heures autour du four qui dégageait une chaleur torride. De la farine flottait en permanence dans l'air, se collait aux fosses nasales et dans la gorge, se mêlait à la sueur pour former une pellicule rêche sur la peau. Et la soif! Une soif que rien n'étanchait.

— On s'habitue, mon gars, disait la veuve Leblond. Y a pire que ça dans la vie.

— Dès qu'il s'agissait du pain, le ton de la femme s'adoucissait, devenait presque respectueux. Et elle enseignait avec patience les secrets du métier.

— Pétris lentement, avec une force insistante... C'est ça, pousse avec le talon de la main, puis avec les jointures. Si tu bats la pâte à coups de poings, le pain a une croûte mince et il se rassit dans le temps de le dire. Fais pas rentrer trop d'air dedans si tu veux avoir une mie de couleur crème. De toute façon, les yeux du pain, ça vient de la fermentation.

Elle revenait constamment sur le choix des ingrédients, la façon de les conserver, les proportions à respecter dans la fabrication de la pâte. Elle expliquait qu'en plus d'accentuer la saveur du pain, le sucre nourrit la levure et le sel l'empêche de s'acidifier au cours de la fermentation.

— Mais le plus important, mon petit gars, c'est de «sentir» la pâte. Savoir juste à l'œil qu'il manque ci ou ça quand tu mélanges. Savoir avec les mains quand c'est assez pétri. Savoir au son qu'elle rend que la pâte est levée à point. Savoir juste au nez que la cuisson est terminée.

Lorsque la veuve Leblond façonnait des miches après avoir coupé et pesé la pâte, sa poitrine volumineuse se balançait au-dessus de la table saupoudrée de farine. Rédempteur n'était jamais loin et il gardait un œil sur le corsage qui baillait par moments. Effet de la chaleur ou du parfum puissant de la levure? Toujours est-il que le jeune homme trouvait la veuve de plus en plus attirante.

On «faisait boulange» les lundi, mercredi et vendredi; le jour suivant, Rédempteur attelait la voiture et vendait le pain de porte en porte dans le village de Sainte-Marie et dans les rangs voisins. Cette alternance plaisait à Rédempteur. La journée sur la route, qui lui permettait de voir des gens et lui procurait un sentiment de liberté, compensait les heures qu'il avait passées la veille devant le four.

— Beau temps, mauvais temps, malade, pas malade, faut prendre la route, répétait la veuve Leblond. Du service, en plus de la qualité, c'est ce qu'il faut, sinon, ta clientèle s'en va aux *peddlers*.

Elle faisait référence à ces démarcheurs qui vendaient dans les campagnes les produits des grosses boulangeries de Québec et surtout de Montréal.

— Bah! répliqua Rédempteur d'un ton impétueux. Je les attends... Ils vont voir ce que c'est, se frotter à un Vachon!

* * *

En juillet, Arcade entreprit les foins avec un enthousiasme dont il n'avait encore jamais fait preuve. Depuis qu'il voyait la possibilité de mettre un terme à sa vie d'agriculteur, il prenait plaisir à des tâches qui autrefois lui pesaient. Quand il s'installa sur le siège de métal ajouré de la faucheuse mécanique, il ressentit même une certaine émotion : il allait faucher pour la dernière fois! D'ici au déménagement à Sainte-Marie, il y en aurait de plus en plus de ces gestes qui ensuite appartiendraient au passé.

L'entrain d'Arcade se communiquait aux enfants pour qui faire les foins devenait un jeu. Paul et Benoît unissaient leurs efforts pour passer le râteau droit; Jeanne et Simone maniaient la fourche avec dextérité et empilaient le foin en veillottes bien rondes. Quand viendrait le temps de charger la charrette, Rose-Anna et Béatrice se joindraient à eux, car lancer de grosses fourchées de foin au sommet du «voyage» dépassait les capacités d'un enfant.

Profitant de chaque moment de loisir que lui laissaient le soin de la maison et les travaux de la ferme, Rose-Anna s'occupait de son potager et préparait des conserves. Et en prévision du départ prochain, elle triait les vêtements des enfants, dans l'intention de donner à des familles pauvres ce qui était devenu inutile. Ces vêtements, elle les avait pour la plupart cousus elle-même, et ils avaient été transmis d'un plus vieux à un cadet. Mais, fabriqués avec soin, ils demeuraient encore solides et présentaient peu de signes d'usure. Quant à ceux qui étaient irrécupérables, ils deviendraient morceaux de courtepointe ou torchons.

* * *

Un soir, au moment où la famille se mettait à table, une automobile entra dans la cour.

34

— C'est Rédempteur! s'exclama Paul qui s'était précipité à la fenêtre.

Comme il aimait bien plaisanter, le garçon ajouta :

— Il n'est pas seul. On dirait qu'il est avec un policier...

— J'espère qu'il n'y a pas de problèmes à la boulangerie, marmonna Arcade en se dirigeant vers la porte.

Le père poussa une exclamation de surprise et tous les autres accoururent.

— Bonne sainte Anne! soupira Rose-Anna en reconnaissant son fils Joseph qui revenait à l'improviste des États-Unis. Il a l'air correct... pas malade... Il est mis comme un monsieur!

Le garçon avait en effet beaucoup de prestance avec son complet et sa cravate. C'était toutefois son sérieux qui le faisait paraître plus vieux que ses dix-sept ans. Il en imposait déjà par son regard perçant, son air décidé et volontaire. Il montrait une réserve qu'on pouvait prendre pour un sentiment de supériorité, mais cette impression se dissipait aussitôt qu'il se mettait à parler. On appréciait alors la vivacité de son esprit et son discours coloré, et un courant de sympathie se créait.

Joyeuses et animées, les retrouvailles eurent lieu dans la cour. Dès qu'elle fut convaincue que Joseph allait bien, Rose-Anna s'inquiéta de Louis et d'Amédée. Son fils la rassura sur leur compte.

— Ils sont avec moi à Portland, en bonne santé. Il y a de l'ouvrage en masse dans la construction.

— Louis est bien là, hein? Dans ta lettre tu disais que vous l'aviez attendu pour rien à Bangor, au début de mai.

— Ouais! Il nous a rejoints un mois en retard. Louis fait toujours à sa tête, on peut pas se fier à lui.

— Vous êtes pareils tous les deux! trancha Rose-Anna en prenant la défense de l'absent.

Pour changer de sujet, Joseph montra, près de la grange, la charrette qui attendait qu'on la décharge.

— J'ai pensé que maintenant que Rédempteur est devenu boulanger, vous auriez besoin de bras solides pour faire les foins.

Son sourire taquin aurait dû faire comprendre à ses parents qu'il plaisantait; ils préférèrent penser qu'il s'agissait vraiment du motif de son retour. Ils se trompaient; Joseph ne venait pas leur proposer de reprendre la terre. Il était revenu parce que la boulangerie l'intéressait. C'était d'ailleurs là qu'il s'était rendu à sa descente du train. Rédempteur n'avait pas encore terminé ses livraisons, et Joseph en avait profité pour visiter les lieux et surtout pour discuter avec la veuve Leblond. Il avait vite compris que le commerce suffirait tout juste à faire vivre les quatre adultes et les quatre enfants qui habitaient encore la maison familiale des Vachon. Il n'y aurait pas de travail pour lui à la boulangerie. Pour ses frères Louis et Amédée non plus.

Il était déçu, car il sentait confusément qu'il était destiné au commerce, aux affaires. Il faudrait donc qu'il continue de travailler à l'étranger afin d'amasser l'argent nécessaire pour lancer un élevage de renards, ainsi qu'il en caressait le projet depuis des mois. Il résolut de ne pas souffler mot à ses parents des espoirs que l'achat de la boulangerie avait fait naître en lui.

Durant le souper, Joseph monopolisa la conversation. On l'interrogeait sur la vie aux États-Unis, sur ce qu'il y avait vu; comme il aimait raconter, il s'en donnait à cœur joie. Les rires fusaient autour de la table, ponctués parfois d'exclamations d'incrédulité. Ce qui fascinait ces gens qui avaient toujours vécu au milieu des terres, c'était d'entendre décrire la mer, et Joseph y parvenait à merveille, imitant même le bruit des vagues se brisant sur la grève. Rose-Anna couvait son fils d'un regard attendri et se disait qu'il n'en manquait plus que deux au foyer. Bientôt, ils seraient tous réunis, elle en avait la certitude.

Immédiatement après le repas, Rédempteur reprit le chemin de Sainte-Marie, car il voulait y arriver avant la brunante. Lorsque ensuite Joseph proposa qu'on décharge la charrette de foin, son père scruta le ciel.

— Ça peut attendre à demain, dit-il. On n'aura pas de pluie avant trois ou quatre jours.

Arcade se trompait rarement quand il s'agissait de prédire le temps qu'il ferait. Joseph annonça alors :

— Dans ce cas-là, je vais aller faire une petite prière sur la tombe de grand-père Damase.

Il refusa que son père attelle pour le conduire au village, affirmant qu'une bonne marche ferait passer son repas trop copieux. En réalité, il voulait goûter de nouveau l'air du pays, refaire le chemin qu'il empruntait autrefois pour se rendre à l'église. Il n'oserait jamais l'avouer, mais il lui arrivait parfois de s'ennuyer. Béatrice insista pour l'accompagner et avant qu'ils se mettent en route, elle cueillit dans le jardin un bouquet de phlox.

— Les mauves, c'est ceux que grand-père préférait.

Ils cheminèrent d'abord en silence. Perché sur un piquet, un goglu saluait le soir; un tamia traversa la route d'une course saccadée. Joseph alluma une cigarette.

— Depuis que je suis arrivé, je trouve que t'as le caquet bas, Béatrice. Ça va pas, les amours?

— C'est pas ça, répondit-elle, le regard rivé sur le sol.

Elle retomba dans le silence. Avec un peu d'impatience, son frère tira une bouffée de sa cigarette. Il aimait que les choses se fassent rondement, sans perte de temps inutile; cependant il savait écouter, ce qui souvent voulait dire attendre que les mots sortent. Au bout de vingt pas, Béatrice lâcha, des sanglots dans la voix :

— Ils veulent vendre la terre! On peut pas faire ça. Elle nous vient de grand-père Vachon, on est tous nés là.

Joseph se rappela que de tous les enfants, Béatrice était la seule qui aimait vraiment la vie sur la ferme.

— C'est simple, Béatrice, marie ton Albert Lemieux et achetez la terre.

La jeune fille eut un léger sursaut, ses mains froissèrent les tiges des fleurs. Des dizaines de fois elle avait jonglé avec cette idée, sans parvenir à s'y faire. Joseph insista :

— T'es toujours en amour avec lui?

— Oui... On correspond encore. On est fiancés. Mais... Je suis pas certaine qu'une ferme l'intéresserait. Il m'a déjà parlé d'aller vivre aux États-Unis.

— Si tu le suis là-bas, Béatrice, ça change rien pour toi que la terre soit vendue.

Elle ralentit le pas et sembla chercher ses mots durant quelques secondes.

— Je... Il me semble que... Je suis pas prête pour le mariage. Pas encore.

Joseph prit un air songeur, mais c'était simplement une façon d'éviter de répondre. Parler de sentiments ou de choses trop personnelles lui était difficile. Il avait l'impression qu'on ne faisait ainsi que compliquer les choses ou empirer une situation. Il n'aurait pas dû accepter que sa sœur l'accompagne au cimetière. Il leva les yeux vers le clocher de Saint-Patrice qui était encore loin. Et puis, Béatrice ne marchait pas assez vite, elle le retardait!

— J'ai pensé, Joseph, que toi tu pourrais acheter la terre. Je m'occuperais de la maison jusqu'à ce que tu te maries. Je pourrais t'aider pour le train.

Le garçon fut tellement abasourdi par ces paroles qu'il mit un moment avant de réagir. Puis il pouffa de rire.

— Voyons, Béatrice, tu me connais mieux que ça! J'ai rien d'un cultivateur. Aucun de nos frères non plus.

— Pourquoi? C'est beau le travail de la terre, c'est noble.

— T'es maître de rien sur une ferme. La pluie, la sécheresse, un gel tardif ou la grêle, pis t'as travaillé pour rien! J'aime mieux dépendre juste de ma tête et de mes bras. Toi, si ça te tente de voir ta vie réglée par un troupeau de vaches, c'est bien de tes affaires.

Piquée au vif, Béatrice adopta un ton agressif:

— Te penses-tu plus fin à bûcher dans la neige ou à construire les maisons des autres? À avoir un patron qui te dit quoi faire?

— Je dépendrai pas toujours des autres, s'exclama Joseph, sûr de lui. Un jour, ça sera moi, le *boss*!

Sans rien dire, Béatrice lui donna le bouquet d'un geste brusque et retourna à la maison, puis Joseph pressa le pas en direction du village. Il faudrait qu'il arrange les choses avec sa sœur avant de repartir pour Portland.

* * *

— Bonne sainte Anne... soupira Rose-Anna avec tristesse.

39

Joseph fit mine de ne pas entendre et claqua la langue à deux reprises en secouant les rênes pour que Weaver prenne le trot.

— T'es pressé de partir ? demanda la mère d'un ton de reproche.

Le garçon répondit en cachant son impatience :

— Ben non, maman ! Avec un soleil comme ça, je pensais que ce serait plus agréable pour vous d'attendre à l'ombre.

Le boghei cahotait sur la route de terre creusée d'ornières. Devant eux, le village de Sainte-Marie s'étirait le long de la rivière Chaudière, dominé par la flèche de son église.

Rose-Anna n'avait rien dit de tout le voyage depuis Saint-Patrice, mais elle avait une façon bien à elle de se plaindre en silence : une respiration bruyante ou, au contraire, un soupir presque inaudible après un long moment à retenir son souffle ; ses mains qu'elle frottait nerveusement tout en ayant l'air de s'en cacher. Joseph devinait que sa mère lui reprochait ainsi de repartir pour les États-Unis ; il espérait simplement qu'elle ne formule pas ses reproches.

— Au couvent ! Si je m'attendais à ça !

Rose-Anna n'osa exprimer tout haut la pensée que Béatrice n'avait pas la vocation. Elle avait entendu l'appel du Seigneur, prétendait monsieur le curé... La mère se dit qu'elle n'aurait pas dû permettre à sa fille d'accepter cette invitation des sœurs de Notre-Dame-du-Perpétuel-Secours à une retraite fermée qui se tenait à leur couvent de Saint-Damien-de-Bellechasse.

— Y a pas à dire, c'est brusque comme décision, approuva Joseph. Mais vous savez, maman, Béatrice peut encore changer d'idée.

— Entrer en religion, mon petit gars, c'est comme le mariage : y a juste la mort pour mettre fin à ça.

— Tant qu'elle n'a pas prononcé ses vœux...

Rose-Anna répondit par un haussement d'épaules, peut-être pour clore le sujet; toutefois Joseph craignit que la conversation ne s'oriente ensuite vers son départ. Aussi longtemps qu'on parlait de sa sœur...

— Son fiancé, dans tout ça? Le pauvre garçon va avoir une méchante surprise!

— Et moi? s'exclama Rose-Anna, en se tournant vivement vers son fils, ce qui fit grincer les ressorts du boghei et osciller la caisse. Moi, sa mère, je comptais sur elle! L'avoine... les patates... les conserves à faire... le déménagement... Le bon Dieu aurait bien pu attendre deux mois!

Regrettant aussitôt ces dernières paroles, Rose-Anna se signa. Elle respira à fond et reprit, d'une voix qui avait perdu toute agressivité :

— Je veux son bonheur, à Béatrice... Comme je veux le bonheur de chacun de mes enfants. Tu comprends ça, Joseph?

Il tapota la main de sa mère :

— Bien sûr, maman. On l'a toujours senti, votre amour. Comme celui de papa.

Mal à l'aise d'avoir fait cet aveu, Joseph se racla la gorge et détourna la tête avant de continuer, cette fois d'un ton détaché :

— Jeanne et Simone peuvent vous aider dans la maison. Et puis, avec la boulangerie vous aurez pas à vous dépenser autant que sur la terre.

— C'est pas de ça qu'il est question! rétorqua Rose-Anna. Si le destin de Béatrice, c'est le voile, je l'accepte

41

avec joie. Mais elle n'a jamais été plus religieuse qu'une autre, elle n'a jamais été attirée par la vie de couvent. Je ne doute pas de la voix de Dieu, mais des oreilles de ma fille!

Joseph se pinça les lèvres afin de retenir son sourire. Sa mère se tut, s'étonnant tout à coup de s'ouvrir ainsi à un garçon de dix-sept ans. On oubliait facilement le jeune âge de Joseph, tant il se montrait réfléchi et sérieux.

Tandis que l'attelage filait vers le pont de métal qui enjambait la rivière, paresseuse en juillet, Rose-Anna se mura dans le silence. La décision de Béatrice lui causait une véritable douleur. Pourtant, elle aurait dû, à l'instar d'Arcade, se réjouir qu'il y ait une vocation religieuse dans leur famille, comme dans presque toutes les familles canadiennes-françaises. Rose-Anna avait plutôt le sentiment de perdre une deuxième fille en moins de deux ans.

Si seulement Béatrice était revenue à la maison après la retraite fermée, pour réfléchir durant quelques jours... Mais non! Elle avait fait prévenir ses parents, et Rose-Anna n'avait pu que lui parler au téléphone, pour l'entendre raconter, d'une voix exaltée, qu'elle avait perçu clairement l'appel du Seigneur. Aux yeux de Rose-Anna, cette vocation subite avait tout l'air d'une fuite.

La jeune fille n'était plus la même depuis la mort de sa sœur, Marie-Anne, de quatre ans son aînée. Enfant, Béatrice s'identifiait déjà à elle, cherchant à lui ressembler. L'affection qui les unissait avait crû au fil des années. En plus de lui enlever une sœur chérie, cette mort avait fait perdre à Béatrice l'illusion de son immortalité. Et la demande en mariage de son beau-frère, Émile Nappert, avait contribué à la désorienter davantage. Même si Béatrice se sentait une certaine obligation de remplacer Marie-Anne auprès de son mari et de ses deux petites filles, elle n'éprouvait aucune attirance pour cet homme et n'avait nulle envie de s'installer dans les affaires d'une morte, fût-ce sa propre sœur.

Incapable de se décider, Béatrice n'avait pu que repousser de semaine en semaine le moment de répondre à son beau-frère. Conseillée par le curé de la paroisse, elle avait décidé de s'exiler à Montréal sous prétexte d'apprendre l'anglais, mais en réalité c'était pour se donner le temps de voir clair en elle-même. Et comme si les choses n'étaient pas déjà assez compliquées, Albert Lemieux, un jeune homme qu'elle connaissait depuis toujours, était revenu des États-Unis pour lui proposer le mariage. Elle avait accepté de correspondre avec lui afin qu'ils se connaissent mieux. À Montréal, une bonne partie des loisirs de Béatrice était donc consacrée à écrire des lettres de plus en plus froides à son beau-frère, de plus en plus enflammées à Albert. Le garçon était venu la voir à Montréal et ils s'étaient fiancés à la Noël de 1922. Quant à Émile Nappert, il semblait avoir accepté de bonne grâce le choix de Béatrice.

Croyant l'histoire réglée, Rose-Anna s'était attendue à l'annonce de la date du mariage. Cependant elle avait compris que quelque chose clochait quand Béatrice était rentrée à la maison lors de la maladie du grand-père Vachon. La jeune fille parlait peu de son fiancé, et toujours sans enthousiasme, sans jamais prononcer le mot mariage. Rose-Anna avait été incapable de tirer de sa fille la moindre confidence. Après la mort de Damase Vachon, les choses avaient empiré : Béatrice, fermée comme une huître, avait le regard éteint.

— Whoa! Whoa!

La voiture s'immobilisa. Joseph désigna l'édifice de pierres grises au perron monumental et annonça :

— L'école des filles. Je vous attends ici.

Une fois l'inscription de Jeanne et de Simone faite au couvent des sœurs de la Congrégation à Sainte-Marie, Joseph conduisit sa mère au collège des frères des Écoles chrétiennes que fréquenteraient Paul et Benoît. Puis il prit la route de la gare de chemin de fer.

— C'est chez nous, maintenant, déclara Rose-Anna avec fierté quand ils arrivèrent en vue de la boulangerie.

— Je suis tellement heureux pour vous et papa. Pour toute la famille.

— Je vais te montrer l'intérieur.

Joseph consulta la montre dorée qu'il tira d'une poche de sa veste.

— Je suis un peu juste pour mon train. Vous me ferez visiter la boulangerie une autre fois, maman.

Descendue du boghei, Rose-Anna épousseta sa robe noire du plat des mains. Une dizaine de voyageurs attendaient à l'ombre de la gare, un édifice en bois peint d'un rouge terne. Joseph se dirigea vers le guichet afin d'acheter son billet, et sa mère remarqua que trois femmes le suivaient du regard. Ce n'était pas que curiosité de leur part, Rose-Anna le voyait bien. Par sa prestance et l'assurance de sa démarche, Joseph qui était très bel homme se détachait au milieu d'une foule.

Quand il revint vers elle, Rose-Anna ajusta la cravate de son fils.

— Promets-moi de faire attention à toi, là-bas, dit-elle d'une voix émue. Évite les mauvaises fréquentations, les jeux à l'argent, la boisson... Et puis, tu sais... il y a des créatures pas recommandables... qui ruinent la santé et la vie d'un homme...

Joseph rougit. Craignant que sa mère continue sur ce sujet embarrassant, il tourna la tête vers les rails, mit la main derrière l'oreille.

— C'est pas le train, ça?

À cet instant précis, un long sifflement se fit entendre au loin. Le train du Quebec Central Railway arrivait de Québec en traînant un panache de fumée grise. Joseph ramassa à ses pieds son sac de voyage en cuir noir. Rose-Anna lui mit la main sur l'épaule et recommanda :

— Reste avec tes frères; entraidez-vous, protégez-vous.

— Faites-vous-en pas, maman, je les emmène à la messe et à confesse.

— C'est très bien, ça.

— L'avantage, reprit Joseph d'un ton badin, c'est que là-bas les prêtres sont moins regardants sur les péchés que le curé O'Reilly.

Cette remarque détendit l'atmosphère. Rose-Anna ne put s'empêcher de sourire.

— Soyez prudents sur les échafaudages et allez pas sur la mer. On ne sait...

La suite de sa phrase fut couverte par le vacarme du train qui entrait en gare. Durant quelques secondes, le monde fut rempli du bruit saccadé des pistons, du grincement des roues sur les rails et du sifflement de la vapeur qu'on relâchait. Rose-Anna embrassa son fils sur les deux joues, et Joseph craignit qu'elle ne se mette à pleurer. Lui-même avait la gorge serrée, car Dieu seul savait quand il reverrait les siens!

— Je suis sûr que ça va bien marcher, la boulangerie, dit-il d'une voix neutre en se dégageant des bras de sa mère. Au revoir, maman.

— Que la bonne sainte Anne te protège, Joseph. Oubliez pas que vous avez toujours votre lit et votre assiette à la maison.

Joseph acquiesça d'un signe de tête et se dirigea à pas pressés vers son wagon. Un geste de la main, puis il disparut dans le train. Rose-Anna attendit un long moment, espérant que son visage apparaîtrait à une fenêtre. Les places du bord étaient sans doute toutes prises, se dit la femme. Le train s'ébranla vers la frontière des États-Unis qu'il atteindrait après avoir traversé toute la Beauce.

— Pauvre enfant! soupira tout bas Rose-Anna qui ravalait sa peine.

Elle prit le cheval par la bride et marcha jusqu'à la boulangerie. Voir Rédempteur et lui parler la consolerait un peu, lui semblait-il.

Occupé à défourner du pain en sifflant à s'époumoner l'air de «Auprès de ma blonde», le jeune homme n'entendit pas entrer sa mère. Une telle joie chez son fils ravit Rose-Anna qui oublia pour un moment Joseph et Béatrice. Rédempteur ne cacha pas son étonnement. Il parut même mal à l'aise.

— Maman! Ah... La belle surprise!

— Je viens de reconduire Joseph au train.

— Il aurait pu venir me saluer!

— Il a attrapé son train de justesse, expliqua-t-elle en s'approchant de la grande table où Rédempteur déposait les pains fumants.

Rose-Anna remarqua le sol souillé de farine autour du pétrin, les brindilles et la cendre sur le plancher devant le four.

— Ça sent-y pas bon, ça, maman? Je suis pas battable pour le pain.

La sueur creusait de minces sillons sur son visage poudré de farine. Il riait, mais semblait sur ses gardes et s'esquivait lorsque sa mère s'approchait de lui. Ce comportement parut étrange à Rose-Anna qui réussit à le coincer devant le four.

— Ma foi! s'écria-t-elle, outrée. Tu pues la boisson à plein nez! À onze heures du matin! Qu'est-ce que ça veut dire?

— Ben... euh... répondit Rédempteur qui se pencha vers le four afin d'y repêcher deux autres pains avec la longue pelle de bois.

Il ne termina son explication qu'une fois les pains sortis du four, ce qui lui donna le temps de la mettre au point.

— C'est avec un client, tantôt. On a placoté un peu, il a sorti un petit flasque. Il a tellement insisté que ça l'aurait offusqué que je refuse. Bah! Juste une goutte, y a pas de mal à ça.

Même s'il disait vrai, ce dont doutait Rose-Anna, ce n'était pas une excuse valable.

— Que tu prennes une bière après ton travail, c'est correct. Que t'ailles traîner à l'hôtel, passe encore, à vingt-quatre ans t'es plus un enfant. Mais je veux absolument pas que tu boives à l'ouvrage. C'est compris?

— Ouais... fit Rédempteur qui replongea la pelle dans le four.

Rose-Anna était venue chercher un peu de réconfort dans le spectacle de la boulangerie, mais par sa conduite, son fils aîné rendait la chose impossible. La peine qu'elle traînait depuis le matin se transforma en colère.

— Et ça? demanda-t-elle d'un ton sec, en désignant la saleté devant le four. T'aurais pu balayer pendant que le pain cuisait!

Elle montra le plancher malpropre autour du pétrin :

47

— T'avais le temps de nettoyer pendant que la pâte levait!

Rédempteur courba légèrement les épaules et baissa la tête pour laisser passer l'orage.

— Pis ta chemise et ton pantalon blancs qui sont tachés. Quelle image de la boulangerie ça donne aux clients?

D'un index rageur, Rose-Anna tapota la poitrine de son fils.

— La boulangerie, c'est l'avenir de notre famille. Oublie jamais ça!

Le ton de sa mère se radoucit :

— T'es le plus vieux; on compte sur toi, ton père et moi.

— Je vais faire de mon mieux.

Pour signifier que tout était rentré dans l'ordre, Rose-Anna lui frappa doucement l'épaule à trois reprises.

— C'est vrai qu'il sent bon ton pain, mon Rédempteur. Je veux y goûter drette là!

La porte s'ouvrit devant la veuve Leblond qui salua Rose-Anna d'une exclamation joyeuse. Son haleine sentait aussi l'alcool. Elle avait en outre un regard bien enjoué pour une femme qui pleurait la mort de son mari depuis à peine trois mois.

Rose-Anna se dit qu'il était temps qu'elle arrive à Sainte-Marie pour prendre les choses en main.

Chapitre 2

Rose-Anna vécut dans l'effervescence la première semaine de septembre. Les quatre enfants s'efforçaient de l'aider, mais elle devait constamment guider leurs efforts, veiller à tout. Fallait-il emporter ceci? Dans quelle caisse devait-on mettre cela? Tout en empaquetant les effets de la maisonnée, Rose-Anna préparait les enfants pour l'école. Et Béatrice lui manquait...

Puis il y eut l'encan où le bétail, le foin et les grains furent vendus à la criée. Un moment difficile pour Arcade qui avait l'impression, vague mais dérangeante, de trahir. Et tout à coup, le doute : avaient-ils pris la bonne décision? Rose-Anna connaissait assez son homme pour deviner ce qui le tracassait.

— C'est pour nos enfants qu'on le fait.

— Oui, mais si ça marche pas aussi bien que...

Elle lui sourit faiblement.

— On travaillera deux fois plus fort, mon mari. On a l'habitude!

La calme détermination de sa femme rassura Arcade. Pourtant, Rose-Anna ne partait pas l'esprit aussi léger qu'elle l'aurait voulu. Cette maison qu'elle quittait, c'était un quart de siècle de vie : des joies et des rires, des espoirs et des inquiétudes, des souffrances et des larmes. Elle n'avait pas la certitude que la boulangerie lui permettrait d'offrir du travail à tous ses fils et ainsi, de garder la famille réunie. Si au moins elle retenait les plus jeunes au pays, ce serait déjà ça de gagné.

Et le 7 septembre 1923, la famille Vachon emménagea dans la maison de Sainte-Marie-de-Beauce. En entrant dans la cuisine d'où elle régnerait désormais, Rose-Anna comprit qu'elle avait tourné une page et que commençait une nouvelle étape de son existence. Autant que son mari, sinon plus que lui, elle devrait apprendre un métier dont elle ignorait tout. Arcade serait boulanger, mais c'est à Rose-Anna qu'il incomberait de diriger le commerce, de veiller à ce qu'il fasse vivre toute la famille. C'était bien différent de la gestion d'une ferme, où les semences ne coûtaient presque rien, où il suffisait de travailler, sans jamais compter sa peine, et de laisser ensuite la nature faire sa part, en priant pour que le temps soit propice.

Pour chaque membre de la famille, il y eut une période d'adaptation, non seulement à l'environnement d'un gros village, mais surtout à ce que Rose-Anna appelait «les airs de la maison». De vieilles habitudes dont il fallait perdre l'accoutumance, de nouveaux gestes machinaux qu'il fallait mettre au point : tourner à gauche plutôt qu'à droite au haut de l'escalier, tirer cette porte plutôt que de la pousser... Il fallait aussi s'habituer à l'éclairage électrique, au sifflement du train qui entrait en gare, aux vibrations de la maison quand passaient les wagons. Mille petits bruits auxquels on ne portait pas attention autrefois et qui, les premiers jours, dérangeaient parce que différents : la musique du vent dans la cheminée, le ronflement du poêle, les craquements du plancher, le grincement d'une penture.

On se levait encore à l'aube, mais plus comme autrefois pour «faire le train», tâche à laquelle les enfants participaient avant d'aller à l'école. Dorénavant, la boulangerie marquerait le rythme de vie de la famille Vachon.

**

Un vent frisquet de novembre geignait à l'extérieur de la maison des Vachon. Dans la cuisine, la soirée s'avançait lentement, marquée par les tic-tac de l'horloge et le grincement régulier des chanteaux de la berçante où Arcade fumait sa pipe. Les enfants dormaient à l'étage, Rédempteur s'était endimanché pour aller à l'hôtel, boire et discuter avec d'autres «jeunesses». Assise au bout de la table de la cuisine, Rose-Anna vérifiait les chiffres inscrits dans un épais cahier à couverture noire.

Arcade somnolait par moments, autant parce qu'il était repu qu'à cause de la chaleur qui émanait du poêle. Un intense sentiment de satisfaction l'envahissait. Depuis deux mois, il vivait dans un bonheur tranquille que ne ternissait jamais la peur d'une grêle qui verserait l'avoine, de pluies interminables qui feraient pourrir le foin ou d'une maladie qui décimerait le bétail.

Son nouveau travail lui plaisait à tel point qu'il prenait des initiatives et voyait à tout sans que sa femme ait besoin de lui rappeler ce qu'il y avait à faire. À la boulangerie, on ne manquait jamais de bois, de farine, de graisse, de sel, de sucre, ni de lait. Son plus grand plaisir était de remplir de pains la voiture dont la caisse portait de chaque côté l'inscription *J. A.Vachon, boulanger*, et de prendre ensuite la route avec son cheval fraîchement étrillé. Les compliments qu'on lui faisait à propos de sa bête ravissaient Arcade autant que ceux qui vantaient la saveur de son pain.

— Ça va pas! s'exclama Rose-Anna, sans lever la tête de son cahier.

Arcade sursauta.

— Qu'est-ce qui va pas, ma femme?

Sa voix dénotait un soupçon d'inquiétude. La question étonna Rose-Anna qui n'avait pas eu conscience de parler à voix haute.

— La boulangerie, Arcade. On vend pas assez.

— Ça me surprend ce que tu me dis là! Regarde aujourd'hui, j'ai ramené juste deux pains.

— Je le sais, mon mari, dit-elle d'une voix tendre. Tu fais du bon travail, c'est pas la question. Laisse-moi finir mes calculs, pis on essaiera d'y voir clair.

Arcade approuva d'un signe de tête. Il se leva pour vider sa pipe dans le poêle, et sa femme replongea dans ses colonnes de chiffres.

Dès leur arrivée à Sainte-Marie, Rose-Anna avait commencé à tenir cette comptabilité afin de savoir ce qu'ils gagnaient exactement avec le commerce. Après deux mois, force lui était de constater que la production de la boulangerie demeurait modeste. Et qu'elle le demeurerait, car la paroisse de Sainte-Marie-de-Beauce comptait environ mille deux cents personnes, tandis que le village en regroupait un peu plus de mille trois cents. Beaucoup de retraités, surtout des couples de cultivateurs venus finir leurs jours paisiblement à l'ombre du clocher. Nombre d'entre eux cuisaient encore leur pain.

Les ventes atteignaient en moyenne quarante dollars par semaine, ce qui ne permettait guère de réaliser de gros bénéfices. Rose-Anna avait beau administrer la boulangerie avec soin et réduire les frais, elle n'avait pas une grande marge de manœuvre. Le prix des produits de base était difficilement négociable, et il n'était pas question de risquer de perdre des clients en augmentant celui du pain.

Inquiet du visage soucieux de sa femme, Arcade ne tenait pas en place. Il s'assit dans sa berçante, bourra sa pipe, se releva aussitôt pour mettre une bûche dans le poêle. Puis, il s'appuya à l'évier et attendit avec anxiété le verdict de Rose-Anna. Aussitôt qu'elle eut refermé son cahier, il demanda :

— On n'arrive pas ?

— Tout juste, Arcade. On fait à peine vingt piastres de profit par semaine.

— C'est beaucoup plus que sur la ferme ! s'exclama Arcade, cherchant à montrer de l'enthousiasme.

Il ne voulait pas envisager l'idée que l'achat de la boulangerie ait pu être une erreur, surtout pas l'éventualité d'un retour sur la terre de Saint-Patrice.

— C'est vrai, admit Rose-Anna. Mais dans neuf mois, va falloir verser à la veuve Leblond un premier paiement de cinq cents dollars. Plus les intérêts. Pour ça, je mets de côté dix dollars par semaine. Y a aussi Rédempteur...

Arcade hocha la tête et songea que dans un village, la vie leur coûtait plus cher que sur la ferme qui fournissait la viande, les œufs et les légumes. À présent, il fallait acheter même le bois de chauffage. Et puis, Rose-Anna n'avait plus le temps de fabriquer les vêtements et les chaussures des enfants. Ils n'avaient pas songé à cela avant d'acheter la boulangerie.

— Si on allait vendre aussi dans les paroisses voisines ? proposa Arcade.

— C'est trop de voyagements.

Arcade se laissa choir lourdement dans la berçante, l'air découragé.

— Qu'est-ce qu'on va faire, ma femme?

Elle quitta la table et replaça la peau de mouton sur le dossier de la chaise voisine de celle de son mari. Elle s'y assit, se donna un élan avec les pieds, puis elle se berça sans quitter Arcade des yeux.

— Ça fait plusieurs jours que je jongle avec une idée. Si on a fait notre plein de clients pour le pain, il faut leur vendre autre chose. C'est le seul moyen de gagner plus d'argent.

— Autre chose? fit Arcade qui se demandait à quoi elle voulait en venir.

— Je vais faire des *buns* aux raisins, des croquignoles, peut-être des tartes aussi. À ce que je sache, personne n'a jamais craché sur ma cuisine.

— Pour ça, t'as pas d'inquiétude à avoir, t'es une cuisinière dépareillée!

La réputation de cordon-bleu de Rose-Anna avait depuis longtemps dépassé le cercle familial. À Saint-Patrice, de simples connaissances venaient parfois chez les Vachon à l'heure des repas, assurés d'être invités à table et d'y faire bonne chère.

— Les vendre où, tes pâtisseries? poursuivit Arcade qui ne semblait pas encore convaincu.

— Dans le voisinage, pour commencer. Après, on verra...

— Le voisinage? Diable, Rose-Anna... Qui c'est qui va aller...

— Bien, toi, Arcade! répondit-elle, avec un certain étonnement.

54

Exactement les mots qu'il redoutait d'entendre. Il secoua la main et se récria, d'un ton plaintif :

— Moi? Je pourrais jamais! Grand Dieu, Rose-Anna, c'est trop gênant! Les voisins vont penser qu'on leur demande la charité.

Le front de Rose-Anna se plissa, ses sourcils se touchaient presque. Elle n'aimait pas que l'on discute ses arrangements; toutefois, elle demeura calme, car elle sentait Arcade profondément troublé. Elle lui expliqua avec patience :

— Voyons, mon mari... Y a pas de honte à ça. Vendre des pâtisseries, c'est pas différent de vendre du pain.

Tenant sa blague à tabac dans une main, Arcade bourra sa pipe par gestes saccadés, et un peu de tabac tomba sur le parquet. Enfin, il trouva les mots qui ne lui étaient pas venus spontanément.

— Le pain, c'est correct, c'est notre commerce. Tout le monde comprend ça, c'est dans l'ordre des choses. Mais quand une femme vend des tartes à ses voisines, c'est parce que son mari arrive pas à la faire vivre.

Sa voix tremblait d'émotion contenue. Touchée, Rose-Anna sourit et caressa la main aux veines gonflées de son mari. Elle dit avec tendresse :

— Si ça marche comme je pense, les pâtisseries ça deviendra aussi notre commerce, Arcade. En attendant, j'ai quelqu'un d'autre pour vendre mes *buns*.

— Ça coûte pas cher d'essayer, conclut Arcade, rassuré de ne pas être obligé d'offrir des brioches de porte en porte.

Rose-Anna pencha le corps en avant et se mit debout en prenant appui sur les accoudoirs de la berçante. Le plancher geignit.

Pendant que Rose-Anna faisait chauffer un peu de lait, boisson qui l'aidait à trouver le sommeil, l'horloge sonna dix heures. Et Rédempteur qui traînait encore dehors avec Dieu sait qui! Rose-Anna écouta le vent qui griffait la toiture.

— C'est de la neige qui s'en vient, Arcade?

— Non, le ciel n'est pas à ça. Mais une saprée grosse gelée. Demain matin, le monde va être blanc de frimas.

En deux mois, Arcade s'était déjà habitué aux ciels et aux vents de Sainte-Marie, et il avait transposé aux rives de la Chaudière l'expérience de l'interprétation des signes acquise ailleurs. Ce soir, la lune formait un œil de bouc dans un firmament sans nuages.

Rose-Anna rangea dans l'armoire la tasse qu'elle venait de laver :

— Allons dire un chapelet avant de nous coucher, Arcade. J'ai une grosse journée à faire demain.

* * *

— Bonjour, m'man, lança Paul qui entra dans la cuisine en coup de vent.

Il s'arrêta net sur la laize de catalogne, la main encore sur sa casquette. Le vent frisquet avait rougi les pommettes de son visage rieur.

— Hum! Ça sent bon!

— Un bouilli au lard, annonça Rose-Anna.

Il leva le nez en l'air et se mit à renifler très fort l'odeur de friture qui persistait dans la pièce.

— Non, non, maman, pas ça, l'autre odeur. Ça sent... Noël! Les beignes!

Rose-Anna se mit à rire. Simone qui mettait la table taquina son jeune frère en chantonnant :

— Des croquignoles, mon Tit-Paul... Mais c'est pas pour tes grandes dents. Je vais les vendre après l'école.

Incrédule, le jeune garçon se tourna vers sa mère :

— C'est pas vrai, hein maman?

Elle le lui confirma d'un signe de tête. Simone prit un petit air de supériorité, ce qui piqua Paul au vif. Il lança :

— Avec ta face pleine de boutons, tu vendras pas une seule croquignole et on pourra les manger au souper.

— Paul! s'exclama Rose-Anna, dis pas de bêtises à ta sœur. J'en ai fait deux douzaines pour nous autres.

— Aïe... merci!

Le garçon sortit précipitamment pour annoncer la nouvelle à son frère Benoît qui jouait aux billes avec un de leurs amis. Après avoir disposé les assiettes sur la nappe, Simone passa discrètement les doigts sur ses joues afin de s'assurer qu'elles étaient toujours lisses et veloutées. La porte vitrée de l'horloge lui renvoya l'image familière de son visage aux traits d'une parfaite régularité. Simone était ce qu'on appelait «une beauté», et elle le savait : à douze ans elle attirait déjà les regards des hommes.

Rose-Anna s'aperçut du comportement de sa fille. Combien de femmes, une pointe d'envie dans la voix, lui disaient à propos de Simone : «Celle-là, elle va sûrement en briser des cœurs!»

— Si tu restes en contemplation devant l'horloge, la table sera pas mise à midi.

Simone sursauta et, rougissante, se hâta d'ouvrir le tiroir aux ustensiles. Paul se trompait, se dit Rose-Anna. Avec son visage de madone, Simone ne pouvait que plaire aux clientes.

— N'oublie pas de sourire et d'être polie quand tu offriras mes pâtisseries aux gens.

— J'y manquerai pas.

Elle aimait que sa mère lui confie cette responsabilité qui la faisait se sentir plus importante. Frapper chez des voisins qu'elle ne connaissait pas? Simone ignorait la gêne et débordait plutôt d'assurance. Tout lui paraissait simple, et elle avait le sentiment que le monde lui appartiendrait un jour, que la vie obéirait à ses souhaits.

Un pas traînant se fit alors entendre dans l'escalier. Comme cela se produisait souvent, Jeanne avait dû s'étendre au retour de l'école.

— Ça va mieux, ma fille? demanda Rose-Anna d'un ton maternel.

— Oui, et je vais vous aider.

Le sourire forcé de Jeanne ne parvenait pas à faire illusion. De vilains cernes se creusaient sous ses yeux fiévreux et ses lèvres étaient exsangues, ce qui contribuait à rendre son visage encore plus ingrat. D'une frêle constitution, elle attrapait toutes les maladies qui passaient.

Simone la poussa vers la table avec douceur mais insistance.

— Fais-moi plaisir, Jeanne, assis-toi tranquille. Tout est prêt.

Bien que sa sœur fût d'un an son aînée, Simone avait une attitude très protectrice envers elle. Chaque matin, elle coiffait Jeanne qui n'était pas douée pour le faire; si la chose avait été possible, elle aurait volontiers partagé avec elle un peu de sa beauté et de sa santé.

Rose-Anna estimait qu'il ne fallait pas que Jeanne se sente inutile. Elle déposa donc devant elle un pain encore tiède.

— Fais-nous des tranches épaisses, ma grande.

Sous les doigts glacés de Jeanne, la croûte semblait brûlante.

Après le dîner, Rose-Anna fit cuire des brioches aux raisins dans le four de la boulangerie, et quand Simone revint du couvent, vers quatre heures, les pâtisseries remplissaient deux paniers. La fillette prit la route, les oreilles encore bourdonnantes des recommandations de sa mère.

Tandis que Jeanne et les deux garçons faisaient leurs devoirs à la table de la salle à manger, Rose-Anna préparait le souper. Toutes les cinq minutes, elle s'approchait d'une fenêtre et collait son front contre la vitre afin de mieux voir dehors où la brunante tombait déjà. Quand elle aperçut Simone, elle s'empressa de lui ouvrir la porte.

— Et puis?

Pour toute réponse, la fillette sourit largement et retourna les deux paniers à l'envers.

— Si j'en avais eu plus, je les aurais tous vendus.

Rose-Anna rayonnait, d'autant plus que Simone avait été absente pendant moins d'une demi-heure. Quand elle mit les pièces de monnaie dans la poche de son tablier, la mère eut la certitude qu'ils étaient tirés d'affaire.

Cela devint un rite quotidien. Aussitôt rentrée du couvent, Simone repartait pour vendre brioches, beignes et croquignoles dans le village. Rose-Anna prenait la chose tellement à cœur, que certains jours elle guettait sur la galerie l'arrivée de sa fille et, l'apercevant au loin, criait :

— Simone! Vite, les *buns* sont prêts!

Et sans rechigner, la fillette remplaçait son sac d'école par un panier de pâtisseries. Elle savait que l'argent qu'elle rapportait était nécessaire à la famille. Ce travail, personne n'aurait pu le faire à sa place : les garçons étaient trop jeunes et sa sœur Jeanne, trop faible. Cette dernière aurait bien voulu accompagner Simone, ou au moins seconder sa mère dans la maison, mais sa santé chancelante lui laissait juste assez de forces pour continuer ses études.

Accaparée par la confection des beignes et des brioches, Rose-Anna disposait de moins de temps pour les travaux ménagers. Elle comptait là encore sur l'aide de Simone qui, après la classe, n'avait plus aucun moment libre jusqu'au coucher. Le matin, la jeune fille devait se lever à six heures pour faire ses devoirs et repasser ses leçons. Elle ne s'en plaignait pas, car c'était par amour pour Jeanne qu'elle se dévouait. Il faut dire aussi que, bras droit de sa mère, elle voyait se modifier subtilement sa situation dans la famille. Déjà, on prêtait l'oreille quand elle ouvrait la bouche.

— Tu fais plus que ta part, lui dit sa mère en la prenant à l'écart, mais sois patiente, c'est temporaire.

Et en effet, au bout de quelques semaines, Rose-Anna jugea l'expérience concluante : dorénavant, Arcade et Rédempteur proposeraient ses pâtisseries à tous les clients de la boulangerie. Ces nouveaux produits se vendaient si bien que Rose-Anna décida de confectionner également des tartes qui eurent autant de succès.

Il fallait à présent organiser de véritables corvées pour répondre à la demande. Toute la famille se réunissait dans la petite boulangerie à l'atmosphère sur-chauffée où Rose-Anna organisait le travail. Elle prépa-rait la pâte des brioches, et Rédempteur la coupait en morceaux de la bonne grosseur que Simone roulait avant de les mettre dans les casseroles. Arcade plaçait celles-ci dans des armoires où la pâte levait à une température constante. Quant à Paul et à Benoît, ils rentraient du bois et alimentaient le four. Parfois leur père leur mon-trait à enfourner les casseroles avec les longues pelles de bois qu'il avait lui-même fabriquées. Même Jeanne insis-tait pour venir avec les autres, prétendant que la chaleur du four lui faisait du bien; Rose-Anna lui demandait donc de mesurer les ingrédients pour la pâte.

Ces corvées n'avaient rien de commun avec celles, si pénibles, que commandait la ferme. La joie régnait dans la boulangerie, les plaisanteries fusaient, des sou-rires épanouissaient les visages couverts de sueur.

Dans ces moments-là, Rose-Anna sentait son cœur se gonfler de bonheur, même si elle voyait au milieu de son petit monde les places vides des absents. Acheter la boulangerie avait été une sage décision, elle en avait à présent la certitude, et elle entrevoyait déjà la réalisation de son rêve : rassembler tous ses enfants autour d'elle.

Avec les pâtisseries, les ventes avaient augmenté de manière significative, les profits étaient meilleurs et le premier versement qu'il faudrait faire en juin à la veuve Leblond n'inquiétait plus Rose-Anna. Elle supportait bien sûr un important crédit, mais c'était le lot de tous les commerçants. Presque tous les clients, riches comme pau-vres, avaient l'habitude de «faire marquer» et payaient plus tard : la semaine suivante ou à la fin du mois.

Rédempteur traînait avec lui un grand livre relié en cuir rouge où il inscrivait de son écriture maladroite les ventes de pains, de pâtisseries ou de graisse. La page intérieure de la couverture portait la mention : «Si ce livre vient qu'à se perdre, veuillez le remettre à Arcade Vachon, boulanger, Sainte-Marie, Beauce.» On y retrouvait aussi bien le nom de Jean-Baptiste Lacroix, le plus gros marchand du village, celui de monseigneur Feuiltault, le curé, ou celui d'Émery Dulac, un fabricant de boîtes à pilules, que ceux d'ouvriers qui tiraient le diable par la queue, et de cultivateurs qui remboursaient leur dette en livrant à la boulangerie du foin, de l'avoine ou des œufs.

Un soir qu'il s'asseyait pour souper, Rédempteur déclara à sa mère :

— À ce train-là, ça sera pas long qu'on pourra plus fournir, papa et moi. Ça va nous prendre de l'aide; faudra peut-être engager quelqu'un!

— J'y pense depuis quelques semaines, répondit Rose-Anna, d'un air un peu mystérieux.

En fait, elle se disait qu'il était temps d'aller voir Béatrice dont les six mois de postulat s'achevaient, et de la raisonner.

* * *

Rose-Anna fut prise de court. Avant même qu'elle trouve le temps de se rendre au couvent de Saint-Damien-de-Bellechasse, elle reçut de la supérieure une invitation à la cérémonie de la prise de voile de Béatrice. En février 1924, Arcade et Rose-Anna se trouvèrent donc dans la grande chapelle du couvent où prenaient place près de deux cents religieuses de Notre-Dame-du-Perpétuel-Secours. Rose-Anna était déçue de n'avoir pas pu parler à sa fille avant la cérémonie. Elle soupçonna qu'on écartait ainsi les parents pour éviter que la détermination de certaines postulantes ne fléchisse à la dernière minute.

Le moment venu, Béatrice s'avança dans l'allée, vêtue d'une robe blanche et coiffée d'un grand voile qui formait une traîne. Cette vision troubla Rose-Anna qui nourrissait toujours des doutes sur la vocation de sa fille. Elle la connaissait tellement bien... C'est au bras de son père que Béatrice aurait dû monter à l'autel où Albert Lemieux l'aurait attendue. Craignant un peu que le Seigneur ne s'imagine qu'elle s'opposait à ses desseins, la mère joignit les mains et pria. Elle s'adressa à sainte Anne, lui demandant d'éclairer sa fille afin qu'elle ne commette pas une erreur.

À cet instant précis, Béatrice tentait justement de se convaincre qu'elle ne se trompait pas. Son recueillement et son air de piété? Apparences qui masquaient une sourde lutte intérieure. Elle cherchait à retrouver les certitudes qui l'animaient durant les huit jours de retraite fermée qu'elle venait de vivre. Au lieu de cela, tournoyaient dans son esprit les doutes qui l'avaient harcelée au cours des six derniers mois, les jugements sévères qu'elle avait portés par moments sur la communauté et ses règles. On l'avait forcée à maîtriser ses élans, à agir aussi calmement qu'une femme de cinquante ans, à obéir sans poser de questions. Elle qui aimait mener, elle n'accepterait jamais qu'on la commande de la sorte. Du moins l'avait-elle cru... Et voilà qu'aujourd'hui, elle approchait de la sainte table où elle recevrait l'habit noir de la communauté et le voile blanc des novices. Qu'est-ce qui la poussait, non pas à accepter cette vie de pauvreté et d'anonymat, mais à refuser tout le reste?

Tandis que le chant mélodieux de ses compagnes remplissait la nef, Béatrice regarda ses mains. Même si la marque de sa bague de fiançailles s'était effacée de son annulaire depuis belle lurette, la jeune femme voyait encore briller le diamant. L'un des derniers gestes de Béatrice avant d'entrer au couvent, avait été de retourner sa bague à Albert Lemieux. Dans une très courte lettre, elle lui avait dit qu'elle consacrait désormais sa vie au Seigneur et que tout était fini entre eux.

Le garçon avait mal pris la chose, lui qui comptait épouser Béatrice l'été suivant. Il était venu des États-Unis pour demander des explications sur ce revirement subit que rien ne laissait présager dans les lettres de sa fiancée. La supérieure du couvent lui avait refusé une rencontre avec Béatrice qui devait être tenue dans l'ignorance de la démarche de son ancien fiancé. Mais dans un couvent, rien ne restait secret bien longtemps...

Déjà troublée par cette nouvelle, Béatrice avait vu le hasard lui jouer un tour cruel. Alors qu'elle se promenait dans une allée du jardin qui entourait le couvent, elle avait aperçu Albert qui déambulait dans la rue d'un pas traînant. Il ne l'avait pas vue. L'appeler? Lui parler à travers la haie de chèvrefeuilles? Pour lui dire quoi? Elle ne regrettait rien, le mariage n'était pas pour elle; mais elle déplorait d'avoir pendant si longtemps laissé des espoirs au garçon. Elle s'était donc enfuie du jardin pour se réfugier au dortoir où elle avait fondu en larmes. Des pleurs qu'elle ne s'expliquait pas à l'époque, mais qu'elle croyait comprendre aujourd'hui. Sentant sa gorge se nouer, elle se mit à prier de toutes ses forces.

Pourtant très pieux, Arcade ne parvenait jamais à maintenir son attention durant la messe ou les vêpres. Il se prenait vite à rêvasser, surtout quand la cérémonie s'éternisait comme c'était présentement le cas. Il lui vint des images d'arbres, les érables de sa terre de Saint-Patrice. Encore quelques semaines, et le doux temps ferait monter la sève, couler les érables. «Faire les sucres» était à la ferme le seul travail qui plaisait vraiment à Arcade. Avec un attelage, il commençait par tracer dans la neige un chemin menant jusqu'à l'érablière située à une quarantaine d'arpents de la maison. Puis le moment venu, il se rendait à la cabane à sucre en emportant une batterie de cuisine, des couvertures, des outils et des morceaux de flanelle qui serviraient à filtrer l'eau d'érable, puis à couler le sirop.

Arcade s'adonnait ensuite à une tâche considérable : entailler deux mille érables. Et pour rejoindre chacun, il fallait battre un sentier dans la neige épaisse. Armé d'un vilebrequin, Arcade perçait un trou, parfois deux, au bas de chaque tronc, et y insérait une goudrelle qui canaliserait les précieuses gouttes de sève dans la chaudière accrochée juste en dessous. À part les bruits des outils de l'homme, il n'y avait dans l'érablière que les martellements des pics-bois et les «tchicadi» occasionnels des mésanges. Et quand tout s'arrêtait, Arcade entendait le silence bourdonner dans son oreille; c'était tellement impressionnant qu'il se mettait à fredonner pour ne plus se sentir seul.

Lorsque les garçons montaient aider leur père, la futaie résonnait de cris et de rires. Rédempteur, Louis, Joseph et Amédée couraient d'un arbre à l'autre pour recueillir l'eau d'érable qu'ils transvasaient dans un gros tonneau fixé sur un traîneau attelé d'un cheval ou d'un bœuf, selon l'épaisseur de la neige. Arcade faisait cuire des œufs et du jambon dans le sirop, et ils mangeaient tous ensemble, assis en cercle sur des bûches. Moments magiques durant lesquels Arcade sentait une merveilleuse complicité entre ses garçons et lui; incapable de trouver les mots pour définir cette émotion et, de toute façon, trop timide pour l'exprimer, il y allait d'un grand rire.

Quand la sève coulait en abondance, Arcade couchait à la cabane afin de faire bouillir sans interruption. De retour à la maison, les garçons qui avaient dévoré toutes les provisions annonçaient à leurs sœurs que leur père manquait de nourriture. Les filles partaient à pied, pour ravitailler Arcade qu'elles retrouveraient avec plaisir. Elles savaient que pour les remercier, il leur ferait de la tire sur la neige.

D'un léger coup de coude, Rose-Anna ramena son mari à la réalité. La cérémonie prenait fin et les parents pouvaient voir leur fille au parloir.

Devant ses parents, Béatrice se montra intimidée. Arcade la félicita, mais Rose-Anna étudia en silence le visage de sa fille. Au bout d'un moment, elle demanda d'une voix émue, et tout bas afin de n'être pas entendue de la surveillante :

— Sais-tu bien ce que tu fais?

Béatrice secoua la tête d'une manière affirmative; cependant sa mère décela beaucoup d'hésitation dans son geste.

— Rien n'est définitif, dit encore Rose-Anna. Il te reste dix-huit mois avant les vœux perpétuels...

Elle retenait ses larmes, mais Béatrice laissa couler les siennes. Sa mère la serra dans ses bras et lui souffla à l'oreille :

— T'as encore ta place à la maison, ma fille, tu l'auras toujours. Si tu t'aperçois que tu t'es trompée, appelle-moi et je viens te chercher. Il n'y aurait pas de honte à ça.

Béatrice renifla de plus belle en se pressant contre sa mère. La surveillante se rapprocha en toussotant et désigna les chaises de bois alignées contre le mur.

— Pourquoi ne pas prendre le temps de vous asseoir? dit-elle d'une voix pleine de componction. La visite dure encore vingt minutes.

— Merci, ma sœur, répondit Arcade dont les doigts jouaient machinalement avec le bord de son chapeau.

Comme la religieuse demeurait à portée de voix, Rose-Anna et Arcade entretinrent Béatrice de la vie à la maison, et elle s'informa de la boulangerie. Mais à l'insu de la surveillante, la jeune novice tenait la main de sa mère.

* * *

Souvent levés bien avant l'aube, Rose-Anna et Arcade ne se couchaient jamais avant onze heures, parfois minuit. En plus d'aider Rédempteur à boulanger, et de vendre le pain et les pâtisseries, Arcade s'occupait de la réception des marchandises et de l'entretien. Il y avait toujours quelque chose à réparer à la boulangerie, à la maison ou à l'écurie. Très ingénieux, il se débrouillait même avec les appareils électriques, pourtant nouveaux pour lui.

Quand toutes les tâches étaient accomplies, il restait toujours une corvée qui n'avait pas de fin : couper, à une longueur convenant au four, les croûtes de bois qui arrivaient régulièrement par pleins tombereaux. Penché sur le chevalet, Arcade faisait chanter la sciotte dont il limait les dents avec une patience d'orfèvre. Rose-Anna n'avait plus à lui pousser dans le dos comme sur la ferme de Saint-Patrice. Arcade avait le sentiment de faire plus que simplement assurer le quotidien : il préparait l'avenir de ses enfants.

Le commerce était à son nom, cependant il ne savait pas écrire; il pouvait tout juste signer les chèques et les actes notariés. Pour l'administration, il s'en remettait entièrement à Rose-Anna. Elle-même n'avait fait qu'une cinquième année; toutefois elle possédait le sens des affaires et un don inné pour l'administration. Même la comptabilité, dont elle avait réinventé les règles au fur et à mesure de ses besoins, n'avait aucun secret pour elle. Rose-Anna savait constamment quels étaient l'état financier du commerce, les profits réalisés, l'inventaire, le total des comptes à payer et les sommes que ses clients lui devaient. C'était elle qui avait décidé de prendre une assurance sur la vie d'Arcade et, quelques mois plus tard, d'assurer la boulangerie contre l'incendie. Quand les représentants des fournisseurs allaient dans sa cuisine lui présenter leurs factures, elle sortait de son tablier une liasse de billets de cinq dollars et, tout en payant, essayait de négocier un meilleur prix pour la prochaine commande.

Le premier versement sur la boulangerie, Rose-Anna tint à le remettre en main propre à la veuve Leblond, une semaine avant la date d'échéance en juin 1924. Pour l'occasion, elle s'endimancha, et Arcade cira les harnais et frotta le boghei. Avec quelle fierté elle tendit le chèque de cinq cents dollars! Rose-Anna paya les intérêts en argent et exigea un reçu. Sur le chemin du retour, elle déclara :

— Te rends-tu compte, mon mari? En un an on a plus que doublé les ventes et les profits.

— Ça, c'est grâce à toi, Rose-Anna.

— Dis pas ça, tu sais bien que tout le monde a mis l'épaule à la roue.

Elle regarda la Chaudière dont le cours serpentait vers l'horizon au-delà duquel se trouvaient Vallée-Jonction, Saint-Joseph et tant de villages de la Beauce.

— Il faut voir loin, Arcade... grossir encore.

Les poings serrés sur les rênes, il leva les bras devant lui.

— Je suis solide, l'ouvrage me fait pas peur.

— Comme ça, on pourra donner du travail à tous nos gars. Tu verras ce que je te dis!

L'avenir ne tarda pas à donner raison à Rose-Anna. Un après-midi de l'automne suivant, Louis descendit du train qui le ramenait du Maine. Et dans la cuisine de Rose-Anna, tout en dégustant une tarte aux framboises arrosée de crème fraîche, il annonça qu'il en avait assez des États-Unis. Il espérait trouver un emploi à Sainte-Marie ou à Saint-Georges, peut-être à Québec. Sa mère, qui le pensait en visite, n'en crut pas ses oreilles.

— Ça fait quelques mois que je songe à engager quelqu'un pour aider ton père et Rédempteur. Mais, tu sais, mon Louis, je ne peux pas te payer un gros salaire. Bien sûr, tu resteras avec nous autres.

— Ça, ça me dérangerait pas, maman, j'ai un peu d'argent de côté.

Il paraissait hésitant, mais en fait il s'étonnait de cette proposition. Joseph lui avait dit que le petit commerce suffirait à peine à faire vivre leurs parents et les enfants qui étaient encore à la maison.

— Il y a assez d'ouvrage à la boulangerie?

— De l'ouvrage, il en manque pas; ce qu'il faudrait, c'est plus de clients. Ça veut dire déborder de Sainte-Marie. Le problème, c'est qu'ailleurs il y a déjà d'autres boulangers.

— Bah! C'est pas un problème, ça, maman! Avec des tartes et des brioches comme les vôtres, je suis capable d'accoter n'importe qui.

— Et le pain au lait de Rédempteur n'a pas son pareil non plus, renchérit Rose-Anna que l'enthousiasme de Louis comblait de joie.

— Je vais ouvrir d'autres territoires, dit le garçon en se servant une autre pointe de tarte. Vous me connaissez, je réussirais à vendre du fumier aux cultivateurs !

Rose-Anna savait qu'il exagérait à peine.

Fin causeur, beau garçon à l'esprit vif, Louis possédait de l'entregent à revendre et le don de mettre les gens en confiance. Jour après jour, il recruta de nouveaux clients dans les villages aux environs de Sainte-Marie. Pour y arriver, il persuadait les ménagères qu'elles épargneraient temps et argent en achetant son pain. Aux sceptiques, il laissait un ou deux pains gratuits afin qu'elles puissent en apprécier la saveur. La semaine suivante, la plupart adoptaient le pain Vachon, et Louis passait à l'étape suivante : la vente des pâtisseries.

Rose-Anna n'avait qu'à se féliciter. En bonne partie grâce aux efforts de Louis, en 1925 les ventes dépassaient les huit cents dollars par mois, soit cinq fois plus que lorsqu'ils avaient acheté la boulangerie. Et l'année suivante, il fallut engager un aide-boulanger, car on cuisait maintenant six jours par semaine.

Quand elle se permettait de rêver, Rose-Anna se disait qu'avec Joseph et Amédée, la boulangerie pourrait croître encore, comme cela s'était produit avec Louis. Mais la plupart du temps, Rose-Anna doutait fort de leur retour.

Amédée avait quitté le Maine pour rejoindre Joseph à Detroit. Contremaître chez Martin Strend Lumber Company Limited, Joseph dirigeait une équipe de dix menuisiers, tous plus âgés que lui qui n'avait que vingt ans. L'hiver venu, quand la construction domiciliaire cessait, Joseph travaillait sur une chaîne de montage de la Fisher Body, une filiale de General Motors. Il y gagnait «de la grosse argent», ainsi qu'il l'écrivait. Assez pour s'acheter une Cadillac et financer un élevage de renards à Saint-Elzéar, non loin de Sainte-Marie.

Rose-Anna se réjouissait de ses succès et espérait qu'il aurait une bonne influence sur Amédée; toutefois, elle ne parvenait pas à se résigner à ce qu'il devienne américain comme les frères d'Arcade. Tant que Joseph ne prendrait pas femme là-bas, rien n'était perdu, se disait-elle. Dans chacune de ses lettres, elle essayait de lire entre les lignes, à la recherche du plus petit indice qui aurait révélé la présence d'une fille dans sa vie. Mais le garçon parlait peu de lui-même, sinon pour dire qu'il était en santé et qu'il ne manquait jamais la messe du dimanche. Ses propos consistaient surtout en des commentaires sur le mode de vie des Américains et leurs méthodes de production, deux choses qui l'impressionnaient fort.

Le premier fils à se marier fut plutôt Louis qui, en juillet 1926, épousa Jeannette Landry, la fille de Charles, fabricant de calèches et de carrioles de Sainte-Marie. Louis répétait qu'il était devenu vendeur de pain uniquement pour pouvoir entrer dans toutes les maisons et choisir la plus belle fille. Il était si éperdument amoureux d'elle que Rédempteur affirmait en rigolant : «Notre Louis passerait dans un trou de souris si sa Jeannette le demandait!»

Rose-Anna réprimandait Rédempteur, mais elle-même trouvait sa bru autoritaire et beaucoup trop orgueilleuse. Cependant, il fallait s'y faire, d'autant plus que, n'ayant pas les moyens de payer un logement, Louis demeurait chez ses parents avec sa jeune femme. Et Rose-Anna espérait bien qu'une naissance enrichirait la famille dès le printemps suivant...

* * *

Le soleil s'élevait à peine au-dessus de l'horizon, que Rose-Anna étendait déjà du linge sur la corde. Sur les herbes fanées, subsistait le frimas déposé par le premier gel nocturne de l'automne. Des corneilles rassemblées dans les arbres qui bordaient la Chaudière menaient un boucan de tous les diables. Elles discutaient sans doute de leur départ prochain.

Rédempteur sortit de la boulangerie, s'épongea le front avec sa manche et s'adossa au mur.

— Sa veste blanche sur le mur sale! maugréa Rose-Anna. Je peux bien passer mon temps à laver son linge.

Rédempteur roula une cigarette et regarda le soleil, encore trop pâlot pour aveugler. Le grincement des poulies de bois de la corde à linge attira son attention. Il rejoignit sa mère d'un pas lent.

— Le jour devient de plus en plus paresseux, dit-il en montrant le soleil.

— Ah! soupira Rose-Anna, les jours raccourcissent, l'hiver s'en vient à grands pas. T'as fini de pétrir?

— La pâte lève.

— La cafetière est sur le poêle, si ça te tente.

— Ouais, peut-être... fit-il, le regard perdu dans le vague.

Rose-Anna qui allait ramasser son panier vide arrêta net son geste. Elle serra autour de son cou le châle de laine qu'elle avait jeté sur ses épaules avant de sortir. Rédempteur fit un pas, comme s'il reprenait le chemin de la boulangerie, hésita, un pied en l'air, et finalement s'immobilisa.

— Qu'est-ce que tu veux me dire, mon garçon?

Il écrasa par terre le mégot qui lui brûlait les doigts.

— Voyez-vous, maman...

Il s'interrompit pour essayer à plusieurs reprises de recracher une parcelle de tabac qu'il croyait avoir sur la langue. Au timbre de sa voix, Rose-Anna avait compris qu'il craignait de la décevoir. Avait-il fait des dettes de jeu? Il aimait les cartes; de mauvaises langues s'étaient fait un plaisir de l'apprendre à sa mère. À moins que sous l'effet de l'alcool, il n'ait commis quelque bêtise pire encore! Des filles légères fréquentaient l'hôtel où Rédempteur passait souvent la veillée.

Il avait l'air piteux. Rose-Anna crut le revoir à neuf ou dix ans, petit garnement dont les tours pendables tournaient parfois mal. Elle lui tendit une perche.

— Tu sais, Rédempteur, que ton père et moi on sera toujours prêts à t'aider, si on est capable. Tu nous rends un fier service, depuis trois ans. Ton père pourrait pas se débrouiller tout seul avec la boulangerie.

— Justement...

Rédempteur sortit son paquet de tabac et se mit à rouler une cigarette afin d'occuper ses mains. Il lâcha enfin le morceau, d'un débit rapide :

— Je veux quitter la boulangerie. Vous l'avez dit, ça fait trois ans. C'est devenu de la routine : le pétrin, les tables, le four... le pétrin, les tables, le four... La farine, la graisse, la levure... la farine, la graisse, la levure... J'en peux plus de vivre entre quatre murs!

Ces propos n'étonnèrent Rose-Anna qu'à moitié. Depuis plusieurs mois, elle lisait une certaine lassitude sur le visage de son fils et elle entendait de la morosité dans sa voix. Devinant d'avance la réponse, elle proposa quand même :

— Si tu veux prendre la route comme Louis, on va engager un boulanger.

— C'est pas ça, maman. Je veux partir, voir du pays, des villes nouvelles, des visages nouveaux. Voyager, être libre! J'ai vingt-sept ans, c'est le temps ou jamais.

Quand il prononça ces mots, ses prunelles brillèrent d'un éclat que Rose-Anna ne leur avait pas vu depuis longtemps. Cette décision la chagrinait, mais elle avait toujours su que ce moment viendrait; elle aurait plutôt dû s'étonner que Rédempteur persévère si longtemps. C'était un aventurier dans l'âme, un oiseau migrateur comme les corneilles qui s'égosillaient ce matin. Il désirait sans doute prendre lui aussi le chemin du Sud.

— As-tu des projets précis?

— La Canadian Packing cherche un représentant pour les Maritimes. Et on m'offre l'emploi parce que j'ai de l'expérience dans la vente, que je connais le secteur de la boulangerie, que je parle un peu anglais et que j'ai une auto...

— Les Maritimes... Bonne sainte Anne!

— Je vais faire le même travail que Richard, leur représentant qui prend nos commandes de graisse et collecte l'argent. On reçoit une commission en plus du salaire.

— Représentant de commerce, c'est des grosses responsabilités, ça, mon Rédempteur! dit Rose-Anna d'un ton admiratif. Ton père et moi, on va être fier de toi.

Cette réaction soulagea Rédempteur qui sourit pour la première fois depuis le début de leur entretien. Rose-Anna reprit :

— Mais donne-nous le temps de te trouver un remplaçant. Ça sera pas facile!

— J'ai quelqu'un pour vous. Il s'appelle Arsène Lacroix et reste à Honfleur, dans Bellechasse. D'après les gens de la Canadian Packing, c'est le meilleur boulanger de la région... après moi, comme de raison.

Il avait même trouvé son remplaçant! Rose-Anna reconnaissait bien là le dévouement et la générosité de Rédempteur. À première vue, on pouvait le croire préoccupé uniquement de son confort et de son plaisir, bon vivant ne pensant qu'à lui-même. Cette fausse impression venait de sa retenue, car malgré son aisance en public et un aplomb qui frisait parfois l'effronterie, il éprouvait une grande gêne à laisser deviner des qualités qu'il considérait comme des faiblesses.

En apercevant le regard attendri que sa mère portait sur lui, Rédempteur préféra décamper.

— Faut pas que j'oublie ma pâte, dit-il en se tournant vers la boulangerie. Puis, pour Arsène Lacroix?

— Fais venir ton boulanger, que je lui voie la binette. Tu lui diras qu'il va être lavé, logé et nourri. Je fixerai son salaire en conséquence.

CHAPITRE 3

D**ANS LA NUIT** du 18 février 1927, Rose-Anna fut réveillée par des plaintes qu'elle attribua d'abord au vent qui secouait la maison. À travers les gémissements de la tempête, elle reconnut la voix de Jeanne qui se lamentait. La mère courut au chevet de sa fille qu'elle trouva pliée en deux dans son lit, les bras pressés sur l'abdomen, brûlante de fièvre.

— J'ai mal, maman! J'ai mal!

Ce n'était pourtant pas dans les habitudes de la jeune fille de se plaindre.

— C'est le ventre? Quelque chose que tu as mangé au souper?

Rose-Anna se souvint tout à coup que Jeanne n'avait rien avalé la veille, ce qui d'ailleurs lui arrivait assez souvent. Elle tâta le ventre de sa fille et crut y sentir un point dur et brûlant, à droite de l'abdomen.

— Ça fait longtemps que ça dure? demanda-t-elle, anxieuse.

— Hier matin... Ça empire...

Elle avait parlé d'une voix faible et haletante. Rose-Anna détourna la tête et ferma les yeux durant quelques secondes. La maladie! Elle avait une sainte peur de la maladie qui lui avait déjà enlevé deux enfants, et voulut se rassurer : de simples crampes, se dit-elle.

— Je vais te préparer une bouillotte et ça va passer, tu vas voir.

En attendant que l'eau bouille, elle alluma un lampion devant la statue de sainte Anne qu'elle invoqua tout bas. Quand elle revint dans la chambre, Jeanne avait vomi et gémissait de plus belle. Rose-Anna réveilla Arcade et téléphona au médecin qui arriva une demi-heure plus tard. Il diagnostiqua une appendicite aiguë et prévint les parents qu'il faudrait faire opérer leur fille.

— On verra demain matin. Souhaitons que la tempête se calme, dit-il en prenant congé. On ne voit ni ciel ni terre.

Une bourrasque de neige s'engouffra dans la cuisine quand il ouvrit la porte. Arcade était persuadé que la neige et la poudrerie ne cesseraient pas avant deux jours; toutefois il n'en dit rien à sa femme. Il se rendormit en récitant son chapelet, et Rose-Anna retourna au chevet de leur fille.

Un peu plus tard, Jeannette, la femme de Louis, rejoignit sa belle-mère.

— Vous devriez vous reposer un peu, madame Vachon. Jeanne dort, je vais la veiller à votre place.

— Tu as raison. Réveille-moi si elle va plus mal.

Rose-Anna s'étendit à côté de son mari, mais l'angoisse l'empêcha de s'endormir. Et ce vent qui n'en finissait plus de battre la maison...

L'aube fut longue à venir et une espèce de pénombre blafarde succéda à la nuit. Les maisons voisines disparaissaient dans la tempête, et on distinguait à peine le tronc des érables à quelques mètres des fenêtres. Rose-Anna fit déjeuner son monde qui, à cause du va-et-vient dans la maison et des gémissements de la malade, n'avait pas beaucoup dormi. La mère se fit rassurante devant ses enfants : le médecin était venu, Jeanne allait déjà mieux. Mais Simone qui remarqua le lampion allumé devant la statue de sainte Anne ne fut pas dupe et comprit que sa mère déguisait la vérité :

— Je vais rester pour vous aider, maman.

— Non, non. Vas en classe, Jeannette est là.

Une fois les hommes à la boulangerie et les enfants partis pour l'école, Rose-Anna retourna au chevet de sa fille dont l'état ne s'améliorait pas. Comme Jeanne se tordait de douleur et poussait parfois des cris, Rose-Anna téléphona de nouveau au médecin.

— On ne peut pas la conduire à l'hôpital, dit-il, la route de Québec est bloquée par la neige. Je viendrai voir votre fille après le dîner; si elle n'est pas mieux, je verrai ce que je peux faire.

Rose-Anna s'arrêta devant la porte de la malade et, sentant son impuissance, elle pleura de rage. Elle revoyait Dominateur qui s'éteignait dans ses bras, rongé par la fièvre; il avait dix-sept ans, le même âge que Jeanne. Et puis Marie-Anne, que la mort avait arrachée à ses deux petites filles. En entrant dans la chambre, la mère leva les yeux sur le crucifix placé à la tête du lit et, implorante, pensa : «Pas celle-là, mon Dieu. Pas ma petite Jeanne.»

Le médecin arriva alors que la famille était encore à table. À ses questions, Jeanne répondit que ses douleurs étaient comme des coups de couteau dans son ventre. Une sueur froide couvrait tout son corps et le médecin constata une contraction permanente des muscles de l'abdomen : «le ventre de bois», un signe qui ne trompait pas.

— Une péritonite... annonça-t-il aux parents, d'un air grave. Seule une intervention chirurgicale peut sauver votre fille.

— Bonne sainte Anne !

— Hélas, je ne suis pas chirurgien. Une appendicite, à la rigueur... Il faudrait la transporter dans un hôpital le plus vite possible.

— Avec le temps qu'il fait ? dit Arcade avec étonnement, tout en cherchant une solution. Peut-être en carriole...

— Impossible, déclara Louis qui avait voulu effectuer la livraison du pain dans le village mais avait dû rebrousser chemin au bout d'une heure. Y a partout des bancs de neige où un cheval enfonce jusqu'au ventre, et on se voit pas le bout du nez tellement ça poudre.

— Votre fils a raison, j'ai eu peine à me rendre ici.

Rose-Anna déclara d'un ton décidé :

— On va l'emmener à Québec en train.

Le médecin hocha la tête à quelques reprises.

— Je ne vous le conseille pas, dit-il, un peu mal à l'aise. Pour être franc, madame Vachon, je ne crois pas que votre fille supporterait le voyage. Il n'y a qu'une solution : faire venir un chirurgien ici.

— Pouvez-vous en trouver un, docteur ? demanda Rose-Anna. Ça coûtera ce que ça voudra.

Le médecin multiplia les appels téléphoniques à des confrères de Québec. Rose-Anna avait sorti son chapelet et priait, pendant qu'Arcade tétait nerveusement le bouquin de sa pipe éteinte, et que Louis serrait les mains de sa femme. Aux propos que tenait le médecin, ils comprirent l'urgence de la situation : non seulement la vie de Jeanne dépendait de cette opération, mais c'était aussi une question d'heures.

— Ça y est! s'exclama-t-il en raccrochant l'écouteur. Les frères Paquet acceptent. Ils prendront le train de cinq heures. Ils vont l'opérer ici même. N'ayez crainte, ils sont parmi les meilleurs spécialistes.

Le médecin leur expliqua ensuite comment aménager la cuisine en salle d'opération, et quand Arcade ramena les deux chirurgiens de la gare, tout était prêt. On transporta aussitôt Jeanne sur la table, et la famille se retira dans le salon.

— On va prier, dit Rose-Anna. Tout bas pour ne pas déranger les docteurs.

Personne n'y parvint vraiment. Rose-Anna elle-même récitait machinalement les formules rituelles, l'oreille tendue pour capter à travers la porte les paroles des médecins. Tous essayaient de percevoir ces voix souvent réduites à des marmonnements, espérant ainsi être renseignés sur le déroulement de l'opération. Simone pleurait en silence, tandis que Paul tentait de s'absorber dans son manuel de géographie...

Le bruit d'un instrument qui tomba sur le plancher fit sursauter tout le monde. L'odeur du chloroforme devenait obsédante, le temps semblait figé. Chacun s'occupait à chasser des images effrayantes : un ventre entaillé par une lame, du sang qui gicle, une aiguille qui perce et coud la peau. Benoît se rappela les jours où l'on faisait boucherie à Saint-Patrice et il se mit à sangloter. Personne ne lui demanda de cesser; au contraire, les autres se sentirent soulagés par ses pleurs.

Soudain, on entendit un pas lourd sur la galerie et quelqu'un frappa à la porte de la cuisine. L'un des chirurgiens cria de ne pas entrer, puis lança, en direction du salon :

— Il ne faut pas qu'on ouvre, à cause du froid. C'est barré, au moins?

Comme tous les autres habitants de Sainte-Marie, les Vachon ne fermaient jamais leur porte à clé, ne mettaient même pas de loquet pour la nuit. Louis sortit précipitamment par la porte du salon, en chemise et nutête malgré le froid, pour prévenir le visiteur de ne pas entrer dans la cuisine. C'était Arsène Lacroix, le boulanger, qui venait aux nouvelles.

— J'ai l'impression qu'on va être fixés bientôt, lui dit Louis. Viens, on est dans le salon.

— Non, non... Moi, la maladie, pis les docteurs... Je vais attendre à la boulangerie.

— J'irai te prévenir quand ça sera fini. Si t'as trop faim, mange des *buns*.

— C'est déjà fait, répondit Lacroix qui s'en fut en courant.

Louis retourna dans le salon où sa femme le gronda à voix basse :

— Tu parles d'une idée de sortir pas habillé! Des plans pour attraper ton coup de mort!

Elle regretta aussitôt ce dernier mot, prononcé par inadvertance. Trop tard! Sa belle-mère lui décochait un regard courroucé.

L'attente se prolongea encore d'une demi-heure, puis un médecin entra dans le salon. Il avait enlevé son masque et sa blouse, mais une tache de sang souillait son col empesé. Il sourit.

— C'est terminé, votre fille est sauvée.

Un soupir de soulagement fut poussé à l'unisson.

— Il faudra la surveiller et demeurer prudent. Votre fille a une santé très délicate. À la moindre complication, appelez votre médecin.

Arcade et Louis portèrent Jeanne encore endormie dans sa chambre, et Rose-Anna y demeura pour guetter son réveil. Simone nettoya la cuisine tandis que la femme de Louis préparait à manger pour les frères Paquet. Les deux chirurgiens rentrèrent à Québec par le train de fin de soirée, emportant avec eux quelques pains frais et des brioches.

* * *

L'état de Jeanne qui au début semblait s'améliorer, se détériora de nouveau. Une infection se développa et le médecin fut impuissant à en enrayer la propagation fulgurante. Malgré les soins et les prières de sa mère, Jeanne mourut dix jours plus tard. Rose-Anna éprouva le sentiment d'une trahison de la part de Dieu et de ses saints, et elle retourna face contre le mur le crucifix de sa chambre. Une voix en elle criait de douleur, mais l'étendue de sa détresse, seul Arcade la soupçonnait. Les autres ne voyaient qu'un visage chagrin, pas très différent du leur.

Rose-Anna se sentait le devoir de donner l'exemple du courage et de la force, en même temps que d'une soumission à la volonté divine. Après le service funèbre, elle replaça le crucifix à l'endroit et se confessa de sa colère envers Dieu. La vie continuait, et Rose-Anna ne connaissait qu'une réponse à l'absurdité de la mort de sa fille : aimer encore plus fort les enfants qui lui restaient.

Le retour d'Amédée allégea toutefois un peu le deuil de Rose-Anna et d'Arcade. Venu en visite pour réconforter ses parents, le garçon décida de demeurer à

Sainte-Marie après que Louis lui eut parlé avec enthousiasme des possibilités de développer le petit commerce familial. Amédée, qui éprouvait toujours le mal du pays quand il vivait aux États-Unis, télégraphia à Joseph pour lui annoncer sa décision.

À vingt ans, Amédée brûlait d'envie de saisir la vie à pleines mains et il débordait de projets; mais comme il était sans le sou et peu instruit, il devrait attendre les occasions propices, n'en laisser échapper aucune. Cela, il le savait et ne s'en inquiétait pas; sa persévérance n'avait d'égal que sa confiance en lui-même. Grand et mince, la moustache toujours taillée à la perfection, Amédée portait beaucoup d'attention à sa mise; il aimait plaire et l'élégance était pour lui une forme de politesse.

Après la fébrilité et le modernisme de Detroit, Sainte-Marie lui parut vivre au ralenti, encore à l'ère des chariots à bœufs. Par attachement au passé ou par la force de l'habitude, on ne faisait que perpétuer les traditions sans penser à innover. En rentrant de sa deuxième journée de livraison, il déclara à son frère Louis :

— On n'ira jamais loin comme ça!

— Qu'est-ce que tu veux dire?

— Les chevaux, tapèche! Avec ça, on n'ira jamais plus loin que dans les villages voisins. Puis moi, Louis, je suis pas né pour un petit pain!

Ils rirent du jeu de mots involontaire. Louis s'était déjà dit la même chose, et à eux deux ils convainquirent leurs parents d'acheter une camionnette. Après de nombreuses démarches, on dénicha une «Ford à pédales», le fameux modèle T à deux portes. Dotée de deux vitesses avant et d'une marche arrière, elle pouvait filer à cinquante kilomètres à l'heure, mais le piètre état des routes conçues pour les attelages de chevaux empêchait la plupart du temps de pousser la voiture à son maximum.

Avec l'aide de leur père, Louis et Amédée amputèrent la voiture de la partie arrière de sa carrosserie qu'ils remplacèrent par une caisse en bois destinée au transport du pain et des brioches. Le moment venu, on trouva aussi le moyen d'y glisser quelques grandes plaques de tôle remplies de tartes.

À tour de rôle, Amédée et Louis utilisaient le petit camion pour étendre leur territoire de vente à toute la Beauce, au grand désespoir des boulangeries locales. Lorsqu'il se trouvait dans une voiture tirée par un cheval, Amédée se sentait tel un soldat désarmé face à l'ennemi. Limité au circuit des rangs de Sainte-Marie et des villages voisins, il pestait. Un jour où il se dirigeait vers Sainte-Hénédine-de-Dorchester, son cheval s'arrêta net et refusa d'avancer. Ce fut la goutte qui fit déborder le vase.

— Tapèche!

Amédée ne jurait pas, mais son vocabulaire comportait trois mots qui indiquaient le degré de sa colère. «Tapèche» était du plus bas niveau. Quand il descendit pour examiner les sabots de Charlie, il maugréa :

— Fine guidoune!

Les fers étaient en parfait état, aucun caillou ne s'était fiché dans la fourchette d'un sabot. Amédée prit le cheval par la bride et le força à avancer. Exaspéré, il s'écria :

— Craisse! Va-t-y falloir que je te porte, astheure?

Louis, qui sciait du bois devant l'écurie avec ses deux jeunes frères, s'amusa fort de l'incident.

— Charlie t'a peut-être trouvé un accent américain qu'il comprenait pas! suggéra Benoît, toujours pince-sans-rire.

— Avais-tu mis de l'Eau de Floride? renchérit Paul.

Amédée n'avait pas le cœur à plaisanter.

— Ça nous prend un deuxième camion!

— Ah... fit Louis, l'idée est pas mauvaise. Mais maman va prétendre qu'on n'a pas les moyens.

— On vendrait encore plus!

— Ça, je le sais, répondit Louis qui semblait réfléchir. Faudrait trouver un camion usagé.

— Pourquoi pas en construire un? demanda Paul. On pourrait prendre une vieille auto et...

— Puis toi, tu nous aiderais avec tes gros bras, je suppose? ironisa Amédée.

Bien que petit et mince, Paul qui paraissait frêle, ne s'en laissait pas imposer facilement. Il se toucha le front de l'index :

— Y en a, là-dedans. Et puis, t'apprendras que je suis pas mal bon en mécanique. Papa dit que j'ai un don.

Amédée fit un large sourire et, du poing, frappa légèrement l'épaule de son jeune frère :

— On va suivre ton conseil, mon petit génie. Mais va falloir que tu te salisses les mains, toi aussi!

Quelques jours plus tard, Louis et Amédée découvraient une voiture d'occasion au garage Roy de Beauceville : une Chevrolet dépouillée de sa carrosserie. Cependant le châssis était en parfait état, et le moteur fonctionnait très bien. Le garagiste leur en demanda trois cent vingt dollars, et les frères Vachon, les deux plus jeunes aidant les aînés, entreprirent de construire une camionnette. L'emballement de ses fils et leur débrouillardise plaisaient à Rose-Anna; tant que leurs initiatives ne coûtaient pas trop cher et qu'elles étaient susceptibles de profiter au commerce...

Peu après, Louis soumit un projet que sa mère jugea plus risqué. Avant d'aborder le sujet, il attendit que les plus jeunes soient couchés et qu'Arsène, le boulanger, soit sorti. Il avait convenu avec sa femme qu'elle s'éclipserait discrètement au début de la conversation. Il savait que Jeannette ne pourrait s'empêcher d'intervenir dans la discussion et que cela le ferait paraître moins maître de la situation.

Dans sa berçante, Arcade fumait une dernière pipe avant d'aller au lit; assise à la table de la cuisine, Rose-Anna faisait la comptabilité.

— Les gâteaux Vachon? s'exclama-t-elle en fronçant les sourcils. Qu'est-ce que tu me chantes là?

— Oui, répondit Louis, on va faire des gâteaux et les vendre.

Il fit un signe à Amédée qui renchérit :

— On vend déjà des beignes, des brioches, des tartes... Pourquoi pas des gâteaux?

Les deux frères avaient déjà discuté du projet et même recueilli des informations.

— Des gâteaux, fit la mère en haussant les épaules, toutes les femmes en font!

— Pis elles savent pas faire des tartes? demanda Louis. Pourtant, on en vend des tartes. Même chose pour les brioches et les croquignoles.

Rose-Anna sembla réfléchir, Amédée enchaîna :

— Moi, je pense que quand une chose est en vente, et de bonne qualité, on est moins porté à la fabriquer soi-même.

— Amédée a raison, maman. Prenez le savon; y a pratiquement plus personne qui fait son propre savon. Vous pouvez pas me dire que le savon de ménage était meilleur que celui qu'on achète au magasin général! Et il faudrait voir si aujourd'hui ça coûterait vraiment moins cher de le fabriquer.

— Y a pas à sortir de là, la quantité fait baisser le prix. Chez Ford, à Detroit...

Rose-Anna coupa la parole à Amédée, d'un ton quelque peu narquois.

— Voulez-vous me vendre du savon ou une auto? Faudrait vous faire une idée... Il est un peu tard pour les beaux discours, à quoi vous voulez en venir?

Louis raconta que la veille, il avait vu un représentant de Jos Robitaille, commerçant de Trois-Rivières, qui proposait aux habitants de Sainte-Marie des gâteaux et des biscuits fabriqués par la boulangerie-pâtisserie James Strachan Limited, de Montréal.

— Chez nous, à notre barbe! C'est enrageant. J'ai eu envie d'en avoir le cœur net. Je suis allé voir ce *jobber* et je lui ai acheté pour quinze piastres de gâteaux. Tout ce que j'avais dans mes poches... J'ai vendu ça de porte en porte avec notre pain. Me croiriez-vous? En moins d'une heure, j'avais plus de gâteaux!

Rose-Anna avait écouté son fils en consultant Arcade du regard; ils semblaient tous les deux sceptiques. Louis dit encore :

— Si les *jobbers* partent de Trois-Rivières ou de Montréal pour vendre des gâteaux jusqu'au fin fond de la Beauce, ça veut dire que c'est payant. Avec nos deux camions, on va pouvoir vendre dans tout le comté, pis dans les comtés voisins.

Ces projets, Arcade les jugeait farfelus. Et même s'ils se réalisaient... À présent qu'ils étaient trois vendeurs, le boulanger fournissait à peine. Il faudrait d'autres employés, un autre four. Et quoi encore? D'autres camionnettes? D'autres vendeurs? Agrandir la boulangerie, tant qu'à y être! De nouvelles dépenses, toujours plus de dépenses... Cela lui donnait le vertige.

— Du pain, tout le monde en mange trois fois par jour, dit-il de sa voix lente et posée. Mais les gâteaux, c'est plus risqué. Il me semble...

Amédée fit valoir qu'il croisait de plus en plus souvent dans toute la région des vendeurs venus de Québec. Ces gens offraient des gâteaux et des pâtisseries faits par T. Hethrington Ltée, par la pâtisserie Charest et, surtout, par Jos Vaillancourt Inc.

— Si on n'offre pas de gâteaux nous autres aussi, conclut-il, on va finir par perdre nos clients pour le pain.

Rose-Anna se sentait coincée. Dans les propos d'Arcade, elle avait entendu beaucoup plus qu'il n'avait dit : ses craintes devant le changement engendré par le progrès, sa peur de prendre des risques financiers. Il ne savait pas conduire une automobile et n'avait pas l'intention d'apprendre. De plus, il estimait que sa famille n'avait jamais si bien vécu, et qu'il ne fallait pas compromettre la bonne marche du commerce.

La femme tourna vers son mari un regard affectueux et lui fit un signe pour le rassurer. Puis elle regarda ses fils l'un après l'autre, en dissimulant la fierté qu'ils lui inspiraient. Elle sentait la justesse de leurs arguments, d'autant plus qu'elle avait calculé depuis un bon moment déjà que les brioches et les beignes rapportaient, en proportion, deux fois plus que le pain. Elle voulut savoir jusqu'à quel point ils avaient bien pensé à leur affaire.

— Faire des gâteaux... dit-elle, tout en réfléchissant. Faudrait s'équiper... C'est pas les mêmes ingrédients... Tout ça coûterait cher.

— Pas tant que ça, répliqua Louis en ouvrant un calepin. Une poche de farine de blé mou, un sac de sucre, trente douzaines d'œufs, le sel, les essences et le reste... quatorze piastres et trente-neuf cents pour les premières fournées. Les plaques, les moules, le papier ciré et les boîtes de carton, quatre-vingt-dix-neuf et quatre-vingt-quinze. On peut pas dire que ça coûte une fortune.

Amédée enchaîna avec entrain, d'un ton convaincant :

— Le reste, on l'a, maman. Le four, les tables, les armoires, les camions, les vendeurs, les clients. C'est pas comme si on commençait à zéro. Je suis sûr qu'on doublerait nos ventes du jour au lendemain.

La mère était plutôt satisfaite de la démonstration de ses fils. Elle souleva une dernière objection :

— Il faudrait embaucher un pâtissier. Ça veut dire payer un salaire.

— On le paiera pas avec les profits actuels, mais avec des nouveaux revenus, répliqua Louis qui avait peine à refouler son impatience naissante. C'est lui qui va nous rapporter. J'ai quelqu'un en vue, un jeune pâtissier de Lévis qu'on m'a recommandé.

Il se tut et regarda tour à tour son père et sa mère.

— Qu'est-ce que vous dites de notre idée?

Rose-Anna était prête à tenter l'expérience, persuadée qu'elle était que Louis et Amédée se mettraient en quatre pour vendre toute la production de gâteaux et ainsi, prouver qu'ils avaient raison. Mais avant d'annoncer sa décision à ses fils, elle savait qu'elle devait vendre l'idée à Arcade, avec ménagement.

Elle bâilla, referma son livre de comptes et se leva de table.

— Votre père et moi on va en discuter. On vous donnera une réponse demain.

Du regard, Louis interrogea Amédée afin de s'assurer qu'il était toujours d'accord pour pousser la chose jusqu'au bout. Comme la réponse de son cadet fut affirmative, il se dérouilla la gorge et prit une voix ferme.

— Papa... Maman...

Rose-Anna avait déjà un pied sur la première marche de l'escalier, la main sur la rampe.

— Je voudrais que les choses soient claires, continua Louis. J'ai un fils, j'en veux d'autres; je ne pourrai plus habiter bien longtemps ici. Pour m'établir, j'ai besoin d'un bon salaire, donc il faudra qu'on fasse plus d'argent avec la boulangerie. On peut pas y arriver si on continue à vendre seulement du pain et des brioches.

— Faut grossir! enchaîna Amédée en se frottant les mains. Se lancer dans la fabrication des gâteaux, agrandir le territoire qu'on couvre. Faut pas se contenter de vivoter. Moi aussi, je veux me marier, avoir une famille...

— C'est notre avenir qu'on joue, renchérit Louis. Faudrait bien qu'on accouche si on veut faire baptiser!

Amédée se planta devant ses parents et déclara, d'une voix posée mais en détachant bien ses mots :

— Prenez pas ça comme des menaces, mais si on grossit pas, je retourne à Detroit.

— Moi, je verrai ça plus tard... dit Louis, d'un ton plein de sous-entendus.

Ébranlé, Arcade voulut convaincre Amédée de ne pas reprendre le chemin des États-Unis. Rose-Anna lui tapota la main et lui dit qu'il était tard et qu'ils reparleraient de tout ça le lendemain. Après avoir souhaité une bonne nuit, les parents montèrent; Jeannette qui écoutait du haut de l'escalier fila à sa chambre.

Malgré les dires d'Amédée, il s'agissait bien de menaces, mais ce petit chantage de la part de ses fils ne déplaisait pas à Rose-Anna, loin de là. C'était signe que la boulangerie leur tenait à cœur, qu'ils croyaient en l'avenir du commerce familial. Ils en viendraient sans doute de nouveau à lui forcer la main comme ce soir, à vouloir lui imposer leur volonté, peut-être même à la mettre devant des faits accomplis. On verrait en temps et lieu... C'était dans l'ordre des choses puisqu'un jour ce serait à eux de mener la barque.

* * *

Il ne fut pas bien difficile à Rose-Anna de convaincre Arcade et, en mai 1928, la boulangerie J. A. Vachon se lançait dans la confection des gâteaux. Il fallait débourser huit cents pour le rectangle, un petit gâteau individuel recouvert de glaçage, tandis que le moka et le roulé, de plus grand format, se vendaient vingt cents chacun. Ce fut un succès aussi immédiat que l'avait été celui des brioches.

Les affaires marchaient si bien que deux mois plus tard il fallut engager un pâtissier de métier. À Québec, Amédée dénicha Alexis Rancourt qui, pour un salaire de douze dollars par semaine, accepta de s'exiler loin de sa famille. Sainte-Marie lui semblait le bout du monde; né dans le quartier Saint-Sauveur, il n'en était pas sorti en quarante ans, et n'avait même jamais vu le traversier qui faisait la navette entre Québec et Lévis.

Durant les premiers jours, Rose-Anna eut le nouveau pâtissier à l'œil, autant pour s'assurer de sa compétence et de son ardeur au travail, que pour percer le secret de ses recettes, apprendre les trucs du métier. Il réussissait particulièrement bien la pâte feuilletée qu'il fourrait de crème pâtissière, et la boulangerie Vachon ajouta le mille-feuille à sa gamme de produits. Rose-Anna admirait la dextérité remarquable d'Alexis Rancourt, sa façon de pétrir la pâte du bout des doigts, de l'étirer et de la replier avec la paume de la main. Accomplis par lui, ces gestes précis semblaient si faciles !

Quant au pâtissier, il s'étonnait de l'énergie que déployait sa patronne. Elle était partout, voyait à tout. En plus de cuisiner pour les huit membres de sa famille et les employés, elle assumait toutes les tâches domestiques. Elle administrait le commerce de main de maître et, pour plus d'efficacité, répartissait le travail selon les besoins du moment. Rien de ce qui concernait la boulangerie ne lui était étranger. À Amédée et à Louis qui comparaient leurs territoires respectifs et se vantaient des distances parcourues pour écouler leurs produits, Rose-Anna avait déclaré :

— Ayez pas les yeux plus grands que la panse, les garçons ! Ça donne pas grand-chose de vendre quelque part si vous avez plus le temps d'y retourner les semaines suivantes. Le service, c'est aussi important que le goût des pâtisseries.

Alexis Rancourt estimait beaucoup cette femme juste et respectueuse, exigeante, mais capable d'apprécier le travail bien fait. C'était elle qui menait le bateau, personne ne pouvait s'y tromper. L'oublier, c'était s'exposer à un rappel à l'ordre. Jeannette en avait fait l'expérience, un matin à table, alors qu'elle s'était permis de fixer à son mari un emploi du temps pour la journée.

— Louis sait déjà ce qu'il a à faire ! avait lâché Rose-Anna d'un ton cinglant. Une boulangerie, c'est comme n'importe quoi, Jeannette, faut juste une personne pour tenir les cordeaux. Verrais-tu ça, toi, une paroisse avec deux curés?

Tout le monde savait qu'Arcade n'était que le vicaire, qu'il tirait son autorité de l'autorité de sa femme. Quand il faisait une remarque à quelqu'un, il ne faisait que se conformer aux instructions de Rose-Anne dont il était le bras droit. De par sa nature il aurait plutôt été enclin à garder le silence et à passer derrière les autres pour corriger leurs erreurs ou leurs oublis.

Tandis que leur père continuait de livrer le pain au village et dans les environs, ainsi qu'il le faisait depuis cinq ans, les deux fils vendaient les gâteaux de plus en plus loin. Louis parcourait la Beauce et les régions voisines jusqu'à Sherbrooke; Amédée recrutait ses clients entre Québec et Trois-Rivières, ainsi que le long des rivières Saint-Maurice et Richelieu.

Rose-Anna jubilait. Les ventes de gâteaux se maintenaient à une moyenne hebdomadaire de deux cents dollars. Et, deux mois après le début de l'expérience, Rose-Anna et Arcade témoignèrent leur satisfaction à leurs deux fils en les associant légalement au commerce. Le nom de l'entreprise devint *J. A. Vachon et Fils, boulangers et pâtissiers*. Dans l'esprit de Rose-Anna, cette association était aussi une excellente façon de les retenir définitivement à Sainte-Marie.

Que n'avait-elle songé à cela avant le départ de Rédempteur! Il écrivait chaque semaine, certes, et ses lettres débordaient d'enthousiasme; toutefois Rose-Anna savait lire entre les lignes. Ce qu'elle y apprenait suffisait à l'inquiéter. Rédempteur disait s'être fait plusieurs bons clients et réaliser d'excellentes ventes pour son employeur, la Canadian Packing. Son automobile lui permettait de rayonner autour d'Edmundston. Jusque-là, rien que de bonnes nouvelles.

Toutefois, il logeait dans un petit hôtel, et le soir il jouait aux cartes avec d'autres représentants de commerce. De son propre aveu, il gageait, mais de petites sommes seulement. Il ne parlait ni de pertes ni de gains, mais cela allait de soi avec les jeux d'argent : la ruine ou l'habitude de l'argent vite fait, et la fréquentation de compagnons peu recommandables. Rose-Anna savait Rédempteur influençable, toujours désireux de plaire et incapable de dire non.

Qui disait hôtel, disait alcool et créatures de mœurs légères. Rose-Anna partageait l'opinion des prêtres qui qualifiaient les hôtels de lieux de perdition. Dans chacune de ses lettres, elle mettait son fils en garde contre le jeu, l'alcool et les femmes d'un certain genre; mais jamais il n'y faisait allusion dans ses réponses.

* * *

Malgré le succès des pâtisseries, il fallut en interrompre la production en novembre, car les routes n'étaient pas déblayées et la neige les rendait impraticables pour les automobiles. J. A. Vachon et Fils redevint donc pendant l'hiver une petite boulangerie qui distribuait son pain localement avec des traîneaux tirés par des chevaux. En avril, Louis et Amédée recommencèrent à sillonner les routes avec leurs camionnettes.

Les profits de la boulangerie-pâtisserie suffisaient tout juste à maintenir le commerce à flot et à faire vivre les membres de la famille. Si les employés touchaient un salaire, il n'en allait pas de même pour les enfants de Rose-Anna. Amédée et Louis étaient les seuls à être payés, la plupart du temps symboliquement.

À l'insu de ses parents, Amédée décida donc d'augmenter ses revenus en vendant de l'alcool de contrebande en provenance des îles françaises de Saint-Pierre-et-Miquelon. Il en gardait quelques bouteilles cachées dans son camion, parmi les pains et les brioches. Toutefois, pour ne pas ternir l'image du commerce familial, il ne vendait jamais d'alcool à des inconnus ou aux bavards. Il avait aussi comme clients des hôteliers du comté de Lotbinière.

En rentrant à la maison un soir, Amédée exhiba une liasse de billets devant son frère Louis.

— Cent cinquante dollars, mon Louis.

— Tu vas finir par te faire prendre.

— Voyons donc! protesta Amédée, incrédule. Je vends pas à n'importe qui et j'ai quelques bons amis dans la police provinciale.

— Y a toujours des jaloux pour nuire à ceux qui réussissent.

— Je fais attention. Et puis, j'ai pas l'intention de continuer ça très longtemps. Aussitôt que j'aurai ce qu'il faut pour me marier convenablement... Toi, Louis, ça te tente pas de vendre du «Saint-Pierre» pour te ramasser un peu d'argent?

— Non. Et puis, j'ai cinq cents dollars de côté. Des économies du temps où je travaillais aux États. Avant longtemps, j'en aurai au moins trois fois plus! Un moyen tout ce qu'il y a de plus honnête : jouer à la bourse.

En cette fin des années vingt, plusieurs achetaient des actions dans l'espoir de gains élevés, d'une fortune gagnée du jour au lendemain. Des courtiers vendaient des actions contre un versement en argent qui représentait dix pour cent de leur valeur. En investissant cent dollars, on pouvait posséder mille dollars en actions; il s'agissait d'attendre que leur cours progresse pour réaliser des bénéfices mirifiques. Désireux de profiter de cette manne, Louis et Amédée achetèrent des actions, notamment celles de la Wright Flexible Axle Motors, un fabricant d'essieux de Montréal.

Rédempteur, qui travaillait toujours au Nouveau-Brunswick, se laissa facilement convaincre par un courtier d'investir dans le nickel. Ébloui par la perspective d'un gain facile et rapide, il acheta des actions minières avec l'argent de son employeur, la Canadian Packing. Ces sommes perçues auprès de vingt-trois clients, en paiement de leurs commandes, Rédempteur pouvait en différer durant un certain temps la remise à la compagnie. Entre-temps, il aurait revendu ses actions en réalisant un bon profit.

Quelques jours plus tard, le 24 octobre 1929, survenait un krach à la Bourse de New York, et la dégringolade des titres s'étendit aux autres places boursières. Des milliers d'investisseurs, même des millionnaires, furent ruinés en une seule journée. Le cours du nickel continua inexorablement de chuter dans les semaines qui suivirent, et Rédempteur se vit dans l'impossibilité de rembourser son employeur. Devant les réclamations de la Canadian Packing, il dut tout avouer.

Il leur devait six cent soixante-quatorze dollars et soixante-quatorze cents. Plus des frais de séjour de cent soixante-dix dollars. Rose-Anna et Arcade se portèrent au secours de leur fils en l'aidant à rembourser ses dettes, mais Rédempteur ne voulut pas revenir travailler à la boulangerie familiale. Excellent vendeur, il s'était constitué un solide réseau de clients dans la région d'Edmundston, et la Wilsil, une compagnie concurrente de la Canadian Packing, souhaitait l'engager comme représentant. On exigeait cependant qu'Arcade Vachon garantisse d'éventuelles dettes de son fils. Rédempteur demanda à ses parents de lui accorder une nouvelle chance. Il leur promit de s'amender, d'être sérieux et de les rembourser rapidement.

* * *

Rose-Anna ne réussissait pas à trouver le sommeil. Vers quatre heures, elle s'habilla en évitant de réveiller Arcade et descendit à la cuisine. Dans la pénombre, elle se berça. C'était le matin du 2 novembre 1931, le jour des Morts, mais Rose-Anna ne songeait pas à ses enfants défunts. Elle pensait à Rédempteur qui, depuis deux ans, lui causait plus que sa part de soucis.

Lors d'une visite à Sainte-Marie, au mois d'avril précédent, Rédempteur avait joué aux cartes avec Charles Lacroix, un entrepreneur qui s'était enrichi en exploitant avec ses frères les forêts du Nord-Est américain. Rédempteur avait perdu, contractant une dette de jeu de huit cents dollars.

De nouveau, Rose-Anna avait tiré son fils aîné du pétrin, mais cette fois, elle avait mis des conditions. Rédempteur avait signé devant le notaire Pelchat un acte par lequel il vendait à Arcade Vachon, pour cinq cents dollars, son automobile de marque Whippet 1929. Cette somme, Arcade l'avait versée à Lacroix en règlement d'une partie de la dette de jeu de son fils. Quant au solde, Rose-Anna avait proposé de le payer en fournissant la famille de Charles Lacroix de pain et de pâtisseries, jusqu'à concurrence de trois cents dollars. Une proposition que le créancier avait acceptée de bon gré.

L'automobile avait été remisée dans le hangar, Arcade ayant promis de la remettre à son fils le jour où celui-ci lui rembourserait les cinq cents dollars.

Mais les mois avaient passé sans que Rédempteur eût rendu le moindre sou. Au début d'octobre, Arcade avait reçu de l'employeur de Rédempteur une lettre lui annonçant que son fils leur devait près de neuf cents dollars. Cette missive au ton ferme exigeait le remboursement immédiat de la dette et rappelait à Arcade Vachon l'engagement qu'il avait pris. Rédempteur était rentré à Sainte-Marie deux semaines plus tard, penaud, comptant encore une fois sur l'aide de ses parents. Bien sûr, il avait perdu cet argent aux cartes, et Rose-Anna le soupçonnait d'avoir d'autres dettes de jeu dont il ne parlait pas.

Il se retrouvait sans emploi, et sa réputation était sérieusement ternie. Il souhaitait travailler de nouveau à la boulangerie familiale, mais Rose-Anna lui avait dit qu'elle réfléchirait et lui ferait connaître sa décision sous peu. En vérité, elle avait déjà décidé de l'avenir de son fils. Elle n'attendait plus qu'une réponse de son frère, Léon Giroux, qui vivait à McLennan, dans le nord de l'Alberta.

Trois jours après l'arrivée de la lettre, Rose-Anna n'avait toujours pas trouvé le courage de parler à Rédempteur. Même si Arcade était convaincu qu'elle avait trouvé la bonne solution, elle hésitait encore. Consultés la veille, Louis et Amédée estimaient eux aussi que la décision de leur mère était la plus juste et la plus raisonnable.

— Raisonnable! murmura Rose-Anna d'un ton dépité, en se levant de la berçante.

Elle alluma le plafonnier et, en essayant de faire le moins de bruit possible, elle remplit le poêle de bûches. L'horloge sonna alors la demie de quatre heures.

Quand elle y réfléchissait froidement, sa décision lui apparaissait en effet «raisonnable»; toutefois, quand elle écoutait son cœur, elle se trouvait cruelle. Elle avait beau se dire que la nouvelle vie qui attendait Rédempteur répondrait en partie à son désir de voyager, à son besoin de dépaysement et à son goût de l'aventure, il n'en restait pas moins qu'elle chasserait son fils du toit familial.

Elle se sentait un peu responsable du fait qu'il ait mal tourné. Elle l'avait sans doute négligé pour s'occuper des bébés qui arrivaient l'un après l'autre. Aîné des garçons, Rédempteur avait dû aider ses parents et s'était peut-être vu confier trop de responsabilités pour son jeune âge. Avait-il seulement eu une véritable enfance? se demandait Rose-Anna.

En réalité, elle avait une préférence inavouée pour ce fils premier-né, le seul chez qui elle retrouvait un peu de la douceur d'Arcade, de sa vulnérabilité. Elle s'était toujours montrée plus tolérante avec lui, un peu moins exigeante qu'avec les autres. Cela, Louis et Amédée le ressentaient, et inconsciemment ils éprouvaient une espèce de soulagement devant le départ forcé de Rédempteur.

Une marche de l'escalier craqua : Arcade descendait, un quart d'heure plus tôt qu'à l'accoutumée, en plaçant ses bretelles sur ses épaules. Rose-Anna enlevait un rond du poêle afin de mettre la bouilloire sur le feu. Son mari s'arrêta derrière elle, la prit par la taille et, geste qui lui était étranger depuis des années, posa ses lèvres sur sa nuque. Il murmura :

— C'est ce qu'y a de mieux à faire, ma femme.

Rose-Anna se laissa aller, appuya son dos contre la poitrine d'Arcade et ferma les yeux durant quelques secondes. Elle éprouva l'envie qu'il la serre très fort, mais un pas lourd se fit entendre à l'étage. Elle s'écarta de son mari en disant, d'une voix d'abord tremblante mais de plus en plus assurée :

— Je vais lui parler aujourd'hui.

Elle attrapa son grand tablier blanc accroché près de l'évier. Dans la poche se trouvait la lettre de son frère Léon. Rose-Anna noua le cordon sur ses reins, et sa voix redevint autoritaire :

— Avant-midi, Arcade, tu iras acheter un billet de train.

Il bourrait sa pipe devant la fenêtre même s'il faisait encore nuit. Il répondit distraitement :

— Il paraît que là-bas les jours d'hiver sont encore plus courts qu'ici...

Après le déjeuner, Rédempteur se leva de table en même temps que les autres avec l'intention de se rendre à la boulangerie. Rose-Anna lui dit :

— Reste ici, Rédempteur, faut qu'on parle.

Au ton décidé de sa mère, Rédempteur comprit qu'il serait bientôt fixé sur son sort. Il redoutait un peu ce moment, mais l'attente était devenue si intolérable au fil des jours, qu'il ressentit un certain soulagement.

Arcade prit alors le chemin de l'écurie. Quant à Louis et Amédée, ils s'en furent à la boulangerie avec Simone et les employés qui logeaient à la maison. Benoît ne partirait pour le collège du village que dans deux heures et il dormait encore à poings fermés; Paul, lui, était pensionnaire au collège de Victoriaville. À part Rédempteur et sa mère, il ne restait plus dans la cuisine que Juliette Tardif, la bonne.

— Va donner un coup de main à la boulangerie, Juliette.

— J'ai ma vaisselle à faire, madame Vachon.

— Juliette! répliqua Rose-Anna en haussant le ton. Quand je te dis quelque chose...

La jeune fille bredouilla des excuses, enfila son manteau et sortit précipitamment.

Cet incident avait contrarié Rose-Anna qui renversa du café sur la nappe cirée en remplissant la tasse de Rédempteur. Elle avait pourtant besoin de tous ses moyens pour passer ce moment pénible. Elle s'assit lourdement au bout de la table, la gorge nouée, le souffle court.

Pendant qu'elle préparait le déjeuner, les visages de Dominateur, de Marie-Anne et de Jeanne s'étaient imposés à son esprit et ne l'avaient plus quitté. Comme si, les yeux chargés de reproches muets, ils revenaient intercéder pour leur frère. Elle avait eu beau se raisonner, rien à faire; elle avait toujours l'impression de condamner son aîné à l'exil, à l'oubli.

Pourtant, elle n'avait pas le choix. Renvoyer ainsi Rédempteur, c'était en quelque sorte faire échec à son rêve : Rose-Anna souhaitait garder tous ses enfants autour d'elle; mais ne pas le renvoyer, c'était compromettre les chances de voir ce rêve se réaliser avec les autres.

En attendant que sa mère parle, Rédempteur roulait une cigarette sans obtenir comme d'habitude un cylindre régulier. Pour souffrir un peu moins, Rose-Anna évita tout détour. Elle lâcha brusquement :

— Tu vas partir pour l'Alberta.

— L'Alberta? dit Rédempteur, étonné.

— Mes frères vont te recevoir chez eux, à McLennan. Tu vas prendre le train de cinq heures, ce soir.

— Mais voyons, maman! s'écria Rédempteur encore sous l'effet de la surprise. Je pensais travailler...

— Pas question! trancha Rose-Anna. On n'a pas le choix : on va payer ta dette, même si on les fait attendre parce que les temps sont difficiles. Mais c'est fini, Rédempteur. La dernière fois...

Lourds, difficiles à prononcer, les mots lui écorchaient la gorge. Il fallait pourtant aller jusqu'au bout.

— Le jeu, comme la boisson, ça peut devenir une maladie. C'est ton cas, Rédempteur, tu peux plus te contrôler. T'as trente-deux ans, c'est plus des folies de jeunesse. Si tu restes à Sainte-Marie, tu vas encore jouer, faire des dettes; tu finirais par nous ruiner. En tous cas, ruiner notre réputation et notre crédit. Le commerce, ça fonctionne sur la confiance, et la boulangerie c'est tout ce qu'on a.

Rédempteur protesta avec sincérité :

— Je vais changer, maman. Regardez, ça fait plus d'une semaine que je suis arrivé et j'ai pas été à l'hôtel.

L'air pitoyable, les yeux humides, il courba la tête. Rose-Anna avait le sentiment de fouler aux pieds son propre cœur. Elle inspira bruyamment pour étouffer un sanglot.

— Ça me fend le cœur d'avoir à te dire ça, mon Rédempteur... Comprends-moi, je peux pas prendre de risque. C'est l'avenir de tes frères qui est en jeu, l'avenir de toute la famille. Ton père et moi, on peut plus payer pour toi, ça serait pas juste pour les autres. Mais on t'aime toujours autant.

Elle étira le bras et posa sa main sur celle de son fils.

— Je te l'ai souvent demandé quand t'étais jeune... Je te demande encore d'être raisonnable. De penser à nous, tes parents, à tes frères, à tes sœurs... De comprendre, de faire un sacrifice...

Elle ne put empêcher les larmes de lui monter aux yeux et, elle qui n'avait jamais pleuré devant quiconque depuis son mariage à dix-neuf ans, elle pleura, en silence.

Rédempteur fit comme s'il n'en avait pas connaissance, ne relevant la tête qu'après que sa mère eut séché ses paupières et ses joues avec un coin de son tablier.

Une fois la surprise passée, Rédemteur se dit que malgré tout les choses ne s'annonçaient pas trop mal. Après réflexion, l'idée de ce départ en Alberta lui plaisait. Ses oncles Joseph, Trefflé, Maurice et Léon représentaient pour lui, depuis l'enfance, des personnages quelque peu mystérieux. Les trois premiers avaient émigré en Oregon avant de se fixer dans le nord de l'Alberta; Léon avait cherché de l'or au Colorado, en Afrique et au Yukon. À McLennan, ils exploitaient tous les quatre des commerces, notamment un hôtel et un magasin général, dont les profits servaient à financer des expéditions de prospection minière.

Rédempteur serra la main de sa mère, et d'une voix sereine il lui dit :

— Pleurez pas, maman.

— Je ne pleure pas... C'est la fatigue... J'ai mal dormi.

Son ton n'avait rien de convainquant et l'on pouvait encore lire le chagrin sur son visage.

— Regardez-moi, maman, je souris. Ça me plaît bien gros d'aller en Alberta.

— C'est juste pour un bout de temps, Rédempteur, dit Rose-Anna qui cherchait autant à se rassurer qu'à dorer la pilule à son fils. Avec ton oncle Léon, tu vas pouvoir faire tes preuves. Plus tard, tu reviendras avec nous autres.

— Pas avant d'avoir trouvé de l'or! s'exclama-t-il en souriant.

Rose-Anna sentit un pincement au cœur : le pressentiment que son fils chéri ne reviendrait jamais.

CHAPITRE 4

JOSEPH VACHON déposa sa valise sur le perron de la maison où il logeait depuis six ans, recoiffa son chapeau de cow-boy à large bord et alluma un cigare. Il promena son regard sur la petite rue tranquille aux habitations de brique toutes identiques. Plusieurs façades étaient ornées de drapeaux et de fanions, en prévision de la fête nationale. Fini pour lui le rêve américain! Il quittait Detroit pour retourner dans la Beauce.

Depuis deux ans, Joseph occupait des emplois de moins en moins rémunérateurs, encore chanceux malgré tout de trouver du travail, alors que la masse des chômeurs grossissait constamment. Au début de 1932, il avait déniché un emploi d'expéditeur dans un petit commerce de pièces d'automobiles dont il était le seul employé. Mais la veille, son patron s'était vu dans l'obligation de le congédier. Les affaires allaient de mal en pis, la faillite du commerce semblait imminente.

À Detroit, on ne voyait plus que des portes d'usines cadenassées et des commerces dont la vitrine montrait une affiche portant le mot *CLOSED*. Dans cette ville que Joseph avait connue si prospère, les files d'attente s'allongeaient de jour en jour devant les soupes populaires. Selon les journaux, la situation était aussi dramatique partout ailleurs. Les choses ne pouvaient être pires au Québec.

Joseph déposa ses effets dans le coffre arrière de sa petite Chevrolet 1928. La Cadillac dont il se montrait si fier, il avait dû la vendre deux ans plus tôt, par mesure d'économie. Mais il se jurait bien qu'un jour il en posséderait une autre.

Lorsqu'il se présenta à la banque pour retirer son argent, Joseph se heurta à une porte verrouillée sur laquelle était clouée la terrible affiche : *CLOSED*. Il perdait toutes ses économies, un peu plus de huit cents dollars! Le coup de poing rageur qu'il donna dans la porte ne lui valut qu'une jointure abîmée. Il n'avait même plus ce qu'il fallait pour le voyage!

Il se rappela deux Beaucerons de sa connaissance qui songeaient depuis un moment à rentrer au pays, et il savait qu'un de leurs amis voulait regagner Montréal. À eux quatre, ils possédaient tout juste de quoi payer l'essence et l'huile.

Les voyageurs furent d'abord très silencieux. Tous rentraient les poches vides, hantés par la peur d'une panne, et leur avenir s'annonçait incertain. Les lettres de leurs familles leur avaient appris que les effets de la crise économique se faisaient sentir au pays, que la misère s'installait partout. Joseph savait qu'il ne pouvait pas compter sur son élevage de renards, car la demande de fourrures avait décliné jusqu'à devenir presque nulle. Quant à travailler dans l'entreprise familiale... Même si dans ses lettres sa mère lui avait souvent laissé entendre qu'il y avait une place pour lui à la boulangerie, il doutait que ce petit commerce puisse faire vivre un nouvel employé. Après tout, la dépression devait frapper également

Sainte-Marie et toute la Beauce. Du moins aurait-il le gîte et le couvert, le temps de trouver une solution.

Quand il descendit de voiture, rue de la Station, Joseph s'étonna de voir près de la maison de ses parents deux cordes à linge où séchaient une vingtaine de pantalons blancs et deux fois plus de chemises tout aussi immaculées. Il entra dans la cuisine sans frapper, s'attendant à entendre sa mère pousser des «Bonne sainte Anne!» pour exprimer sa surprise et sa joie.

— Qu'est-ce que vous voulez?

La question venait d'une jeune femme, vingt ans tout au plus, qui repassait des chemises. Le regard de Joseph se dirigea vers le salon, puis la salle à manger. La bonne se redressa et essuya la sueur de son front. Un visage plutôt joli, mais des yeux trop petits par rapport à ses joues rondes. Le chapeau de cow-boy lui fit croire à un visiteur américain.

— Vous parlez français? dit-elle, en replaçant une ondulation qui se terminait en accroche-cœur près d'un sourcil.

Joseph éclata de rire et montra au mur le tablier blanc de Rose-Anna suspendu à un clou.

— Mme Vachon?

— La patronne est à la boulangerie. Je vais la chercher.

— Dérange-toi pas, ma petite fille, je vais y aller moi-même.

En se dirigeant vers la porte, il sortit un cigare de sa poche. La bonne demanda, d'une voix hésitante :

— Vous... Vous seriez pas monsieur Joseph, des fois?

— Tout le temps! répondit-il, amusé.

Il s'était arrêté et cherchait des allumettes dans ses poches.

— Attendez! dit la jeune fille qui en prit quelques-unes dans la boîte murale près du poêle et les lui apporta.

Joseph craqua une allumette avec l'ongle de son pouce et alluma son cigare.

— Comment t'as deviné qui je suis?

— Bien... Vous ressemblez à M. Louis.

Cette réponse agaça Joseph qui sortit sans rien dire. Il aimait bien son frère, même s'ils ne voyaient pas les choses de la même façon; cependant il détestait qu'on les compare, comme il avait détesté, enfant, porter les vêtements devenus trop petits pour Louis. Cela lui donnait l'impression désagréable de toujours marcher dans les traces de l'autre, lui qui n'avait pas l'âme d'un «suiveux».

Un camion Chevrolet de quatre tonnes, portant l'inscription *Pains et gâteaux J. A. Vachon et Fils* peinte sur les côtés, stationnait devant la boulangerie. Joseph s'avança jusqu'à la porte moustiquaire et demeura à l'extérieur, le nez à quelques pouces de la toile métallique à travers laquelle s'exhalait une chaleur parfumée, un peu sucrée. Parmi les exclamations et les rires, il reconnut la voix de sa mère, celle de Simone et une autre qui devait appartenir à Benoît ou à Paul. Les autres voix, il ne les avait jamais entendues.

À mesure que ses yeux éblouis par la lumière du soleil s'habituaient à celle, moins vive, de l'intérieur, Joseph distinguait mieux ce qui s'y passait. La boulangerie lui avait paru assez grande quand il l'avait visitée, du temps de la veuve Leblond; avec les huit personnes qui s'y affairaient, les lieux semblaient exigus.

Joseph ne savait pas au juste à quoi chacun s'occupait, mais il eut l'impression que régnait une certaine confusion, ou du moins un manque d'organisation. Il remarqua que les mêmes gestes étaient repris par plusieurs personnes, ce qu'aurait empêché le travail à la chaîne. Même la disposition des surfaces de travail laissait à désirer, car elle obligeait à beaucoup de déplacements inutiles. En fait, tout le monde semblait se marcher sur les pieds. Joseph, qui comparait cela avec ce qu'il avait connu à Detroit, jugea ce mode de production très artisanal.

— Joseph!

Il sursauta. Arcade se dirigeait vers lui à toute vitesse, la main tendue, affichant un large sourire.

— Mon gars! s'exclama-t-il encore en lui serrant la main avec vigueur.

— Ça me fait tellement plaisir, papa. Vous avez l'air en forme!

— À soixante-six ans, j'ai pas à me plaindre, Jos, répondit-il en reculant un peu pour examiner son fils de haut en bas. Et toi, t'as un bien beau chapeau!

Joseph trouva son père vieilli; des rides marquaient son visage, ses paupières se fripaient, des cernes jaunâtres se creusaient sous ses yeux. Cependant son regard conservait toute sa jeunesse, son rire demeurait aussi franc.

— Pourquoi tu rentrais pas? De loin je t'ai pris pour un espion de Vaillancourt!

À travers la moustiquaire, Arcade cria que Joseph était arrivé. Une exclamation lui répondit :

— Bonne sainte Anne! C'est-y possible!

Rose-Anna arriva en trombe, essuyant ses mains à son tablier, pour se jeter sur son fils qu'elle embrassa à plusieurs reprises.

— Ah! Joseph. Mon petit Joseph. Que ça me fait plaisir!

Puis, s'en éloignant un peu, elle épousseta le devant et les épaules de son veston.

— Voyons donc! J'ai mis de la farine sur ta belle habit... T'as grossi un peu. À moins que ça soit ce drôle de chapeau qui te fasse paraître plus costaud...

Elle s'informa de son état de santé, de son voyage. Était-il fatigué? Avait-il faim? Voulait-il dormir un peu avant le souper? Les questions fusaient à un point tel que Joseph n'avait pas le temps de répondre et se contentait de sourire en hochant la tête.

Soudain la mère se tut et fixa son fils droit dans les yeux, essayant d'y lire la confirmation de son intuition.

— Tu viens pour rester?

Le ton de sa voix exprimait à la fois l'espoir et l'appréhension. Quand Joseph répondit par l'affirmative, Rose-Anna le serra de nouveau dans ses bras, sans se préoccuper de la farine qu'elle laisserait encore une fois sur son veston. Arcade lui aussi manifesta sa joie et montra le camion :

— Vachon et Fils... Il y a du travail pour toi, si ça t'intéresse.

Il savait exprimer ainsi le désir de sa femme qui d'ailleurs le gratifia d'un sourire.

Rose-Anna prit Joseph par le bras et le guida vers l'intérieur où toute activité avait cessé.

— On boulange cinq cents pains par jour, annonça-t-elle avec fierté. En plus, on fait quatre cents douzaines de *buns*. Faut cuire les gâteaux la nuit, autrement on fournirait pas.

Joseph revit Simone avec plaisir; à vingt et un ans, elle était devenue une femme magnifique. Et il eut peine à reconnaître ses jeunes frères tant ils avaient changé. Le front large et les tempes déjà dégarnies bien qu'il n'eût encore que dix-neuf ans, Paul donnait une impression de sérieux. Mais, toujours pince-sans-rire, il plaisanta sur le chapeau de Joseph :

— Es-tu venu de Detroit à cheval?

— Ça pourrait pas nous servir de moule à gâteaux? renchérit Benoît.

— Ouais! Pour des gâteaux de noce, ajouta Paul.

Joseph rit de bon cœur et affirma :

— Vous avez grandi aussi vite que de la mauvaise herbe, ma foi! C'est rendu que le bébé de la famille est plus grand que moi.

Bâti comme un athlète, Benoît le dépassait d'au moins cinq centimètres. Il pratiquait la boxe, et sa réputation de joueur de hockey s'était répandue dans toute la région et même à Québec.

— C'est lui qui boulange maintenant, dit Rose-Anna.

Elle présenta aussi à Joseph le maître-pâtissier, Honoré Giroux, et sa femme qui l'aidait avec Paul. Arcade voulait expliquer en détail le fonctionnement de la boulangerie, mais Rose-Anna décréta que cela pouvait attendre au lendemain.

— Joseph va venir prendre une tasse de thé. Après ça, on va lui installer un lit dans la chambre de Médée. Ah... Ça, c'en est un qui va être content de te voir, mon Joseph. Louis aussi, comme de raison.

Avant de sortir, elle retira son tablier et l'accrocha près de la porte.

— J'en ai vu un autre dans la cuisine, fit Joseph. Deux tabliers?

— Faut que je sois partout, que je voie à tout.

Rose-Anna franchit la porte la première et Joseph remarqua que sa mère avait encore pris de l'embonpoint. Tandis qu'ils marchaient vers la maison, elle demanda :

— Et puis?

— Quoi, maman?

— T'as envie de travailler avec nous autres?

— J'aimerais pas rester à me tourner les pouces, mais... Me voyez-vous cuire du pain? J'ai de la misère à faire des crêpes!

— En faire, je sais pas... Mais en vendre, oui. Ton père t'a montré le camion. On aurait besoin d'un cinquième vendeur sur la route.

— Cinq? dit Joseph, étonné.

— Oui. Il y a Philippe Gagné qui travaille avec Louis, et Philippe Hébert qui aide Médée. Des bons gars qui prennent leur travail à cœur. À deux par camion, le porte à porte ça va plus vite. Toi, pour commencer tu serais tout seul.

Joseph tendit la main à sa mère afin de l'aider à gravir la marche de la galerie; par fierté, elle fit comme si elle n'avait pas remarqué son geste.

— J'accepte votre offre, maman. Merci bien gros.

— Si tu savais le bonheur que tu me fais.

Elle soupira.

— Bonne sainte Anne, quelle journée! J'ai reçu une lettre de Rédempteur. Tu sais qu'il est rendu au Grand lac de l'Ours, proche du pôle Nord, avec ton oncle Léon.

Imagine-toi donc qu'ils gagnent cinq piastres par jour chacun! Ils travaillent dans une mine de... de... radio.

— De radium?

— Ça doit être ça, ton frère écrit assez mal!

— Est-ce qu'il parle de revenir?

Le visage de Rose-Anna devint soucieux, presque souffrant. Malgré sa certitude d'avoir agi pour le mieux, elle s'en voudrait toujours d'avoir envoyé son aîné au loin.

— Il est heureux là-bas, ça se sent. C'est un aventurier, tu sais. Viens, je vais te la lire, sa lettre.

* * *

Louis décida de confier à Joseph la conquête des marchés de Lévis à Matane. Lui-même s'attaquerait au Saguenay et au Lac-Saint-Jean, deux régions où l'on était peu enclin à encourager des commerçants de l'extérieur, pour eux des étrangers. Amédée gardait Québec, Portneuf, Mégantic, Thetford Mines et les Bois-Francs. Surtout Thetford Mines, que pour rien au monde il n'aurait laissé à quelqu'un d'autre...

Alors que ce nouvel arrangement entraînait une augmentation de la production, une tuile tomba sur la tête de Rose-Anna Vachon. Son pâtissier, Honoré Giroux, lui annonça son départ. On leur offrait, à sa femme et à lui, des emplois permanents à Québec, leur ville natale. À condition qu'ils commencent dès le lendemain.

— On n'a rien à redire de vous, madame Vachon, ni de vos gars, dit-il de sa voix grasseyante. On a été traités de première classe, ma femme et moi. Mais vous comprenez, ici, on travaille seulement sept mois par année. L'hiver est dur dans ce temps-là.

— Ouais... fit Rose-Anna. Vous me prenez de court, monsieur Giroux. Juste comme on a un vendeur de plus!

— Je sais que le moment est mal choisi, mais je suis pas en peine pour vous. En attendant de trouver un autre pâtissier, vous avez Paul. Pour être franc, il en connaît autant que moi. Vous savez, il a un don pour les gâteaux, ce petit gars-là.

L'idée de faire appel à Paul avait traversé l'esprit de Rose-Anna dès le moment où Giroux avait annoncé son départ. Depuis quatre étés consécutifs, Paul servait d'aide aux différents pâtissiers qui se succédaient à la boulangerie. De chacun il avait appris des trucs du métier et il connaissait leurs recettes par cœur. De plus, avec son habitude de lire tout ce qui lui tombait sous la main, il parcourait d'une couverture à l'autre les revues qui traitaient de pâtisserie, auxquelles la famille était abonnée depuis trois ans.

Jeannette et une servante occupaient la cuisine, Simone changeait les draps aidée de l'autre bonne. Comme elle ne trouvait pas de coin tranquille dans la maison, Rose-Anna amena Paul dans la balançoire, près du jardin, et lui demanda :

— As-tu décidé de continuer tes études ?

Paul fit une moue qui marquait son incertitude. Il aimait étudier, mais le règlement sévère du collège de Victoriaville qu'il fréquentait lui déplaisait.

— Je vous cache pas que j'ai pensé à abandonner. J'aime mieux apprendre par moi-même. Pourquoi vous me posez cette question-là ?

— Comme ça, répondit évasivement la mère. T'as une idée de ce que tu veux faire ?

À son tour, il fit une réponse vague. L'esprit en-flammé par ses lectures des exploits des pilotes de la Grande Guerre, Paul rêvait depuis toujours de devenir aviateur. Ces dernières années, il s'était dit qu'il mar-cherait sur les traces de Roméo Vachon ou de Joseph et Arthur Fecteau, des aviateurs beaucerons devenus célè-bres comme pilotes de brousse sur la Basse-Côte-Nord et en Abitibi. À présent, il n'en était plus aussi certain.

Faisant mine de changer de sujet à brûle-pourpoint, Rose-Anna apprit à Paul qu'ils perdaient leur pâtissier.

— Faites-vous-en pas, maman. En attendant que vous trouviez quelqu'un, je suis là. Avec les temps diffi-ciles qu'on connaît, je suis sûr que ça court les rues à Québec, un pâtissier.

— J'ai déjà quelqu'un en vue.

— Tant mieux! Quelqu'un que je connais?

— Toi, mon Paul.

D'abord étonné, il parut incrédule.

— Je t'ai observé : t'es un très bon pâtissier. Honoré Giroux me le disait lui-même tantôt. Tu travaillerais avec Benoît. Vous vous entendez bien tous les deux...

Paul ne répondit pas. Tête penchée, il fixait la pointe de son soulier et se frottait le menton. Oui, il aimait la pâtisserie, il prenait plaisir à travailler la pâte, à faire des essais, à inventer des recettes. Mais décider comme ça, d'un seul coup, de dire adieu à une carrière de pilote?...

— Me laissez-vous le temps d'y penser? dit-il en descendant de la balançoire.

— Prends le temps qu'il faut.

Il s'éloigna de cinq pas, puis rebroussa chemin et déclara d'un ton décidé :

— La fabrication des gâteaux, ça serait mon affaire à moi! Pas question que je fasse les commissions de tout un chacun!

Il faisait allusion à Louis et à Joseph qui avaient tendance à vouloir tout diriger, et à traiter leurs frères plus jeunes comme leurs propres employés.

— Tu seras le maître de tes casseroles et de tes moules, mon garçon. T'auras un seul *boss*, moi!

— Dans ce cas-là, maman, vous avez un nouveau pâtissier.

Rose-Anna battit des mains en lâchant un «bonne sainte Anne!» pour exprimer sa joie; puis elle attira son fils et l'embrassa sur les deux joues.

Comme il tournait au coin de la maison, en route pour la boulangerie, Rose-Anna se rendit compte qu'elle avait oublié de lui souhaiter un bon anniversaire de naissance. Paul avait dix-neuf ans ce jour-là. Cet oubli s'expliquait par la tournure imprévue des événements. Rose-Anna n'avait qu'une pensée en tête : cinq de leurs fils travailleraient dorénavant à la boulangerie! Elle avait mis neuf ans à y parvenir. Son bonheur était tel, qu'elle retrouva l'espoir que Rédempteur aussi revienne un jour sous le toit familial.

Elle pencha la tête en arrière afin de voir le ciel sans nuages et, du pied, donna un élan à la balançoire. Avec Paul comme pâtissier et Benoît comme boulanger, Rose-Anna ne dépendrait plus d'étrangers qui pouvaient la lâcher à tout moment, et qui ne prendraient jamais les affaires à cœur autant que ses fils. La famille pourrait dorénavant suffire au fonctionnement de la boulangerie dont elle tirait sa subsistance.

Un rire d'enfant, joyeux et cristallin, se fit entendre. Raymond, un petit diable de cinq ans, arrivait à la course en criant d'excitation. Marie Nappert poursuivait le fils de Louis dont elle avait la garde; elle le rattrapa près de la clôture du jardin et se mit à le chatouiller. À onze ans, la fille de Marie-Anne ressemblait par certains traits de son caractère, à la mère qu'elle avait perdue en bas âge. Quand elle la regardait agir et parler, Rose-Anna avait l'impression de revoir son aînée. Chaque année, c'était pour elle un bonheur d'accueillir l'enfant pour l'été.

Marie s'approcha de Rose-Anna en tirant Raymond par la main.

— C'est pas souvent qu'on vous voit assise durant la journée, grand-maman! dit-elle, étonnée.

Entre ses nattes, ses yeux pétillaient. Raymond se dégagea de la main de sa cousine, sauta dans la balançoire et grimpa sur le banc à côté de sa grand-mère.

— Je veux me balanciner avec mémère, bon!

Rose-Anna lui ébouriffa les cheveux tandis qu'il fouillait dans la poche du tablier où elle gardait souvent des bonbons.

— Grimpe, si ça te tente, dit-elle à Marie.

La fillette prit place sur le banc, en face de Rose-Anna.

— Grand-mère, j'aimerais ça que vous me parliez encore de maman. Si vous avez le temps...

— Oui, ma petite fille, je vais le prendre, le temps.

* * *

Le jour même où Paul décidait de son avenir, la vie d'Amédée allait prendre un cours nouveau sur le quai de la gare de Sainte-Marie. La jeune fille qu'il y rejoignait avant qu'elle monte dans le train s'appelait Émériza

Savoie, mais Amédée préférait utiliser le surnom de Mirza.

Ils s'étaient connus dans une soirée, l'année précédente, et s'étaient fréquentés durant quelques mois. Même si le coup de foudre avait été réciproque, leurs rencontres demeuraient occasionnelles, car Émériza travaillait à Thetford Mines comme gouvernante chez les Johnson, propriétaires des mines du même nom. De plus, la jeune femme avait à Thetford un autre soupirant, un garçon ambitieux, gérant d'un hôtel, qui se promettait d'aller loin dans la vie.

Elle avait finalement rompu avec Amédée afin de se fiancer avec l'autre jeune homme. Malheureux, Amédée avait essayé de se consoler avec les nombreuses filles qui lui faisaient les yeux doux. Il avait même fréquenté assidûment une jeune femme de Beauceville. Peine perdue! Il aimerait toujours sa belle et fière Mirza. Persuadé que l'ayant mieux connu, elle aurait agi différemment, il s'était souvent attardé dans les rues de Thetford Mines dans l'espoir de la voir, de lui parler. Parfois même il stationnait son camion au coin d'une rue, espérant qu'elle le remarquerait.

S'il avait su que Mirza s'était déjà cachée derrière un arbre en apercevant le nom de Vachon peint sur le flanc du camion! Que, le cœur battant, elle avait épié Amédée au moment où il sortait d'une épicerie! Que, toute fiancée qu'elle était, elle pensait souvent à lui, se demandant encore si elle n'avait pas commis une erreur...

Puis un jour, Amédée avait appris qu'Émériza Savoie était invitée à Sainte-Marie, à une noce à laquelle il comptait lui-même assister. La veille, il l'avait attendue à la gare et ils avaient passé ensemble une excellente soirée, en dépit d'une gêne qui ne se dissipait pas. Pendant la réception qui avait suivi le mariage où l'accompagnait sa petite amie de Beauceville, Amédée n'avait eu d'yeux que pour Mirza. Plus tard, se rendant compte qu'elle allait de nouveau disparaître de sa vie, peut-être à jamais, il l'avait guettée près de la gare.

Il l'attrapa par le bras; elle se tourna vers lui.

— Qu'est-ce que tu veux, Médée?

Le ton était neutre, mais pour la première fois depuis leurs retrouvailles, elle avait utilisé ce diminutif intime.

— Épouse-moi! s'écria le jeune homme, d'une voix vibrante.

Elle feignit la surprise :

— Et pourquoi je te marierais?

— Parce que je t'aime, tapèche!

La jeune femme sourit, puis fronça les sourcils.

— C'est impossible, j'ai prêté tout mon argent à mon frère qui se marie. Je ne veux pas prendre un mari en quêteuse. J'ai un trousseau, mais c'est tout.

— Ça n'a pas d'importance! On pourrait se marier en octobre, quand...

Il allait dire «quand la saison des gâteaux sera finie». Il se tut, jugeant que cela ne convenait pas dans les circonstances.

Au moment où Mirza lui signifiait son accord, il sortit de sa poche une bague qu'il lui glissa au doigt.

Puis ils s'étreignirent et s'embrassèrent longuement, ce qui indigna une vieille dame qui lança :

— Allez vous cacher! C'est-y pas honteux!

* * *

En ce premier dimanche d'avril 1933, comme tous les dimanches, la famille Vachon était réunie dans le salon après la grand-messe. En attendant l'heure du dîner, les garçons prenaient un verre de gin. Cela déplaisait grandement à leur mère, mais elle ne protestait pas; ce n'était plus des enfants, elle devait apprendre à jeter progressivement du lest.

Rose-Anna comprenait qu'à trop serrer la vis, elle risquait d'indisposer ses fils, peut-être même d'inciter l'un ou l'autre à quitter le toit familial. De toute façon, ils ne lui demandaient pas la permission de boire à leur guise en dehors de la maison. Comme le faisaient d'ailleurs tous les hommes, sauf de rares exceptions, dont Arcade.

Lorsque Jeannette intervint dans une discussion sur la boulangerie, sa belle-mère lui décocha un regard sévère et lâcha :

— Quand on met pas la main à la pâte, on a rien à dire sur le repas.

Piquée au vif, Jeannette quitta le salon en annonçant qu'elle allait mettre la table et aider la bonne.

— Comme ça, j'aurai le droit de manger! dit-elle.

Louis savait qu'il valait mieux ne pas s'interposer entre sa femme et sa mère. Ces petits coups d'épingle qu'elles échangeaient ne tiraient toutefois pas à conséquence. À présent qu'il ne restait plus que son père et lui sur le canapé, il s'éloigna un peu de l'accoudoir afin d'être plus à son aise. Arcade, lui, fumait sa pipe en silence. Quant à Rose-Anna, trouvant pénible de se relever du canapé qui était bas, elle avait apporté sa chaise berçante de la cuisine. Et, ne pouvant supporter d'être inactive, elle tricotait sans pour autant perdre un mot de la conversation. Paul et Benoît partageaient le long banc de l'harmonium, Joseph était resté debout, appuyé sur le buffet où se trouvait la bouteille d'alcool. Assise près de la fenêtre, un peu éloignée des autres, Simone dressait mentalement la liste de tous les garçons qui l'avaient regardée avec insistance dans la nef ou sur le perron de l'église. Quant à Amédée et à Mirza, rapprochés par l'étroitesse de la causeuse, ils se tenaient la main.

Au fil des mois, ces rencontres dominicales s'étaient transformées en véritables réunions d'affaires, impossibles à tenir autrement. Pendant la semaine, les trois plus vieux parcouraient leurs territoires, et Paul et Benoît n'avaient pas beaucoup le temps de s'éloigner du four.

Rose-Anna aurait préféré qu'on s'abstienne de discuter en groupe de la bonne marche de la boulangerie. Il était plus simple, et plus sage, que les garçons en réfèrent toujours à elle, qu'elle continue de servir d'intermédiaire entre eux tous. À chacune de ces occasions où elle se trouvait en face de ses cinq garçons réunis, son autorité lui semblait de plus en plus fragile. Il suffirait qu'ils tombent d'accord sur une question précise et n'en démordent pas, pour que la crise éclate. Jusque-là, les désaccords entre Louis et Joseph sur la façon de mener les affaires avaient bien servi Rose-Anna qui jouait le rôle d'arbitre, et qui tranchait selon sa vision à elle et non en faveur du point de vue de l'un ou l'autre de ses deux fils.

En même temps qu'elle avait plaisir à voir ses fils prendre à cœur le commerce familial, elle redoutait ces moments où, ayant discuté de questions pratiques et quotidiennes, ils se livraient à des spéculations touchant l'avenir. Chacun renchérissait sur les idées des autres, l'excitation les gagnait et ils bâtissaient des projets qui, aux yeux de Rose-Anna et d'Arcade, étaient insensés. Un jour, ils prendraient leurs rêves au sérieux...

Après que Louis eut évoqué les problèmes de concurrence qu'il rencontrait au Saguenay, Paul fit part d'un article sur les boulangeries du Québec qu'il venait de lire dans une revue. Il en avait surtout retenu que les rares boulangeries de la province qui faisaient des gâteaux, comme les James Strachan, Christie Brown, George Weston et Harrison & Sons, concentraient avant tout leurs efforts sur la confection et la distribution du pain. Il n'y avait que Stuart à Montréal, et Jos Vaillancourt à Québec, pour faire exception.

Ses frères hochaient la tête d'une manière entendue, la question ayant déjà été évoquée quelques fois entre eux.

— Les gâteaux! s'exclama Louis en frappant son poing droit dans la paume de sa main gauche. Je l'ai toujours senti; c'est là qu'est l'avenir pour nous autres.

De l'index, Amédée lissait sa moustache et souriait à Mirza dont le ventre arrondi gonflait la robe. L'avenir, se disait-il, il est déjà commencé.

— C'est sûr que les gâteaux, c'est notre gros avantage sur les boulangeries locales, dit-il. Sans vouloir te blesser, Benoît, ton pain est pas meilleur qu'un autre; du pain, c'est du pain! C'est parce qu'on offre aussi des gâteaux et des brioches qu'on peut vendre notre pain à Thetford.

Mirza lui sourit. Elle trouvait que son homme embellissait de jour en jour.

— Ça m'insulte pas une miette, répondit Benoît, d'un ton un peu bourru. C'est pas moi qui ai inventé le pain! Ça me ferait rien d'apprendre à faire des gâteaux, pis de lâcher le pain.

Rose-Anna s'écria, outrée :

— Bonne sainte Anne! Vous songez pas à lâcher le pain, les petits gars? Modérez un peu sur le gin!

— Voyons, maman, fit Louis avec un grand sourire, Benoît parle pour parler. Vous savez bien que jamais on abandonnera le pain.

Elle ne lui trouva pas un ton très convaincant.

— Mais, poursuivit-il, il faut forcer un peu plus sur les gâteaux. En avoir plus de sortes, c'est-y possible, ça?

— Rien de plus facile, répondit Paul à qui la question était adressée. Ah! J'ai des idées de recettes, là... Tu peux pas savoir!

Ses yeux brillaient; la perspective de faire des essais avec les pâtes, les saveurs et les couleurs enchantait Paul. Pour lui, la pâtisserie devenait presque une forme d'art, un moyen d'expression.

— Les *cup cakes* de la pâtisserie Strachan sont populaires partout, déclara Amédée. Ils nous font concurrence.

— Des *cup cakes*? Je peux t'en faire demain, si tu veux, affirma Paul, plein d'assurance. Meilleurs que ceux de Strachan. Des petits gâteaux à cinq cents, à dix cents.

— Parfait! fit Louis. Une bonne variété de gâteaux, ça va nous donner un avantage sur les autres. Avec ça, on va bousculer les petites boulangeries et se faufiler entre les grosses, prendre de la place.

L'idée plaisait fort à Amédée, et il s'inquiétait que Joseph ne se soit pas encore prononcé. C'est à lui qu'il s'adressa ensuite :

— Nous autres sur la route, on se fait souvent dire : «Pourriez-vous avoir telle sorte de gâteau? Vous en auriez pas comme celui-là, mais au chocolat»? De la variété, c'est ça la réponse.

Rose-Anna n'aimait pas la tournure que prenait la conversation, pas plus qu'Arcade qui, par des signes discrets, lui demandait d'intervenir. Le silence de Joseph la convainquait presque qu'il n'aimait pas ce projet. S'il argumentait contre, elle aurait ensuite beau jeu de temporiser. Elle lui força donc la main.

— Qu'est-ce que t'en penses, toi, Joseph?

Louis s'attendait comme sa mère à une opposition de la part de Joseph. Il ironisa :

— Oui, Joseph, fais nous donc partager ta sagesse!

Joseph avait écouté en regardant le fond de son verre vide. Il souffrait d'un mal de tête tenace, conséquence de sa cuite de la veille. S'il n'avait pas pris part à la conversation, c'était surtout pour peaufiner encore un peu l'idée qu'il comptait soumettre aux autres. En relevant la tête, il s'étonna de ce que tous ces regards soient braqués sur lui.

— Les gâteaux? fit-il d'une voix grave et posée. Avant longtemps toute la province mangera des petits gâteaux Vachon.

Même Amédée qui connaissait bien son frère ne sut comment interpréter ces paroles. Louis se demanda si Joseph ne se payait pas sa tête.

— Qu'est-ce que tu veux dire au juste? demanda-t-il, sur la défensive.

— T'as raison pour les gâteaux, Louis, c'est avec ça qu'on peut semer les autres. En seulement, c'est pas différent du pain. Il y a une limite à ce qu'un livreur peut vendre de porte en porte dans une journée. Faut descendre du camion, frapper aux portes, parler au monde : cinq minutes pour placer deux pains ou un gâteau. À mon avis, on peut plus augmenter nos ventes à moins d'engager plus de livreurs et d'acheter d'autres camions. Pis ca, ça demanderait de l'argent qu'on a pas.

Ses frères croyaient comprendre où il voulait en venir, de même que Rose-Anna qui se demanda s'il avait les idées claires. Elle remarqua des échanges de regards entre ses quatre autres fils : une espèce de consultation muette. Pour y mettre un terme, elle dit à Joseph, avec une certaine brusquerie :

— Finis ton idée.

— Vous devez vous en douter, répliqua-t-il, d'un ton bougon. C'est simple : abandonner le porte à porte, avoir des *jobbers*, vendre en gros aux épiceries, aux restaurants, aux pensionnats. On peut même faire vendre nos gâteaux par les petites boulangeries de village. Ce qui faut, c'est faire travailler du monde à notre place.

— Y a personne qui travaille pour rien! protesta Rose-Anna. Faudra leur donner une commission, notre profit va diminuer.

— On va faire un profit plus petit, c'est vrai, mais sur des bien plus grosses quantités. Là, ça peut devenir payant!

Il souligna son dernier mot d'un léger coup de poing sur le buffet contre lequel il était appuyé. Payant : un mot magique pour Louis et Amédée qui espéraient s'installer bientôt sous un toit bien à eux. L'un et l'autre, durant les longues heures passées au volant de leur camion, avaient déjà bâti des rêves ressemblant à celui de Joseph. Rien de plus que des chimères que chacun avait soigneusement gardées pour lui. Curieusement, ainsi exposés à haute voix, ces projets ne semblaient plus aussi irréalisables.

Louis fit un signe de tête en direction de Paul et de Benoît, assis côte à côte sur le banc de l'harmonium.

— Êtes-vous capables de produire plus, beaucoup plus?

Benoît eut un petit rire nerveux et fit une réponse évasive pour se donner le temps de réfléchir.

— Ouais... Ouais...

Paul, qui voyait toujours grand et que rien n'inquiétait, n'hésita pas une seconde :

— Vendez tant que vous pouvez, on s'arrangera bien pour vous suivre, hein Benoît ?

Ce dernier avait eu le temps de soupeser la question et approuva d'un signe de tête. Il désigna le salon et lança, feignant d'être sérieux :

— On pourrait toujours installer un deuxième four dans le salon.

Des rires accueillirent sa plaisanterie, puis les garçons se mirent à lancer des idées à qui mieux mieux, et Louis proposa :

— On loue un petit entrepôt, disons à Amos, à Chicoutimi; les *jobbers* prennent leurs stocks là. Un seul voyage de camion et tu sers toute une région.

— Ça va nous prendre un représentant dans chaque région, dit Amédée.

— Si on a quelqu'un sur place, renchérit Paul, on peut continuer à produire l'hiver et expédier nos gâteaux par train quand les routes ferment.

Joseph s'était versé une autre goutte de gin et souriait en écoutant discourir ses frères. Ils étaient tous les cinq sur la même longueur d'onde, aussi ambitieux les uns que les autres. Rien ne leur serait impossible.

— Whoa ! Whoa ! s'écria Arcade en prenant une grosse voix qui ne lui allait pas. Partez pas en peur, les gars. Pensez à la fable de la grenouille et du bœuf.

— Qu'est-ce qui vous dit qu'on est la grenouille? demanda Paul en rigolant. Pourquoi ça ne serait pas nous autres, le boeuf.

— Allez vendre vos gâteaux à Montréal, un coup partis! ironisa le père.

— Ça viendra, répondit Joseph avec assurance. Dans le temps comme dans le temps.

Arcade comprit que Joseph ne plaisantait pas. Il regarda tour à tour Louis, Amédée et les deux plus jeunes. Eux non plus ne riaient pas; leurs propos n'avaient rien de paroles en l'air. Arcade prit peur et dit à sa femme, d'un ton de reproche que ses enfants ne lui avaient jamais entendu :

— Pis toi, tu dis rien! Ils nous conduisent tout droit à la ruine et tu les laisses faire!

Rose-Anna lui sourit et dit, d'un air complice :

— Laisse-les parler, mon mari. Les mots, ça coûte pas cher.

Ces propos n'étaient destinés qu'à rassurer Arcade. En réalité, Rose-Anna écoutait ses fils avec un intérêt croissant, car elle trouvait beaucoup de choses sensées dans leurs dires. Et puis, elle les sentait convaincus et décidés. Comment prendraient-ils un refus pur et simple de sa part?

Louis fit valoir que l'expérience ne coûterait pas beaucoup plus cher que les mots. On irait progressivement. Et si cela ne marchait pas comme prévu, on pourrait facilement revenir au fonctionnement actuel.

— C'est pas vrai, répondit Rose-Anna, parce qu'on aurait perdu nos clients. Ceux qui achèteraient notre pain et nos gâteaux chez des marchands ne connaîtraient pas le nom de Vachon. Si le marchand décidait de se fournir ailleurs, on serait finis. Le pain et les gâteaux Vachon, ça dirait plus rien à personne.

— Maman a raison! dit Amédée, soucieux.

— Des étiquettes! s'exclama Paul. Il suffit d'avoir une étiquette sur chaque gâteau. Sur le pain aussi, bien sûr. Comme ça, même si un gâteau passe par un revendeur, celui qui le mange sait qu'il vient de chez Vachon. Et si c'est bon, il voudra encore avoir du Vachon.

Raymond entra dans le salon en courant :

— C'est le temps de manger!

Louis renvoya son fils à la cuisine :

— Va leur dire qu'on arrive, mon petit homme.

Il y eut ensuite un moment de silence. Personne n'osait se lever le premier. Chacun se demandait à quoi avait mené cette discussion, ce qu'il adviendrait maintenant de leur projet. Louis et Joseph se regardèrent droit dans les yeux. Lequel oserait mettre sa mère au pied du mur?

— Toi, Simone, demanda Rose-Anna, qu'est-ce que tu penses de tout ça?

La jeune femme, qui avait suivi la conversation en vernissant ses ongles, fit la moue.

— C'est pas bête... Moi, si j'ai une couple de filles pour m'aider à l'emballage, y a pas de problème.

— Bon! dit Rose-Anna en se levant. Je pense que la soupe est servie. Si on veut arriver au dessert...

Les garçons comprirent alors qu'ils avaient gagné.

CHAPITRE 5

ARCADE VACHON observait avec une certaine incrédulité l'activité déployée par ses fils. Leur capacité de travail ne le surprenait nullement; longtemps il avait lui aussi fourni des journées de dix-huit heures. Il s'étonnait plutôt de leur ambition, de leur esprit d'initiative et de leur goût du risque. De qui tenaient-ils cette audace? Certainement pas de moi, se disait Arcade; sans doute de Rose-Anna...

Bien sûr, il fallait qu'elle ait du cran elle aussi pour permettre à leurs fils de tout changer, alors qu'on parlait partout de crise économique, de dépression. Elle semblait savoir ce qu'elle faisait, les garçons aussi, et Arcade travaillait tant qu'il pouvait pour les aider, même si le rythme imposé l'essoufflait. Avec sa solide carrure et sa force physique peu commune, Arcade donnait encore l'impression d'un homme dans la force de l'âge. Cependant, il se sentait décliner : la jambe était moins alerte et le geste, moins vif. Et certains jours, il trouvait son corps lourd à mouvoir.

Pendant que dans les diverses régions du Québec Louis, Joseph et Amédée recrutaient des vendeurs à commission et mettaient sur pied un réseau de distribution, leurs frères cadets Paul et Benoît organisaient la production sur une base de vingt heures par jour. Le fait de ne posséder qu'un seul four ralentissait les opérations. Une fois le pain défourné, il fallait remplir le four de bois, et le faire chauffer; après trois fournées de gâteaux, c'était à recommencer.

Afin de concurrencer le fameux *cup cake* de la pâtisserie Strachan, Paul créa un petit gâteau semblable qu'il baptisa Marianne. Il expérimentait constamment, assisté par Rose-Anna qui s'émerveillait de ses capacités de transformer les recettes et de prévoir le résultat. Elle l'estimait bien plus à sa place à la pâtisserie qu'aux commandes d'un avion.

Pour réaliser ses expériences sans ralentir la production, Paul rognait sur ses heures de sommeil. Il développa ainsi une recette de pâte feuilletée qui était d'une extraordinaire légèreté parce qu'elle levait dans le four à pain. Il en fit des gâteaux individuels qu'il nomma simplement Carrés-feuilletés. Puis il lança de nouveau le Mille-Feuille qui ne s'était pas tellement bien vendu depuis sa sortie en 1928. Il ne se passait pas une semaine sans que Paul teste un nouveau gâteau auprès de la clientèle. Bientôt la maison Vachon en offrirait au moins vingt-cinq variétés pour contrer la concurrence.

L'éloignement des marchés posait un problème quant à la conservation des pâtisseries. Après quelques jours sur les tablettes, elles moisissaient ou séchaient au point de devenir immangeables. Cela entraînait des pertes importantes et le risque d'une réduction de la clientèle.

Paul crut trouver la solution en feuilletant une revue où une annonce publicitaire vantait la cellophane fabriquée par Du Pont. Après une rencontre avec un représentant de cette compagnie, il acheta de la cellophane de la qualité la plus économique. Hélas, elle laissait passer l'air; le gâteau se déshydratait et, en trois jours, il devenait plus dur que du pain rassis.

Il fallait donc opter pour la cellophane de la meilleure qualité, mais une rame d'un mètre carré coûtait quarante dollars et Rose-Anna manquait de liquidités. Les autorités de la Banque Canadienne Nationale consentirent à financer cet achat, à condition que le produit demeure en leur possession. Lorsque des rames de cellophane arrivaient à la gare, elles étaient transportées directement à la banque où on les rangeait dans la chambre forte. Chaque jour, Paul déterminait la quantité nécessaire et l'envoyait chercher à la banque où il fallait payer comptant.

L'absence de liquidités demeurait un problème, alors que l'augmentation de la production nécessitait des investissements importants. L'équipement que la boulangerie-pâtisserie ne pouvait acheter, Louis trouva à le louer. La pratique n'était pas courante, mais la crise obligeait les manufacturiers à se montrer conciliants s'ils voulaient écouler leurs produits. On put ainsi se procurer un malaxeur Hobart d'une valeur de cinq cents dollars, pour un prix de location de dix dollars par mois.

Payés à commission, les représentants redoublaient d'efforts et les ventes augmentaient avec régularité. Quand arriva l'automne, les cinq frères n'eurent donc pas de peine à convaincre leur mère qu'il fallait continuer la production des gâteaux. Cela permettrait de payer la location d'équipement, mais surtout de garder les représentants et les pâtissiers. De cette façon, il ne serait plus nécessaire de recruter des employés le printemps venu.

La ligne de la Quebec Central passait juste devant la boulangerie et ses embranchements permettaient d'atteindre Saint-Georges, Thetford Mines, Sherbrooke, Lévis et Québec. De la Vieille Capitale, on pouvait se rendre à Trois-Rivières, à Rivière-du-Loup et même à Amos. Le petit entrepôt loué dans chacune de ces villes était approvisionné par train.

Les rêves bâtis par les frères Vachon un dimanche du printemps précédent se réalisaient donc. Toutefois, cette croissance de la boulangerie ne faisait que rendre plus critique le manque de capitaux. Rose-Anna se mit à craindre pour l'avenir du commerce familial.

* * *

— La faillite? répéta Arcade, atterré. Ça se peut pas, Rose-Anna, voyons!

Il s'assit sur le bord du lit, et ses épaules s'affaissèrent légèrement.

— Calme-toi, mon mari, répliqua-t-elle d'une voix apaisante. J'ai pas dit qu'on était rendu là, j'ai dit qu'on allait vers ça. Il y a encore moyen de l'éviter. Tu peux te retourner, j'ai fini de mettre ma jaquette.

Arcade leva brusquement les bras en l'air et rabattit ses mains sur ses cuisses, geste qui fit grincer le sommier.

— Je comprends pas!

Il avait parlé beaucoup trop fort, et peut-être Amédée et Mirza l'avaient-ils entendu de la chambre voisine.

— On passe la farine par pleins wagons, reprit-il plus bas. On vend jusqu'au Lac-Saint-Jean. Où va l'argent?

De l'index, il pointa en direction de la chambre de Louis, de l'autre côté du couloir, et il interrogea sa femme d'un signe de tête.

— Voyons donc! fit-elle en haussant les épaules. On sera pas dans la rue parce que Louis achète de temps en temps une robe à sa femme avec l'argent des gâteaux.

Elle attacha le dernier bouton de sa robe de nuit en flanellette épaisse et s'assit près de son mari. Patiemment elle lui expliqua la situation. Leur problème venait du crédit qu'ils devaient supporter. Plus de dix mille dollars, l'année précédente. En ces temps difficiles, les clients ne payaient jamais complètement leur compte, et leur dette s'accroissait peu à peu. Mais J. A. Vachon devait payer régulièrement ses dix employés et les produits de base. Quand les commandes arrivaient à la gare de Sainte-Marie, avant même d'en prendre livraison il fallait régler la facture. L'expédition des gâteaux aux quatre coins de la province engendrait aussi des frais importants.

— Tu comprends, Arcade, plus on vend, plus les clients nous doivent de l'argent, et plus les factures qu'on a à payer sont grosses. On n'en sort pas.

— Je comprends, ma femme. Mais tu sais comme moi que si on fait pas crédit, on vend pas. Les gens iront ailleurs.

— C'est vrai. Ça nous prendrait de l'argent. Quelque chose comme deux mille piastres.

Arcade songea qu'il avait hypothéqué leur maison trois ans auparavant pour prêter à Louis les deux mille dollars nécessaires à la construction d'un cinéma à Sainte-Marie. Son *Théâtre Bellevue* ne marchait pas fort, surtout que le curé s'opposait à ce qu'il soit ouvert le dimanche et menait une cabale contre les «petites vues».

— Je sais à quoi tu penses, Arcade, murmura Rose-Anna, mais ce qui est fait est fait. On pouvait pas savoir.

— Je reviens pas là-dessus, dit-il comme pour se défendre. Ça nous faisait plaisir de l'aider, je le regrette pas.

Rose-Anna approuva d'un signe de tête distrait. Elle se demandait de qui elle pourrait elle-même emprunter pareille somme.

— Tu parlais d'un moyen d'éviter la faillite, Rose-Anna?

— De gagner du temps, en tout cas. Je vais proposer aux garçons qu'on ne se prenne plus de salaire pendant un bout de temps. Comme tout le monde habite ici... En plus on va couper toutes les dépenses inutiles.

— M'est avis qu'ils vont accepter, la boulangerie leur tient à cœur. C'est leur avenir.

Rose-Anna s'étira et bâilla.

— On va dire un chapelet avant de s'endormir. On a besoin de toute l'aide possible.

Comme c'était souvent le cas, Rose-Anna se confia d'abord à Benoît qu'elle trouvait toujours de bon conseil. Ce sportif qu'on aurait pu croire endurci et impulsif cachait une sensibilité à fleur de peau et une nature réfléchie. Rose-Anna ignorait cependant que son fils de vingt ans venait tout juste de décider de son avenir.

On lui avait proposé de joindre les rangs du club de hockey *Les As* de Québec. Durant trois jours, Benoît avait pesé le pour et le contre, sans que rien dans son attitude ne permette de soupçonner qu'il se trouvait devant un choix difficile. Il avait finalement opté pour le long terme, préférant bâtir son avenir avec l'entreprise familiale plutôt que de choisir une carrière brillante peut-être, mais certainement éphémère. Ce qu'il apprenait sur les finances de la boulangerie ne lui faisait nullement regretter d'avoir dit non au hockey. La famille, c'était en quelque sorte une équipe, et on s'apprêtait à disputer un match fort important.

Benoît conseilla à sa mère de tracer d'abord le portrait le plus noir possible de la situation et de présenter ensuite sa solution. Ce qu'elle fit. Après un moment de surprise, les fils acceptèrent de se priver de salaire durant au moins toute l'année 1934.

Cependant, cette mesure draconienne ne se révéla pas suffisante. L'argent manquait fréquemment pour l'achat des produits de base, faute du soutien des banques qui exigeaient de solides garanties, et chacun des Vachon essayait d'emprunter à droite et à gauche. Le soir, Paul ou Joseph accompagnaient leur mère chez les notables et les rentiers de Sainte-Marie pour solliciter des emprunts à court terme. Mais la plupart des citoyens aisés avaient placé leur avoir en obligations des gouvernements, des municipalités ou de communautés religieuses. Investir dans des entreprises industrielles et commerciales leur paraissait trop risqué.

Le chef de gare, Stanislas Poulin, qui, en plus d'un bon salaire, touchait une commission sur le fret, prêtait cent dollars de temps en temps. Il lui arrivait encore plus souvent de se porter garant des chèques de Rose-Anna laissés sans provision.

Certains fournisseurs acceptaient parfois qu'un paiement soit différé. Lorsque Antoine Audy, le représentant de la Canadian Packing, constatait que Rose-Anna ne pouvait payer une commande, il signait un chèque personnel et l'envoyait à sa compagnie. Deux semaines plus tard, quand il repassait chez les Vachon, Rose-Anna se faisait un devoir de le rembourser.

Les quelques centaines de dollars récoltés ici et là ne suffisaient jamais, et la recherche de prêteurs était toujours à recommencer. Chaque jour, Rose-Anna prenait la route avec espoir, essuyant refus sur refus sans perdre courage. Qu'on la prenne pour une quêteuse lui importait peu; pour elle, seule comptait la survie de son commerce. Grâce à sa ténacité, elle parvenait toujours à repousser pendant quelques jours le spectre de la faillite.

Un soir, Paul s'étonna de voir sa mère frapper chez Joseph Journault, un ouvrier qui travaillait à la voirie. L'été, il goudronnait les routes de gravier avant de les aplanir au rouleau à vapeur, et comme il alimentait la chaudière de sa machine avec du charbon, il était souvent noir de la tête aux pieds.

Sur le perron, Paul demanda à sa mère ce qu'elle espérait obtenir de cet homme.

— Dans notre situation, il faut rien négliger.

Sociable et accueillant, Joseph Journault écouta Rose-Anna lui exposer ses problèmes et la façon dont elle comptait utiliser les deux ou trois mille dollars qu'elle désirait emprunter. Il répondit qu'il réfléchirait et lui donnerait une réponse dans huit jours. Une fois dehors, Rose-Anna déclara :

— C'est un homme très poli, ce M. Journault.

Paul eut un petit rire.

— C'est plus facile de ne pas dire non sur le coup, quand on possède rien.

Le lendemain soir, Joseph Journault vint rôder autour de la boulangerie. Le manège se répéta les jours suivants, tantôt le matin, tantôt l'après-midi ou en soirée. Et au bout d'une semaine, il se présenta chez Rose-Anna.

— Vos garçons travaillent fort, madame Vachon, j'ai confiance, dit-il en tendant un chèque de deux mille cinq cents dollars.

Rose-Anna croyait rêver : son commerce sauvé par un modeste employé de la voirie! Il prêtait cette somme pour cinq ans, moyennant un intérêt de trois pour cent. Après son départ, Rose-Anna alluma un lampion devant la statue de sainte Anne. ·

Quand il apprit la nouvelle, Joseph déclara en se frottant les mains :

— Ça vient de nous mettre au monde!

Bien que cet apport de capital permît l'expansion, la prudence restait de mise. La conquête de nouveaux territoires se poursuivit, notamment en Abitibi et sur la Côte-Nord. Même si la métropole demeurait la chasse gardée des pâtisseries montréalaises, telle Stuart, les petits gâteaux Vachon se trouvaient de plus en plus en périphérie de l'île.

La progression des ventes n'allait pas sans occasionner des problèmes. La boulangerie-pâtisserie occupait toujours le même local qu'en 1923 et, faute d'espace, il fallait cuire les gâteaux durant le jour, le pain durant la nuit. Un four en brique, un pétrin, un grand malaxeur et d'autres appareils encombraient les soixante-six mètres carrés où il fallait en outre loger les grandes tables qui servaient au glaçage et à l'emballage.

Paul insistait pour agrandir, mais sa mère refusait d'utiliser à cette fin l'argent emprunté à Joseph Journault.

— C'est pour les dettes et les comptes, disait-elle.

— Je pourrais me débrouiller avec cent piastres.

— Bon, mais pas une cenne de plus!

Avec ses frères, Paul transforma le hangar attenant à la boulangerie en une annexe de deux étages, et le mur mitoyen fut supprimé. Pour cent huit dollars et soixante cents, la surface de travail de la boulangerie doublait; devant ce résultat, Rose-Anna ne fit pas reproche à son fils d'avoir quelque peu dépassé le budget alloué...

La production du pain se poursuivait dans l'ancien local tandis que celle des gâteaux se faisait au rez-de-chaussée de l'annexe. Les emballeuses, deux jeunes filles dirigées par Simone, s'installèrent à l'étage où les hommes devaient leur monter par un escalier étroit les panneaux de bois sur lesquels étaient posés les gâteaux encore fumants. La division des opérations en deux sections différentes simplifiait considérablement la tâche de chacun.

Benoît jubilait, fier de ce qu'ils avaient accompli.

— Notre problème d'espace est réglé définitivement, disait-il.

Joseph eut une moue dédaigneuse :

— C'est pas mal rudimentaire, notre installation. Tu devrais voir ce qui se fait aux États-Unis... Remarque bien ce que je te dis, mon Benoît, avant longtemps, tu te plaindras que vous vous marchez sur les pieds !

* * *

Rose-Anna Vachon sortit de chez elle en claquant la porte et prit la direction de la boulangerie, sans porter attention à la douceur de cette journée de septembre qui avait des allures de matin de juillet. Elle fulminait intérieurement. Pourtant, quelques heures plus tôt, elle débordait de joie en examinant les livres de comptes.

L'année 1936 semblait marquer la fin des années de vaches maigres. Les ventes hebdomadaires se maintenant entre deux mille cinq cents et trois mille dollars, Rose-Anna avait pu recommencer à verser des salaires à ses trois fils aînés. Paul et Benoît avaient reçu quant à eux leur tout premier chèque de paie : vingt-quatre dollars par semaine, soit le salaire que touchaient aussi les plus vieux. Celui de Simone demeurait inférieur de moitié, bien sûr, comme c'était partout le cas pour le personnel féminin.

Rose-Anna intervenait de moins en moins dans le fonctionnement quotidien du commerce. Ses fils s'occupaient avec beaucoup d'efficacité de la fabrication et de la vente des produits, ainsi que de la direction des employés. La mère pouvait d'autant plus se permettre de mener la barque de loin, qu'elle avait engagé Édouard Rhéaume pour tenir les écritures, tâche qu'elle avait accomplie durant treize ans. Le nouvel employé avait perdu son poste de gérant de banque dans le Bas-du-Fleuve pour avoir fait trop confiance à certains de ses clients.

Cet homme d'expérience gérait les finances du commerce avec encore plus de rigueur que ne l'avait fait Rose-Anna. Finie l'époque où un membre de la famille qui avait besoin de quelque chose, par exemple un vêtement, puisait tout simplement l'argent nécessaire dans le coffret métallique, sur le bureau de Rose-Anna. Le comptable utilisait en outre un nouveau système de contrôle des ventes. Il notait ce que l'on chargeait dans chaque camion et vérifiait le contenu au retour. Les vendeurs devaient remettre les sommes correspondant à ce qu'ils avaient en moins dans leur véhicule.

À présent, Rose-Anna venait à la boulangerie uniquement par plaisir. Pour s'occuper les mains et se désennuyer, disait-elle, alors qu'elle agissait ainsi par amour du travail et pour le bonheur de partager les tâches de ses fils. Elle enfilait son tablier, toujours accroché près de la porte, et aidait Benoît à enfourner son pain, montrait à un apprenti comment replier correctement les Demi-Lune ou préparait de la pâte feuilletée pour faire gagner du temps à Paul.

Le plus souvent, elle grimpait l'escalier étroit et raide qui menait à l'étage où Simone et quelques jeunes filles procédaient à l'emballage des gâteaux. C'était là que «Monsieur Rhéaume» travaillait, sans paraître incommodé par la chaleur qui montait du four, sans se plaindre non plus d'être constamment dérangé par les deux jeunes manutentionnaires qui heurtaient son bureau en transportant les boîtes de gâteaux. Rose-Anna échangeait quelques mots avec son comptable, puis s'asseyait à l'une des tables, au milieu de celles qu'elle appelait «les petites filles». Tout en prenant des nouvelles de chacune, avec autant de dextérité que ses employées la patronne enveloppait les Jumbo-feuilleté, les Deux-Roses, les Roulettes, les Tino-Rossi ou les Saguenay-Gelée.

Rose-Anna ralentit le pas afin de mieux voir les hommes qui s'affairaient à charger deux des cinq camions de J. A. Vachon et Fils. Celui qu'elle cherchait ne s'y trouvant pas, elle pénétra dans l'édifice en coup de vent, et avança sans prendre la peine de passer son tablier. Elle promena un regard circulaire puis d'une voix forte, lança :

— Quelqu'un sait où est Joseph?

Les conversations s'interrompirent et on n'entendit plus que le ronronnement du moteur électrique d'un batteur qui mélangeait la pâte. Plusieurs haussements d'épaules ou signes de tête répondirent à la question.

— Il ne doit pas être loin, fit Paul.

Le jeune Gérard Bisson, qui assistait Joseph sur la route, descendait l'escalier, transportant une pile de boîtes de gâteaux.

— Il est parti envoyer un télégramme à Amos, madame Vachon, dit-il.

Sans un mot, elle tourna les talons et sortit. D'un pas décidé, elle se rendit à la gare où, par la fenêtre, elle vit Joseph qui discutait avec Stanislas Poulin. Rose-Anna resta dehors, assise sur l'un des bancs de bois alignés près de l'édifice.

Depuis qu'en mai dernier une péritonite avait nécessité l'hospitalisation de Louis, Joseph avait pris les choses en main et s'imposait progressivement comme patron auprès de ses frères plus jeunes. Tant que Louis travaillait pour la boulangerie, l'autorité de chacun des aînés annulait en quelque sorte celle de l'autre. Les frictions qui survenaient entre eux établissaient un équilibre du pouvoir, les forçaient à respecter le terrain de l'autre. L'influence de chacun s'exerçait dans un domaine précis et ils se complétaient. Organisateur né, Louis excellait à mettre sur pied des nouveautés; plus porté sur l'administration, Joseph possédait l'art de tirer parti de toutes les ressources et de faire fonctionner l'entreprise pour le mieux.

Durant les quatre derniers mois, Rose-Anna avait laissé à Joseph la bride sur le cou, afin de juger de son efficacité à la tête du commerce. Efficace et capable, il l'était. Mais il pouvait aussi se montrer sans pitié pour ceux qui se dressaient sur sa route ou contestaient son autorité. Rose-Anna venait d'en avoir une nouvelle preuve.

— Joseph!

Les manches de sa chemise roulées au-dessus des coudes et la cravate dénouée, Joseph allait quitter la gare sans voir sa mère. Il dit, surpris :

— Partez-vous en voyage?

Elle tapota le banc d'une main impatiente.

— Assis-toi, mon gars, j'ai à te parler.

Le ton était cassant. Le regard sévère de sa mère ne disait rien de bon à Joseph.

— Je suis pressé, maman, Gérard m'attend. Faut qu'on descende à Rivière-du-Loup.

— Gérard attendra! s'écria Rose-Anna en donnant une claque retentissante sur le bois verni du siège.

En soupirant, Joseph se laissa choir à l'autre bout du banc. Il savait ce qui irritait sa mère. Par chance, le quai était désert à cette heure du jour.

— C'est vrai, ce que j'ai appris pour Amédée? fit-elle d'une voix tremblante de colère contenue. Tu l'as mis à la porte?

Joseph estima qu'il ne fallait pas se montrer sur la défensive, mais au contraire sûr de lui.

— Oui! Dans le meilleur intérêt de la pâtisserie. Il buvait sur l'ouvrage.

Rose-Anna bouillait de rage et crut s'étouffer.

— T'as fait ça! lança-t-elle en mordant dans les mots pour ne pas crier. T'as fait ça? À ton propre frère! Non, mais, pour qui tu te prends, Joseph Vachon? Parce que je te laisse organiser le travail des autres, tu te crois devenu le patron?

Elle s'arrêta pour reprendre son souffle, laisser sa colère s'apaiser quelque peu.

— T'apprendras, mon gars, que c'est encore ton père le propriétaire de la boulangerie, c'est encore lui qui mène! S'il y a un problème avec un de tes frères, ou avec un employé, tu viendras m'en parler. C'est moi qui engage, c'est moi qui mets à la porte. Tiens-toi-le pour dit!

Joseph n'avait jamais vu sa mère dans un tel état, la voix si dure, le visage à ce point empourpré. Cependant, convaincu d'avoir raison, il n'était pas prêt à céder.

— On peut pas travailler avec quelqu'un qui prend un coup. C'est pas fiable, c'est pas efficace. Vous me voyez confier un camion à un gars qui boit?

Elle ironisa :

— T'en connais beaucoup d'hommes qui boivent pas? Toi, Joseph, tu bois jamais, peut-être?

— Jamais sur l'ouvrage! Ce que je fais le soir après le travail, c'est une autre paire de manches.

Rose-Anna parut réfléchir et demanda, d'un ton quelque peu inquiet :

— Amédée aurait-y fait des folies? brûlé l'argent du commerce? Est-ce qu'il traîne dans les hôtels au lieu de faire son travail?

— Pas à ma connaissance... Pas encore... Mais il sent la boisson durant le jour. Ça commence par une gorgée avec un client, une autre en conduisant le camion. Où ça mène? Regardez ce qui est arrivé à Rédempteur.

— Je te défends de parler contre ton frère! s'exclama Rose-Anna, en regardant son fils droit dans les yeux. Chacun a ses problèmes dans la vie. Avoir un cœur de pierre, ç'en est un gros, mon Joseph.

Il baissa la tête, et Rose-Anna ajouta, d'un ton plus doux :

— Je vais jaser avec Amédée.

— Parfait! dit Joseph qui voulut se lever.

Rose-Anna le retint par le bras.

— Reste assis, j'ai pas fini!

Il soupira pour montrer son impatience, avant d'allumer une cigarette. Sa mère se remit à parler d'une voix plus posée, mais ferme.

— Ce commerce-là, ton père et moi on l'a acheté pour vous autres, pour *tous* vous autres et *chacun* de vous autres. C'est-y clair? Y en a pas un qui va en profiter plus que les autres. Pis je permettrai pas qu'un ou l'autre mette le commerce en péril. C'est compris?

— Oui, oui... fit Joseph qui avait hâte que la conversation prenne fin.

Rose-Anna adopta un ton de confidence.

— Si tu veux savoir, c'est pour cette raison-là que j'ai envoyé Rédempteur en Alberta. C'était pas de gaîté de cœur, je t'assure. S'il fallait le refaire avec un autre, je le referais. Même si ça voulait dire qu'il reprendrait le train pour les États...

L'allusion était claire; mais Joseph ne pouvait tout de même pas dire qu'il regrettait son geste et qu'il ne recommencerait plus. Il se contenta de hocher la tête à plusieurs reprises.

— Ouais...

Rose-Anna posa sa main sur l'avant-bras de son fils.

— Tu sais aussi bien que moi comment notre commerce a grossi et passé à travers la grande crise. On s'est serré les coudes, on a travaillé comme des forcenés. C'est une leçon qu'il faut pas oublier : tant qu'on sera unis, on restera forts. On est comme un attelage de chevaux; s'il y en a un qui tire à hue et l'autre à dia, on pourra pas avancer.

— Vous avez raison, maman, finit par admettre Joseph.

Elle savait que cette phrase banale lui tiendrait lieu d'excuse. Il ajouta :

— Bon, dites à Amédée que c'est correct.

— Non, Joseph. Je vais lui parler de la boisson. Toi tu lui diras que tu *pouvais* pas le mettre à la porte, et que tu le *voulais* pas.

Après une moue d'agacement, il acquiesça d'un signe de tête.

Rose-Anna observa son fils en silence durant un moment, puis lui tapota la main.

— Dépêche-toi, si tu veux arriver à Rivière-du-Loup avant le dîner.

Il la salua et s'en fut d'un pas vif. Rose-Anna le regarda s'éloigner. Il n'avait jamais été facile de faire plier ce garçon, et l'âge n'améliorait pas les choses. Dès qu'on lui cédait un pied, Joseph en prenait possession et devenait indélogeable. Elle se dit que le retour de Louis au travail après sa convalescence, surtout si elle durait un an comme le pensaient les médecins, ne se ferait pas sans quelques heurts.

* * *

À peine trois ans après l'agrandissement de la boulangerie-pâtisserie, le manque d'espace constituait de nouveau un problème dont Paul se plaignait sans arrêt. Rose-Anna savait qu'il avait raison, Arcade aussi, qui hésitait même à pénétrer dans les locaux tant il avait l'impression de déranger les employés.

Un dimanche matin, au cours de leur réunion hebdomadaire, Paul posa un ultimatum :

— Faut faire quelque chose, ça presse! J'arrive plus à produire mes quatre-vingt-huit sortes de gâteaux. La demande est trop forte, on peut plus fournir et je n'ai plus de place pour de nouveaux employés. On va être obligés d'abandonner plusieurs gâteaux. Peut-être les gros... Il faut agrandir!

Arcade fit remarquer avec justesse que leur terrain était trop petit pour qu'on envisage une nouvelle construction. Les voisins soupçonnant leur besoin d'espace, chacun comptait bien vendre sa propriété au double ou au triple de sa valeur.

À la suggestion que fit Amédée d'abandonner la production du pain pour se consacrer uniquement aux gâteaux, Rose-Anna opposa un refus catégorique.

— Notre comptable me disait justement que c'est le pain qui assure la stabilité de nos profits.

— Le pain, ça restera toujours régional, répliqua Joseph. On pourra jamais aller vendre du pain frais en Abitibi ou en Gaspésie.

Rose-Anna, appuyée comme toujours par Arcade, ne voulait pas entendre parler de cette idée. Elle n'apprécia pas non plus la suggestion de Benoît qui voulait transformer en pâtisserie la demeure familiale, et construire une autre maison ailleurs. On tournait en rond, il semblait n'exister aucune solution. Et tout à coup, Joseph en présenta une, comme un magicien sortant une carte de sa manche.

— On va acheter l'immeuble de la Diamond Shoe, sur la rue Notre-Dame. Ce sera très facile de la transformer en pâtisserie.

Il s'agissait d'une manufacture de chaussures qui avait fermé ses portes après avoir fonctionné durant un peu moins de cinq ans.

— Là, c'est pas la place qui nous manquerait! s'exclama Amédée.

Comme Benoît et Paul renchérissaient sur les propos de leurs aînés, Rose-Anna comprit qu'ils avaient manigancé, réglé d'avance l'affaire entre eux. Elle secoua la main devant elle comme pour repousser la suggestion.

— Des histoires de faillite, j'aime pas ça, c'est trop compliqué. On pourrait se faire avoir. C'est une bande d'étrangers qui est là-dedans, des gens de Québec.

— Les patrons venaient de Québec, c'est vrai, admit Joseph, mais la plupart des directeurs sont des actionnaires de Sainte-Marie.

— Ça m'étonne que des gens de Sainte-Marie aient investi dans une manufacture, fit-elle avec morgue. Nous autres, personne voulait nous aider, y a trois ans, hein! Tu sais qui c'est, ce monde-là?

— Il y a le notaire Pelchat, que vous aimez bien; le journaliste Jean-Marie Carette, un homme de bon sens, et d'autres.

— Comme qui?

— Bien... Moi, par exemple.

— Toi? s'écria Rose-Anna, un peu incrédule.

— Oui, j'avais investi là-dedans le peu d'argent que j'avais fait avec mon élevage de renards.

— Bonne sainte Anne! On en apprend des affaires...

Rose-Anna demeura silencieuse, le visage renfrogné. Elle n'osait demander à Joseph quand il avait investi dans cette manufacture, de crainte que cela n'eût pas été à l'époque où il travaillait à Detroit. Il aurait manqué de confiance dans le commerce familial? Il aurait placé son argent ailleurs quand sa mère cherchait désespérément des fonds pour maintenir la boulangerie en vie? Elle ne pouvait le croire; de toute façon elle préférait ignorer la vérité. Ce qu'on ne sait pas ne fait pas mal, et après tout, c'est du passé, se dit-elle.

— Combien tu penses que ça vaut, une bâtisse comme ça? demanda Benoît à Joseph.

Comme si tu le savais pas déjà! commenta intérieurement Rose-Anna.

— Dix mille dollars, au moins. Mais étant donné que les actionnaires ne veulent pas perdre tout leur investissement, ils vont vouloir vendre vite et moins cher. Je devrais être bon pour négocier le terrain et l'immeuble pour cinq mille.

— Tout ça aurait bien de l'allure, dit Amédée, mais on n'a pas d'argent.

— Si on leur fait une bonne offre, dit Paul à son tour, penses-tu qu'ils pourraient nous financer?

— Je suis sûr que oui. Après tout, ils n'ont rien à perdre.

Rose-Anna eut l'impression d'assister à une saynète à la salle paroissiale : chacun avait sa petite réplique, toute prête. Mais ils jouaient mal, sans naturel.

À l'air contrarié de sa femme et à son silence, Arcade comprit que ce projet lui déplaisait autant qu'à lui-même. Encore prendre des risques quand on sortait tout juste du gouffre? La simple idée de déménager l'épuisait. Il se sentirait perdu, là-bas. Déjà il ne reconnaissait plus la petite boulangerie paisible devenue ruche bourdonnante.

— Partez pas à l'épouvante, les garçons! Ça me dit rien de bon, une idée pareille. Vous allez nous mettre dans la rue.

Rose-Anna l'approuva :

— T'as raison, Arcade. Oubliez tout, les garçons.

— Non! non! répliqua Joseph d'un ton cassant, ça se règle pas de cette façon-là! C'est trop important pour repousser notre projet du revers de la main, faut qu'on en discute jusqu'au bout.

— On en reparlera quand Louis sera revenu, répondit la mère.

— Louis a perdu proche de cent livres, il en a pour des mois, encore! s'exclama Amédée. C'est tout de suite qu'il faut que ça se décide. Faut pas laisser l'occasion nous passer sous le nez.

Depuis que trois semaines auparavant, ils avaient réglé à l'amiable la question du congédiement, Amédée se montrait un allié indéfectible de Joseph, et les deux plus jeunes ne pouvaient qu'emboîter le pas à leurs frères aînés. Toutefois, pour obtenir l'adhésion de Paul et de Benoît au projet d'achat de la manufacture, Joseph n'avait pas eu à insister. Cette mesure s'imposait; les quatre frères étaient unanimes là-dessus et, avec insistance, ils le firent savoir à leurs parents.

Arrivait donc cette situation que Rose-Anna redoutait depuis des années! Unis par une idée commune, ses fils lui tenaient tête avec obstination, refusaient tout compromis. La discussion s'éternisait, le ton devenait aigre par moments, ce qui chagrinait Arcade, et l'impasse persistait. Rose-Anna partageait les craintes de son mari à l'égard du projet d'achat de la manufacture, et elle ne voyait que deux solutions possibles : céder ou chasser ses fils, au moins le meneur. Les renvoyer? C'était pour eux qu'Arcade et elle avaient acquis et développé ce commerce. De toute façon, J. A. Vachon et Fils n'aurait pu survivre au départ des garçons qui en étaient devenus l'âme, la tête et les bras.

Rose-Anna avait conscience du fait que la direction du commerce lui échapperait très vite après le déménagement dans l'usine de la rue Notre-Dame. Elle perdrait de vue la marche des opérations, ne serait pas sur place pour régler les petits problèmes qui exigent des décisions rapides. Accepter la proposition des garçons équivalait à leur céder de fait le commandement de l'entreprise.

Après une journée de réflexion, les parents donnèrent néanmoins leur accord à l'achat de la manufacture de chaussures. Rose-Anna, qui ne pouvait s'imaginer menant une vie d'oisiveté, cédait à contrecœur...

Ce soir-là, une fois la lampe éteinte, elle appuya sa tête sur l'épaule d'Arcade.

— Quand la boulangerie sera déménagée, dit-elle d'une voix mélancolique, on deviendra comme les rentiers de Sainte-Marie.

Arcade tenta de lui faire voir les choses du bon côté.

— Si c'est parce qu'on a rempli notre mission, c'est bien correct. Tu penses pas, ma femme? C'est ça qu'on voulait, leur préparer un avenir à nos gars.

L'idée de ne plus se préoccuper du lendemain, de prendre le temps de goûter les heures qui passent ne lui déplaisait nullement, bien au contraire. Il se sentait las, une fatigue inexplicable qui ne venait ni de ses bras ni de ses jambes, mais de son cœur. Ou de sa tête. Comme s'il n'avait plus envie de lutter.

Rose-Anna lui serra la main.

— J'ai pas eu grand temps pour jardiner ces dernières années. Ni pour faire des conserves.

Pendant qu'elle parlait, surgit une conviction qui la consola : son rôle à la tête de la boulangerie-pâtisserie n'était pas terminé. Les garçons ne parviendraient pas à se débrouiller seuls avant un bon moment.

CHAPITRE 6

JOSEPH mena les négociations avec célérité et obtint des actionnaires de la Diamond Shoe des conditions très avantageuses. Ils cédaient l'usine à la famille Vachon pour cinq mille dollars, payables à raison de cinq cents dollars par année, sans intérêt. En novembre 1936, Arcade signa le contrat sous seing privé et Joseph, qui avait l'expérience de la construction, entreprit aussitôt de transformer les locaux.

Il fut décidé que la fabrication du pain se poursuivrait dans la vieille boulangerie, tandis que toutes les activités reliées à la production des gâteaux, ainsi que l'administration, seraient transférées dans le nouvel édifice. Avec ses trois étages, le bâtiment en brique de la rue Notre-Dame offrait une superficie cinq fois plus grande.

— Ça va devenir une usine à gâteaux! déclarait Joseph à ceux qui visitaient l'ancienne manufacture de chaussures.

Avant qu'une seule cloison soit abattue, les frères Vachon planifièrent soigneusement le nouvel aménagement des lieux. Ils prévoyaient trois sections : les pâtes, le feuilleté et le glaçage. Le deuxième étage serait réservé à l'emballage, à l'expédition et à la comptabilité. Le sous-sol servirait d'entrepôt pour les produits de base.

Pour l'assister, Joseph engagea Jules Landry, un ouvrier de Sainte-Marie qu'il avait connu à Detroit. Les travaux les occupèrent durant tout l'hiver et le 10 mai, un samedi, on procéda au déménagement. Pas question d'interrompre la production! Il fallait que le lundi suivant les premiers gâteaux sortent de la nouvelle pâtisserie.

Ce soir-là, les employés entreprirent le déménagement après le souper. Ils avaient déjà accompli leur journée normale de travail, mais cela ne les empêcha pas de s'attaquer à cette corvée avec un enthousiasme égal à celui des frères Vachon. Ils disposaient de moins de trente-six heures pour transporter le malaxeur, les moules, les plaques, les tables à feuilletés et celles où l'on glaçait les gâteaux, de même que la dizaine d'étagères dont chacune remplissait la caisse d'un camion. Sans oublier les poches de sucre et de farine, les barils de graisse, les boîtes de chocolat, les rames de cellophane et les cartons d'emballage.

Sous l'œil des curieux, surtout des retraités qui prenaient l'air en cette belle soirée de printemps ou se rendaient à l'église pour la célébration du mois de Marie, les camions de J. A. Vachon et Fils firent la navette entre la rue de la Station et la rue Notre-Dame. Les badauds commentaient ce branle-bas, et la plupart ne se gênaient pas pour étaler leur scepticisme. Occuper une grosse bâtisse comme celle de la Diamond Shoe pour faire des petits gâteaux? Les Vachon avaient perdu la tête!

Une opinion partagée par Arcade qui regardait passer *ses* camions en fumant sa pipe sur le perron. Il reconnaissait bien sûr la débrouillardise et les grandes capacités de ses fils, ainsi que leur sens des affaires, mais il estimait que leur manquaient l'expérience et la sûreté de jugement de Rose-Anna. Leur enthousiasme, que ne tempérait aucune prudence, risquait de les perdre. Rose-Anna ne se montrant pas aussi pessimiste que lui, Arcade se demandait si ce n'était pas uniquement l'amour maternel qui la rendait confiante.

Les camions passaient et le père avait le sentiment d'être laissé pour compte. Mais cela le laissait presque indifférent; il ne se serait jamais senti chez lui dans cette manufacture de chaussures. Ce qui lui faisait mal au cœur, c'était la façon dont ses fils avaient forcé la main à leur mère, l'avaient en quelque sorte mise au rancart. Après tout, la boulangerie n'existait encore que parce que Rose-Anna l'avait portée à bout de bras durant des années, l'avait fait vivre de son courage et de sa foi.

Arcade se coucha tôt ce soir-là, sans parvenir à fermer l'œil à cause du bruit des camions, des rires et des exclamations des hommes qui s'affairèrent toute la nuit.

Le travail fut interrompu le dimanche avant-midi, le temps pour les employés d'assister à la messe et de déjeuner. Le transport du matériel terminé, il fallait encore tout mettre en place dans la nouvelle pâtisserie. Paul supervisait l'installation. Il avait tout planifié en vue d'une efficacité optimale : l'emplacement de chaque machine, la disposition des tables et des armoires, les espaces destinés à la circulation des étagères mobiles. Il allait et venait sur les trois étages, donnant des ordres, passant lui-même à l'action pour remonter une pièce d'équipement aussi rapidement que l'aurait fait un mécanicien expérimenté. Les ouvriers s'étonnaient de ses capacités. Ils ignoraient que Paul venait d'obtenir deux diplômes après avoir suivi avec succès des cours par correspondance.

Un four de brique, qu'on pouvait chauffer au bois d'érable sans interrompre la cuisson, constituait la pièce maîtresse de la nouvelle usine. S'y trouvait aussi un deuxième four, plus petit. Fabriqués par Brantford Oven and Rack qui en assurait l'installation, fours et accessoires valaient mille cinq cents dollars. Faute de liquidités, J. A. Vachon et Fils devrait payer par versements, selon les termes d'un contrat que, d'une main hésitante, Arcade avait paraphé chez le notaire Pelchat.

Le dimanche après-midi, Rose-Anna visita la nouvelle pâtisserie, guidée par un Paul débordant de fierté, qui lui expliquait comment se déroulerait dorénavant la fabrication des gâteaux. Elle se montra impressionnée par les dimensions et la propreté des lieux, et la recherche évidente d'efficacité. Cependant, tout cela lui parut vide, froid et impersonnel en regard de sa petite boulangerie de la rue de la Station. Jamais elle ne s'y sentirait chez elle, jamais elle n'aurait envie de venir donner un coup de main aux employés. Elle comprenait fort bien qu'Arcade ait refusé de l'accompagner.

Six semaines plus tard, le jour de son soixante et onzième anniversaire, Arcade décida de se retirer complètement du commerce qu'il ne reconnaissait plus comme sien. Et à ceux qui s'étonnaient qu'un bourreau de travail tel que lui prenne sa retraite, il répondait en riant :

— Moi aussi j'ai envie de perdre mon temps à jaser au magasin général, à la banque et au bureau de poste.

À Rose-Anna, il avait cependant avoué avec un soupir :

— Je suis fatigué du harnais...

Louis aussi éprouva le sentiment de se trouver en terre étrangère dans la pâtisserie de la rue Notre-Dame, lorsqu'après un an d'absence il revint au travail. Il lui fallut se familiariser avec un nouvel environnement, des façons de faire différentes, mais surtout, reconquérir la situation de tête dirigeante qu'il avait avant son départ.

Ceci n'avait rien de facile, Joseph s'étant imposé comme chef de file et ayant exercé une solide emprise sur ses frères. Dotés d'une forte personnalité, Louis et Joseph acceptaient mal d'être sous les ordres d'un autre.

À présent que Rose-Anna dirigeait à distance, n'intervenant plus que sur les grandes questions, une sourde lutte pour le pouvoir opposait les deux hommes qui avaient des façons différentes d'envisager le fonctionnement et l'avenir de l'entreprise. Leur opposition n'empêchait pourtant pas Louis et Joseph de se respecter et de s'aimer. Mais chacun voulait être seul maître à bord.

Devant cette épreuve de force quotidienne, faite de petites victoires et d'échecs tout aussi minimes, Benoît, Paul et les employés ne se sentaient pas à l'aise. Amédée prit résolument le parti de Joseph et, faisant valoir les qualités de son favori, insista auprès de sa mère pour qu'elle tranche entre les deux plus vieux.

— On n'est pas en politique, on fait des gâteaux! répondit-elle avec impatience. Qu'ils apprennent à vivre ensemble! Et toi, mets pas de l'huile sur le feu, tu pourrais te brûler les doigts.

Amédée savait pourtant que les choses ne pouvaient pas continuer ainsi bien longtemps.

* * *

Le 15 janvier 1938, la supérieure du couvent de Saint-Damien-de-Bellechasse reçut, dans l'avant-midi, un télégramme de Rose-Anna Vachon annonçant que le père de Béatrice était à l'agonie. Mise au courant, cette dernière éclata en sanglots, ce que lui reprocha la supérieure qui voyait là un manque de soumission à la volonté du Seigneur. Béatrice courba donc la tête, comme elle avait appris à le faire depuis quinze ans, et elle demanda pardon.

Il n'y avait pas de train, et la neige rendait les routes impraticables pour les automobiles. À condition qu'on puisse l'héberger sur place, le postillon accepta de conduire en carriole Béatrice et la religieuse qui lui servirait de chaperon, jusqu'à Sainte-Marie-de-Beauce.

Béatrice n'était pas allée dans sa famille depuis le mois de septembre précédent, alors qu'elle avait assisté au mariage de son frère Joseph avec Mathilda Savoie, la sœur d'Émériza, femme d'Amédée. Ce jour-là, en constatant combien son père avait changé, vieilli en peu de temps, elle avait eu un choc. Son air triste, son regard las, il ne s'en était pas départi, même en accompagnant Joseph au pied de l'autel.

Et un jour, une lettre de Rose-Anna avait appris à sa fille la mauvaise nouvelle : Arcade était hospitalisé à Québec. À la suite d'un accident mineur, ses plaies aux jambes s'étaient infectées; de plus, le médecin avait diagnostiqué une phlébite.

«Embolie cérébrale», disait le télégramme de la mère. Béatrice se demanda si son père avait encore sa connaissance, s'il la reconnaîtrait. Pourvu qu'il ne meure pas avant qu'elle arrive! Aussitôt installée sous la couverture dans le traîneau, elle se mit à prier. Comme les heures lui paraîtraient longues jusqu'à Sainte-Marie! Elle avait hâte de retrouver sa mère, Simone, ses frères, même si c'était pour partager avec eux la douleur et le deuil. Le malheur au milieu de sa famille valait encore mieux que ce simulacre de vie au sein de la communauté.

Béatrice étouffait sous le voile et, chaque matin en s'habillant, elle avait l'impression de se costumer pour une comédie. Les doutes sur sa vocation ne l'avaient pas quittée, même au moment de prononcer ses vœux perpétuels. Au contraire, avec les années, s'était installée en elle la certitude de faire fausse route. Ce secret honteux, elle avait osé le dévoiler à une supérieure, puis à celle qui lui avait succédé quelques années plus tard. Réponses identiques :

— Ma fille, demander la dispense de ses vœux, c'est vouloir un passeport pour l'enfer! Sans parler du malheur qui vous attendrait pour le reste de vos jours.

Ses seules joies, Béatrice les trouvait dans l'enseignement des arts ménagers qu'elle donnait aux jeunes filles de Saint-Damien et de la région. À l'occasion, elle se prenait à envier secrètement ses élèves. Elle se revoyait, quinze ans plus tôt, alors qu'elle avait toute la vie devant elle. Sa classe, c'était le seul endroit où elle existait encore comme être humain, comme femme. Il lui était difficile de dissimuler tout cela à sa mère à qui elle écrivait régulièrement. Et sans doute n'y parvenait-elle pas complètement car, par toutes sortes de sous-entendus, Rose-Anna appelait les confidences de sa fille sur l'état de sa vocation.

L'après-midi tirait à sa fin quand Béatrice arriva à la maison de ses parents; la nuit, si longue en cette saison, tombait déjà. Après des embrassades émues avec sa mère, sa sœur et ses frères, elle monta au chevet de son père à qui le prêtre venait d'administrer les derniers sacrements. Arcade Vachon semblait dormir profondément et il n'eut aucune réaction lorsque sa fille lui toucha le bras en disant : «C'est moi, papa. Votre fille Béatrice.»

Elle l'embrassa sur le front, puis s'assit en disant qu'elle allait prier. Elle récita un chapelet, assez fort pour qu'il puisse l'entendre s'il en avait connaissance, mais distraitement, sans penser aux mots qu'elle prononçait. Son père avait maigri; curieusement, il n'en paraissait que plus grand, plus imposant. Béatrice songea à cet orme gigantesque que le vent avait renversé le long de la route quand elle était enfant. On avait alors découvert le tronc creux qui en avait fait un géant fragile. Des larmes silencieuses coulèrent sur les joues encadrées par le bord empesé de la coiffe blanche.

Béatrice retrouva dans la cuisine les visages chagrinés des membres de sa famille et jugea presque offensante la présence de la religieuse qui devait la surveiller. Cette dernière fit toutefois preuve de tact, et proposa à Rose-Anna de souper avec tous ses enfants tandis qu'elle-même veillerait le malade.

Au bout de la table, place habituelle du père où Simone avait quand même mis le couvert, le vide était tangible, et on mangea dans un profond recueillement. Rose-Anna dit simplement, d'une voix étranglée, qu'elle avait envoyé un télégramme à Rédempteur. À partir de ce moment-là, l'absence de l'aîné fut cruellement ressentie par chacun. Rose-Anna recevait chaque mois une lettre de lui; elle donna de ses nouvelles, en évitant toutefois de mentionner qu'il vivait avec une femme sans être marié.

À tour de rôle, chacun des enfants se recueillit au chevet d'Arcade, puis Rose-Anna demanda à demeurer seule avec son mari. Regroupés au salon, les garçons et les filles se mirent à évoquer le passé. Ils ne se remémoraient que des moments heureux, et de la mise en commun des souvenirs propres à chacun se dégageait le portrait d'un homme qui, en dépit de sa timidité et de sa réserve, avait su exprimer son amour et son affection. Ils ne pouvaient s'empêcher de sourire aux récits de certains épisodes attendrissants ou cocasses.

Les garçons les plus âgés se rappelaient comment, lorsqu'on épierrait les champs au printemps, ils enfonçaient les plus petits cailloux d'un coup de talon pour ne pas avoir à se pencher pour les ramasser. Le jeu consistait bien sûr à le faire à l'insu du père.

— Qu'est-ce que vous croyez? lança Béatrice. Papa le savait! Il nous racontait ça en riant, à maman et à moi,

et il disait : «Je comprends pourquoi je suis le seul cultivateur du rang à récolter autant de roches que de patates à l'automne.»

La respiration d'Arcade devint courte et saccadée.
Rose-Anna comprit alors qu'il n'en avait plus pour longtemps, mais préféra ne pas appeler les enfants, afin que
se prolonge son intimité avec son mari. Elle s'avança au
bord de la chaise pour se rapprocher de lui.

— C'est moi, ta Rose-Anna, murmura-t-elle en lui
serrant les mains. Je suis là, mon mari, je serai toujours
là... Je t'aimerai toujours. J'ai été heureuse avec toi, Arcade... J'espère que je t'ai rendu heureux, que je t'ai jamais
fait trop de peine... On va se retrouver bientôt, et pis on
sera plus jamais séparés.

Les lèvres du mourant remuaient légèrement; Rose-
Anna mit l'oreille tout près de sa bouche.

— Je t'écoute, Arcade.

Aucun son, seul un souffle perceptible uniquement
par sa chaleur, et qui s'arrêta bientôt. Comme s'arrêta le
râle dans la poitrine. Rose-Anna effleura de ses lèvres
celles du mort, lui joignit les mains sur la poitrine en
entourant ses doigts d'un chapelet. Elle leva les yeux sur
le crucifix.

— Mon Dieu, cet homme-là, c'était la bonté même.
Faites-lui une place pas loin de vous.

Elle récita ensuite la prière des morts et se rassit.
Pour l'instant, cela suffirait; elle avait besoin de pleurer,
ce qu'elle n'avait pas fait de toute la journée. Même
quand le médecin avait dit : «Il ne verra pas dimanche.»
Elle regardait cet homme avec qui elle avait tout partagé
depuis quarante et un ans, le plaisir de la chair comme
la douleur de mettre en terre un enfant. L'angoisse et

l'espoir, les désillusions et les succès, l'amour et le chagrin. Et le travail, tout ce travail!... C'était sa propre existence qui partait avec cet homme. Le temps de s'assurer que leurs enfants avaient pris un bon départ dans la vie, quelques années tout au plus, et elle irait s'étendre à ses côtés.

Rose-Anna s'accorda encore un quart d'heure de tête-à-tête avant de prévenir les enfants. À partir de ce moment-là, Arcade cesserait de lui appartenir; on ne parlerait plus de lui qu'au passé.

* * *

Le service funèbre d'Arcade Vachon eut lieu le mercredi suivant, après que sa dépouille eut été exposée pendant trois jours et trois nuits dans le salon de la maison familiale. Un nombre considérable de parents, d'amis, d'employés, de simples connaissances et de notables remplissaient l'église de Sainte-Marie pour rendre hommage à cet homme qui avait su gagner le respect de ses concitoyens par son honnêteté et son empressement à rendre service.

Selon les volontés qu'Arcade avait exprimées dans un testament rédigé l'année précédente, Rose-Anna héritait de la moitié de ses biens et de l'usufruit de l'ensemble. En effet, la moitié de l'héritage devenait propriété commune et indivise des cinq fils et de Simone qui avaient participé à la croissance du commerce. Membre d'une communauté religieuse depuis la fin de son adolescence, Béatrice ne faisait pas partie du groupe. Pas plus que Rédempteur qui ne manifestait aucune intention de revenir à la maison.

Quelques mois après la mort de son père, Louis proposa à Rose-Anna d'acheter le commerce. Son étonnement passé, elle répliqua que la pâtisserie n'était pas à vendre. Il sembla comprendre sur le moment, lui demandant simplement d'y réfléchir, mais semaine après semaine il revenait à la charge.

Devant tant d'insistance, Rose-Anna demanda conseil à Rédempteur, par lettre. Il encouragea sa mère à ne pas vendre à Louis tant qu'elle pouvait s'arranger avec les autres membres de la famille. Il concluait : «Continuez à mener les affaires comme vous le faites. C'est la femme de Louis qui voudrait tout conduire. Le geste de Louis est bien compréhensible.» Ces propos rejoignaient les pensées de Rose-Anna et la confirmait dans sa décision.

Un matin d'août, Louis se présenta à la maison de sa mère pour la conduire à la messe, en remplacement de Benoît. Rose-Anna se montra réjouie de sa présence; toutefois elle n'était pas dupe. Dès qu'il ouvrit la bouche pour aborder encore une fois la question de la vente de la pâtisserie, elle lui coupa la parole :

— J'ai déjà dit non... Me semblait que c'était clair!

Louis démarra avant de dire, d'un ton impératif :

— Ça peut plus continuer comme ça, maman! Vous avez déjà dit à Jeannette que ça prenait un seul curé par paroisse. Faut qu'il y en ait juste un qui mène à la pâtisserie.

— Le curé de la pâtisserie, c'est encore moi! répondit sèchement Rose-Anna en se frappant la poitrine avec le missel qu'elle tenait dans sa main gantée. Et ça va rester comme ça; prends-en ton parti, mon garçon.

— Voyons, maman, plaida Louis, voyez les choses en face; vous êtes pas souvent sur place, vous savez pas ce qui se passe.

— J'en sais plus que tu penses...

Louis se doutait que Benoît, son favori, devait lui rapporter bien des choses.

— Saviez-vous que Joseph s'est mis dans la tête de construire une chaîne de montage? Une chaîne de montage pour des gâteaux, voir si ç'a de l'allure! On fabrique pas des moteurs!

Rose-Anna ne parvint pas à retenir une légère grimace d'agacement. Elle n'était pas au courant.

— La production, ça regarde Paul... fit-elle, pour éviter de répondre à la question.

— Paul! s'exclama Louis en haussant les épaules. C'est un bon pâtissier, mais...

— De toute façon, c'est moi qui décide. Quand vous vous entendez pas, venez me voir. Encore plus quand vous êtes tous d'accord!

Louis conduisait un peu trop vite sur la rue Notre-Dame, la principale artère de Sainte-Marie, qui suivait les méandres de la rivière Chaudière. Il laissa le silence s'établir dans la voiture, puis poussa un soupir avant de se plaindre :

— Moi, je pourrai pas continuer longtemps comme ça. C'est moi le plus vieux des cinq, c'est à moi qu'il revient de diriger.

Cette situation attristait Rose-Anna. Le commerce qui devait réunir ses enfants autour d'elle devenait cause de discorde.

— Me semble que la manufacture est assez grande pour pas vous écraser les orteils... Surtout que vous partez souvent dans tous les coins de la province!

— Si c'était Joseph qui voulait acheter, hein?

— Joseph... Amédée... Paul... Benoît... Ma réponse serait la même. Et je te demanderais de plus jamais ramener ce sujet-là sur le tapis.

Louis opina du bonnet, comme la voiture ralentissait pour entrer sur la place de l'église paroissiale.

— Je comprends, maman. C'est correct.

* * *

Rose-Anna essuyait la vaisselle du midi en songeant que l'automne précédent, à la même période, Arcade entrait à l'hôpital. Il y aurait bientôt un an qu'il l'avait quittée, un an que la maison semblait à Rose-Anna vide et froide. Presque un an, mais le temps n'avait pas atténué le chagrin. Encore aujourd'hui elle s'attendait à voir son mari quand la porte d'entrée s'ouvrait, au réveil elle s'étonnait toujours de ne pas le trouver à côté d'elle.

Le téléphone sonna. On l'appelait de la banque pour lui annoncer qu'il manquait de l'argent dans le compte de J. A. Vachon et Fils.

— Et notre marge de crédit de huit cents piastres? dit Rose-Anna étonnée. Elle n'est pas utilisée.

— Vous n'avez plus cette marge, madame Vachon, lui dit-on. Elle a été supprimée.

— C'est nouveau, ça! On n'a même pas été prévenus.

— Il faut aussi rembourser immédiatement le billet à demande de mille cinq cents dollars.

— Voyons donc! Vous connaissez notre situation, on manque d'argent liquide. Mais les Vachon ont toujours bien payé, on est des bons clients.

— Je suis désolé, c'est une nouvelle politique de crédit. Si la banque n'est pas payée dans trente minutes, je devrai entreprendre des procédures de recouvrement.

— Vous me mettez le couteau sur la gorge! déclara Rose-Anna qui songeait aux mots «saisie» et «faillite». Écoutez, j'en parle à Joseph et on vous rappelle dans quelques minutes.

Rose-Anna trouvait tout cela bien étrange. Son comptable ne lui avait pas fait part de difficultés financières; au contraire, la veille encore il se réjouissait des ventes.

Joseph ne comprit rien des explications de sa mère, sinon que la situation semblait critique, et il accourut vers la maison. Entre-temps Rose-Anna s'était calmée et elle lui rapporta mot pour mot sa conversation avec l'employé de la banque.

— Ma foi, il est tombé sur la tête! Ça n'a pas de bon sens. J'ai bien envie d'appeler à son bureau-chef et de...

Il s'arrêta et sembla jongler avec une idée déplaisante, ce qui inquiéta sa mère.

— Qu'est-ce que t'as?

— Je pense à une drôle de coïncidence. Avant-midi, Louis est venu vous présenter une autre fois son offre d'achat de la pâtisserie; ça faisait deux mois qu'il en avait plus parlé. Après-midi, la banque veut nous faire du trouble, mais surtout vous faire peur, à vous. Pourquoi ils n'ont pas appelé notre comptable?

— Jos! s'écria la mère, d'un ton horrifié. Tu parles pas sérieusement? Louis ferait jamais une affaire pareille.

— Oubliez pas que sa femme est ambitieuse, pis qu'ils sont très amis avec les gens de la banque.

— Non! protesta Rose-Anna, je croirai jamais une chose semblable. Louis a l'esprit de famille, la pâtisserie l'intéresse.

— Il l'aime tellement la pâtisserie, qu'il la veut pour lui tout seul.

— Non, Jos! Je le connais mon Louis, et je te défends de dire des choses pareilles.

— Chacun est libre de penser ce qu'il veut...

Rose-Anna jeta un regard en direction de l'horloge.

— Il avait dit une demi-heure, y a déjà dix minutes de ça. Bonne sainte Anne! Qu'est-ce qu'on va faire, Joseph? Penses-tu que M. Rhéaume a un peu d'argent dans sa petite caisse?

Joseph sourit à sa mère et dit, d'un ton rassurant :

— Cessez de vous tracasser, maman. Laissez-moi ça entre les mains, je sais où trouver de l'argent. Ceux qui manigancent vont en être pour leurs frais.

— Donne-moi des nouvelles le plus vite possible.

— J'y manquerai pas.

Joseph passa voir Amédée, Paul et Benoît à la pâtisserie avant de se rendre à la banque. Descendu de la voiture familiale, il coiffa son chapeau de cow-boy et alluma un cigare imposant. Comme ils coûtaient cher, il n'en fumait qu'en certaines occasions. Il lui sembla qu'un cigare siérait bien à sa colère.

L'employé qui le reçut parut surpris de le voir et l'invita à le suivre derrière le comptoir.

— J'ai pas de temps à perdre! répondit Joseph d'une voix colérique. Paraît qu'il y a un problème avec notre compte?

— C'est-à-dire que...

— C'est vous qui avez demandé à ma mère de rembourser l'emprunt? De couvrir les chèques arrivés aujourd'hui? Vous allez pas me dire qu'elle est sourde et comprend de travers?

L'employé était inquiet, et la fumée du cigare l'incommodait. Il parla tout bas, les éclats de voix de Joseph ayant attiré l'attention des clients qui attendaient en file devant les caisses.

— Monsieur Vachon, de ce temps-ci nous sommes obligés de restreindre le crédit, et...

Joseph l'interrompit avec impatience.

— Allez dire ça à d'autres que moi! Couper une marge de crédit en une demi-heure, ça se fait pas! Surtout à nous autres, des bons clients. On a un roulement de proche cent mille piastres par année, vous le savez bien! On doit payer au moins le quart de votre salaire juste en frais!

Il sortit de la poche de son manteau des carnets de banque et des feuilles, et les déposa sur le comptoir qu'il frappa du poing.

— En tout cas... Voici les autorisations de mes frères et la mienne. Prenez l'argent dans nos comptes personnels pour régler le billet à demande et renflouer le compte de J. A. Vachon et Fils.

— Euh... Écoutez, monsieur Vachon... Je pense qu'on pourrait faire une exception et...

— Non! répliqua Joseph en tapant encore une fois sur le comptoir. Votre marge de crédit, vous pouvez la garder!

Il faisait exprès de parler à tue-tête afin que les autres clients ne manquent rien de l'affaire, et il toisait son interlocuteur avec un mépris ostensible. Les ragots ne manqueraient pas d'amplifier la déconvenue de l'employé.

— Payez-vous, pis ramenez-moi les carnets. Grouillez-vous, j'ai autre chose à faire dans la vie!

Pendant qu'on effectuait les écritures des transactions, Joseph faisait les cent pas en dissimulant mal sa colère. Quand l'employé lui remit les carnets, Joseph lui toucha la poitrine de l'index et mentit avec aplomb :

— Vous savez pas que ma mère est cardiaque? Elle a manqué défaillir, tellement vous l'avez énervée. À l'avenir, vous m'appellerez quand il y aura un problème.

L'employé blêmit. Et comme l'exigeait son client, il téléphona à Rose-Anna pour lui dire que tout était rentré dans l'ordre et s'excuser de l'avoir dérangée inutilement. Joseph repartit sans le saluer.

Une fois dans la voiture, il éclata d'un grand rire. Il avait hâte de raconter la scène à ses frères sans omettre le moindre détail. En attendant, il devait obtenir ailleurs une autre marge de crédit. Il se rendit donc à Saint-Georges où la pâtisserie Vachon était bien connue.

Après s'être fait expliquer le fonctionnement de J. A. Vachon et Fils, et avoir posé quelques questions, le gérant de la Banque de Montréal lui accorda un premier crédit de deux mille dollars. Joseph promit de lui envoyer un bilan provisoire dans les quinze jours, et l'invita à venir visiter la pâtisserie dès qu'il en aurait le temps.

Reprenant la route de Saint-Marie, Joseph ne put résister à l'envie d'allumer un autre cigare. L'affaire se réglait pour le mieux, la pâtisserie obtenait une marge de crédit plus substantielle. Mais, plus important encore aux yeux de Joseph, sa mère l'avait appelé, *lui*, quand elle avait dû faire face à une difficulté qu'elle croyait insurmontable. Il écrasa à fond l'accélérateur, la vitesse le grisait. Cigare entre les dents, il lâcha :

— Louis vient de signer lui-même son arrêt de mort!

* * *

Une semaine après l'incident de la marge de crédit, Rose-Anna prit une décision qui lui brisait le cœur. Elle ne partageait pas les soupçons de Joseph quant à une possible collusion de Louis avec un employé de la banque. Cependant, Amédée, Paul et Benoît prêtaient foi à cette accusation, et la méfiance empoisonnait l'atmosphère de la pâtisserie; une crise semblait sur le point d'éclater.

Pour le bien de l'entreprise, Louis allait devoir quitter J. A. Vachon et Fils. Rose-Anna devait y consentir, mais se résoudre à cette mesure la peinait. Il s'agissait d'un échec personnel, aussi cuisant que le départ de Rédempteur pour l'Ouest canadien, et dont elle tenait Joseph responsable, du moins en partie. Louis, qui s'y attendait un peu, accepta le verdict avec sérénité. Il comprenait la situation dans laquelle se trouvait sa mère, et il n'en voulait pas à Joseph : c'était de bonne guerre, l'un avait manœuvré plus adroitement que l'autre.

À la demande de Rose-Anna, le comptable Rhéaume avait établi un bilan approximatif de l'entreprise. Il estimait la valeur des biens à vingt-huit mille dollars, desquels il fallait soustraire dix-huit mille dollars de dettes. Avec les comptes payables et l'encaisse, la valeur nette de J. A. Vachon et Fils s'établissait à environ dix-sept mille sept cents dollars.

La part de Louis, soit la moitié qu'il partageait avec ses frères et sa sœur, équivalait à mille quatre cents dollars. Rose-Anna lui offrit une compensation de deux mille dollars pour l'aider à se lancer dans d'autres activités commerciales, ainsi qu'il en avait l'intention.

Quand Louis annonça son départ à ses frères, Joseph se garda bien de pavoiser. À présent que son aîné ne représentait plus un obstacle pour lui, l'affection fraternelle reprenait le dessus. Il lui serra la main.

— Si je peux te rendre service, mon Louis, ça me fera toujours plaisir.

— C'est la même chose pour moi, répondit Louis en toute sincérité.

Paul observait la scène avec perplexité. Comment se passeraient dorénavant les choses à la pâtisserie? Amédée se considérait comme le bras droit de Joseph; Benoît, avec son esprit conciliant, avait tendance à faire des compromis. Paul comprit qu'il serait souvent seul face à Joseph.

CHAPITRE 7

L'ENTRÉE EN GUERRE du Canada, le 10 septembre 1939, laissa Paul Vachon presque indifférent. Il s'y attendait depuis une semaine, comme tous ceux qui suivaient l'actualité dans les journaux et à la radio. Mais le jeune homme avait l'esprit ailleurs : il se mariait le 7 octobre et d'ici là, mille choses requéraient son attention à la pâtisserie, à commencer par l'enrobeuse, une machine qui pouvait recouvrir de chocolat deux cents douzaines de gâteaux à l'heure... quand elle fonctionnait.

Ce soir-là, guerre ou pas, Paul revint à la pâtisserie après le souper pour réparer cette satanée enrobeuse. Achetée d'occasion, elle n'avait jamais bien fonctionné; le chocolat fondu figeait à l'intérieur et prenait en pain. Paul, venant de comprendre que cela n'était pas dû à l'usure, mais à un vice de conception, avait imaginé une solution au problème. Madeleine attendrait. Encore une fois!

Depuis qu'ils se fréquentaient, Madeleine Faucher s'était résignée aux retards de Paul souvent retenu à la pâtisserie par une panne d'équipement ou pour un autre motif. Tout comme elle s'était habituée à le voir partir plus tôt en fin de soirée, lorsque l'attendait une réparation urgente. Elle savait à quel point Paul était passionné pour son travail et elle avait accepté le genre de vie qu'elle mènerait avec lui. C'est même en fonction de la pâtisserie que la date du mariage avait été fixée! Paul affirmait avoir trop de travail durant l'été, et du premier novembre jusqu'aux fêtes, ce serait la frénésie annuelle de la fabrication des bûches de Noël. Madeleine n'avait de choix qu'entre octobre ou janvier. Et comme elle avait hâte...

Paul entreprit de démonter l'enrobeuse en pestant contre celui qui l'avait inventée. Trop de pièces mobiles, tel était le défaut de cette machine!

Également habiles de leurs mains, Joseph et Paul fabriquaient une bonne partie de l'outillage de la pâtisserie à partir de pièces récupérées ici et là. De plus, ils achetaient de l'équipement usagé qu'ils adaptaient à leurs besoins. Leur but était de réduire le nombre d'opérations nécessaires à la fabrication d'un gâteau, d'automatiser le plus possible.

Ils avaient ainsi mis au point une chaîne sans fin sur laquelle circulaient les gâteaux; de chaque côté, quatre hommes s'occupaient de les glacer sans avoir à se déplacer. Tout ça grâce à quelques bouts de bois, une chaîne de bicyclette, un vieux moteur électrique, le réducteur de vitesse d'une écrémeuse et des poches de coton cousues bout à bout!

Toutefois, plus les opérations de production étaient mécanisées, plus les incidents techniques devenaient lourds de conséquences. La moindre panne perturbait le travail des quarante et un employés affectés à la production. Si Paul ne pouvait effectuer la réparation en quelques minutes, il fallait modifier temporairement les opérations, c'est-à-dire, tout faire à la main comme autre-fois.

Tout en réparant la machine, Paul se creusa une fois de plus les méninges afin de trouver un nom à la pâtis-serie enrobée de chocolat. Ce petit gâteau rond et brun foncé devenu le produit vedette de la pâtisserie Vachon, personne ne savait comment le nommer. Les clients faisaient des suggestions tout aussi farfelues les unes que les autres : Petit-Nègre-au-chocolat, Petit-Noiron, et autres appellations du genre.

Paul enviait leur concurrent, Stuart, qui avait bap-tisé May West un gâteau semblable à celui de Vachon. Il fallait au petit gâteau Vachon un nom aussi accrocheur, et qui viendrait facilement à l'esprit des clients.

Soudain, des éclats de voix firent sursauter Paul. Benoît, en compagnie d'un solide gaillard à la barbe nais-sante qui bleuissait son menton, se profila dans la porte, venant lui prêter main-forte. Il faudrait un nom qui fasse choc, songea Paul en regardant le costaud. Un nom de gars! Il pensa à des noms familiers. Le Petit-Louis? non sûrement pas! le Grand-Louis? Paul rejeta l'idée, certain qu'elle déplairait à Joseph. Jos et Louis... pourquoi pas Joe-Louis?

Il lança un juron suivi d'un cri de joie.

— Qu'est-ce que t'as? demanda Benoît.

Écoute ça : «Donnez-moi une douzaine de Joe-Louis, s'il vous plaît.»

— Y a pas à dire... Ça sonne bien!

* * *

Haletant, Paul roula à côté de Madeleine en espérant n'avoir pas fait trop de bruit. La chambre à coucher du jeune couple se trouvait juste au-dessus de la cuisine où s'affairait Rose-Anna. Madeleine se blottit contre son mari, ferma les yeux, s'assoupit durant quelques minutes.

— Tu devrais rester encore un peu et te reposer, fit-elle quand il voulut se mettre debout.

— Le travail n'attend pas. Si je veux arriver à Noël en même temps que tout le monde... J'ai piqué un petit somme de trois heures.

Madeleine lui tira l'oreille, le taquina.

— T'as dormi près du four? sur des poches de farine? tout seul?

— Serais-tu jalouse, ma foi?

— Ah... Un bel homme comme toi! Et puis je me suis laissé dire que les filles, ça te fait pas peur...

— Avant que je te connaisse, oui, c'est vrai. Qu'est-ce que tu veux, je suis un homme normal.

Il serra sa jeune femme dans ses bras et lui pinça la taille.

— Et tu t'en plains pas, hein?

Chatouilleuse, elle poussa de petits cris.

— Arrête, Paul! Ta mère va nous entendre et s'imaginer des choses...

— Quelles choses? Je fais mon devoir conjugal, comme l'exige le curé!

À ce moment de l'année, le travail pressait tellement que Paul dormait rarement à la maison. Il passait une partie de la nuit à préparer les crèmes et les glaçages nécessaires à la décoration des bûches. Vers quatre heures, il somnolait en attendant que les employés arrivent, à sept heures. Après leur avoir distribué les tâches, il allait passer un moment avec sa jeune femme.

Une demi-heure plus tard, Paul descendit prendre son déjeuner en compagnie de Marie Nappert. Depuis la mort d'Arcade, elle habitait avec Rose-Anna qui ainsi se sentait moins seule. Mais, désireuse de gagner sa vie, la jeune fille travaillait avec Simone comme emballeuse; Rose-Anna n'avait donc plus que sa radio pour lui tenir compagnie durant le jour.

— Comment ça va, les bûches? demanda la mère.

— On travaille comme des fous! s'exclama Paul, ravi.

Il aimait la fièvre qui régnait à la pâtisserie à partir du premier novembre, ce sentiment d'urgence qui gagnait tout le monde et donnait de l'importance au moindre geste.

— C'est comme quand on fait les sucres, dit Marie. Ça presse tellement que le travail devient une vraie partie de plaisir.

— Partie de plaisir... maugréa Rose-Anna. Fais attention aux hommes, ma fille, il y en a qui ont la main leste.

Elle avait remarqué que les garçons se pressaient autour de Marie, attirés par sa beauté souriante et sa simplicité; elle avait même demandé à Simone d'avoir l'œil sur sa nièce.

Paul retourna à pied à la pâtisserie. Cette marche du matin constituait le seul moment de la journée où il pouvait prendre l'air pendant la saison des bûches et des gâteaux de Noël. Commencée six ou sept ans plus tôt pour occuper les employés et l'équipement durant la période creuse de l'hiver, cette production prenait de l'importance d'année en année. À un point tel, qu'il fallait maintenant engager des surnuméraires, surtout des femmes qui possédaient la délicatesse et la patience nécessaires au glaçage des bûches qui devait représenter en couleurs contrastées les cernes du bois, l'écorce et même des nœuds. Aux bûches traditionnelles, Paul ajoutait constamment de nouvelles variétés de gâteaux de Noël : souches, bûchettes, sabots et sapins, divers gâteaux aux fruits, mokas.

Comme l'état des routes ne permettait plus à Amédée et à Joseph de parcourir la province pour rencontrer leurs vendeurs, ils s'occupaient de l'emballage et de l'expédition. Les bûches, transportées par train vers Québec, Montréal ou d'autres villes et villages de la province, exigeaient un emballage très soigné qui leur permettrait de résister aux secousses du transport. L'idée de donner un bon service à la clientèle obsédait Amédée et Joseph. Satisfaire le client était un principe auquel personne ne devait déroger, ce que ne comprenaient pas toujours les employés.

— Monsieur Jos, disait un emballeur, ça vaut pas la peine d'envoyer une seule bûche aussi loin. Elle coûte plus cher en transport qu'elle nous rapporte.

— Envoie-la, ta bûche! ordonnait Joseph. La commande vient d'un bon client qui vend beaucoup en été. Faut pas le négliger.

Selon lui, un service de bonne qualité représentait la meilleure de toutes les publicités. Il fallait donc accepter de temps en temps de ne réaliser aucun profit, ou même de subir une perte, pourvu que la clientèle soit satisfaite. Amédée partageait la philosophie de son frère. Un jour, il avait lancé à un vendeur :

— T'es pas allé chez Mme Thibodeau, à Thetford Mines!

— Ouais, ça se peut...

— C'est certain, tapèche! Tiens, lis sa lettre. Qu'est-ce que je vais lui répondre, moi?

— Que t'as pas reçu sa lettre.

— Craisse! Tu vas aller tout de suite à Thetford pour t'excuser! Pis tu paieras le gaz de ta poche!

Le conflit européen rendait Amédée nerveux. Des rumeurs à propos d'un possible rationnement des produits alimentaires l'amenaient à craindre pour l'avenir de la pâtisserie.

* * *

La Deuxième Guerre mondiale se poursuivait sans que la production de la pâtisserie Vachon en subisse des effets négatifs. Au contraire, l'armée était en passe de devenir un client important, en grande partie grâce aux efforts et à la débrouillardise de Jules Mercier, distributeur des produits Vachon dans la ville et la région de Québec.

Distributeur était un bien grand mot; Jules Mercier agissait plutôt comme vendeur à commission. Il roulait à bord d'un camion bringuebalant, de 1936, que Joseph Vachon lui avait vendu trois cents dollars. Mercier faisait des pieds et des mains pour tenter de s'implanter dans le fief de la pâtisserie Jos Vaillancourt. Même sa parenté et ses amis mangeaient des gâteaux de son concurrent et refusaient de changer cette habitude. Dans la capitale, les épiciers et les restaurateurs levaient le nez sur des produits fabriqués à la campagne, par des «jarrets noirs» de surcroît!

Pour bâtir une clientèle à Québec, Jules Mercier s'attaqua d'abord à la banlieue et à la campagne environnante : l'île d'Orléans, Sainte-Anne-de-Beaupré, l'Ancienne-Lorette, et même Lévis et Saint-Romuald, sur l'autre rive. Il savait que grâce au bouche à oreille, la réputation de ses produits finirait par atteindre la capitale. Jules vendait également ses gâteaux aux marins dans le port de Québec et aux soldats de la base militaire de Valcartier.

Un soir, devant la gare du Palais où il tentait d'écouler sa marchandise auprès des voyageurs, son camion fut littéralement pris d'assaut par des centaines de soldats du Cameron Highlanders qui arrivaient de Winnipeg. Le voyage en train avait été plus long que prévu, et ces hommes n'avaient rien mangé depuis vingt-quatre heures. Une idée derrière la tête, Jules Mercier téléphona à Sainte-Marie où, en l'absence de Joseph, il parla à Paul. Ce dernier lui donna la permission de distribuer gratuitement des gâteaux aux soldats affamés.

— Pas un, mais deux pour chaque gars, précisa Paul.

— Ils sont près de mille, monsieur Vachon...

— T'enverras la facture à mon attention.

C'était ce que Mercier voulait entendre. Il savait que les militaires du Cameron Highlanders apprécieraient grandement son geste. Et comme ils séjourneraient pendant un certain temps à Valcartier... Il avait vu juste ; les jeunes soldats anglophones lui achetèrent ensuite de quatre à cinq cents douzaines de gâteaux chaque semaine.

Les recrues qui passaient par cette base militaire prenaient goût aux petits délices fabriqués par les Vachon. Lorsqu'ils allaient poursuivre leur entraînement ailleurs au Canada, ou qu'ils traversaient en Angleterre, ils demandaient au quartier-maître des tartes et des gâteaux Vachon. L'armée télégraphiait ses commandes, et les pâtisseries voyageaient par bateau, par train express ou même par avion. Bientôt on trouva des Joe-Louis aussi bien sur l'île de Vancouver qu'à Halifax, et même en Angleterre. Les commandes de l'armée en vinrent à représenter près de trente pour cent de la production de pâtisseries de J. A. Vachon.

— On vendra jamais un seul pain à Dartmouth, en Nouvelle-Écosse. Des gâteaux et des tartes, oui!

Cette phrase de Joseph résumait les arguments que les fils utilisèrent pour convaincre leur mère de la nécessité d'abandonner la production du pain afin de concentrer tous les efforts sur la pâtisserie. Ils n'eurent pas à insister longtemps. Rose-Anna avait développé une totale confiance en leur jugement. Toutes les décisions qu'ils avaient prises ces dernières années s'étaient révélées judicieuses et extrêmement rentables.

Sous la gouverne de Joseph, les fils de Rose-Anna formaient une équipe dynamique où chacun pouvait développer les qualités qui lui étaient propres. Avec une grande fierté, elle les voyait gérer l'entreprise et la faire prospérer, si bien qu'on y employait à présent une centaine de personnes. Ils devenaient des hommes d'affaires d'envergure alors qu'elle-même n'avait été que la patronne d'un commerce familial. Cependant elle avait conscience de les avoir elle-même formés, de leur avoir tout appris.

Joseph avait déniché un acheteur pour la boulangerie de la rue de la Station; c'était Joseph Cliche, le beurrier. Ce dernier exigeait toutefois que la maison et toutes les dépendances fassent partie de la vente, et leur offrait huit mille cent dollars. Quitter sa maison? Rose-Anna n'avait jamais envisagé cette possibilité. Pourtant lorsqu'on proposa de lui construire une nouvelle demeure sur le terrain de la pâtisserie, elle accepta sans se faire prier. Rue de la Station, elle se sentait isolée, et la perspective de se rapprocher de l'endroit où travaillaient ses fils lui plaisait. De toute façon, après le départ de Benoît qui se mariait avec Rachelle Châteauneuf, la maison actuelle deviendrait beaucoup trop grande. Et si les projets de mariage de Simone avec Jean-Louis Bélanger se concrétisaient, Rose-Anna n'aurait plus que Marie Nappert avec elle.

Après son déménagement, Rose-Anna éprouva le sentiment du devoir accompli. Il ne resterait à régler que la délicate question de sa succession. Les heures d'insomnie qu'elle connaissait depuis le départ d'Arcade, elle les occupait à chercher la façon la plus équitable de léguer l'entreprise à ses héritiers. Pour le moment, toutes les solutions qu'elle envisageait n'arrivaient pas à satisfaire son sens de la justice.

Dans son bureau, au deuxième étage de la pâtisserie, Paul Vachon fouillait dans un monceau de circulaires et de brochures traitant des mesures de rationnement et des diverses restrictions.

— Le gouvernement nous serre la ceinture pour le sucre, mais il ne se prive pas de gaspiller du papier! grommela-t-il.

Il trouva finalement ce qu'il cherchait, un bulletin intitulé *Moyens d'économiser le sucre*, qui donnait des recettes de desserts où la quantité de sucre était réduite de moitié. Il avait lui-même songé à le faire, mais Joseph s'y était opposé :

— Faut pas diminuer la qualité de nos produits! J'aimerais encore mieux ralentir la production et fermer la pâtisserie deux ou trois jours par semaine. De toute façon, Paul, on n'a pas atteint le plafond de notre quota.

Il y avait tout juste un mois de cela, et le plafond, on se frappait déjà la tête dessus!

Paul posa les pieds sur son bureau et se mit à lire la prose gouvernementale. Derrière lui, des dizaines de gâteaux de toutes sortes garnissaient l'appui des fenêtres. Aux pâtisseries de Vachon se mêlaient celles de concurrents; elles séchaient au soleil et Paul pouvait ainsi comparer leur durée de vie.

Il ne venait pas souvent dans ce bureau, passant la majorité de son temps dans les différentes sections de la production, à l'atelier de mécanique ou dans son petit laboratoire où il concoctait des essences pour les gâteaux et les glaçages. Plutôt que de les acheter au gallon, à des prix exorbitants, Paul les fabriquait lui-même à partir de concentrés de vanille, de fraise, d'orange et de citron. Comme les propriétés des concentrés variaient d'une bouteille à une autre, les dosages étaient une opération délicate qui dépendait uniquement de la subtilité de l'odorat et du goût, deux sens très développés chez Paul.

Joseph entra en coup de vent dans la pièce et lança quatre boîtes sur le bureau.

— Goûte-moi-ça, mon Paul.

Il s'agissait d'un assortiment de gâteaux fabriqués par Jos Vaillancourt. Paul prit une petite bouchée de l'un, puis d'un autre.

— C'est fade! s'exclama-t-il en grimaçant. Aucune saveur.

Joseph s'assit à califourchon sur une chaise de bois, les coudes appuyés sur le dossier. Il arborait un sourire malin.

— J'ai fait une petite enquête; ils mettent n'importe quoi dans leurs gâteaux, sauf les bons ingrédients. Mais avec la rareté du sucre et de la graisse, les gens en veulent tellement, des gâteaux, que Vaillancourt fait du chantage : il te vend des pâtisseries qu'à condition que t'achètes aussi du pain.

Joseph se frotta les mains et reprit avec un éclat de rire :

— Vaillancourt manque déjà de sucre et de graisse! C'est notre chance de lui rentrer dans le corps et de prendre Québec.

— Tss... Tss... fit Paul en secouant la tête. Nous autres aussi on en manque.

La nouvelle secoua Joseph qui émit un grondement rageur.

— C'est vrai ça?

— Est-ce que j'ai l'air de rire?

Joseph se leva précipitamment et se dirigea vers la porte.

— Bouge pas de là, je vais chercher les autres.

L'année précédente, en septembre 1941, la Commission des prix et du commerce avait obligé toute personne ou compagnie vendant des produits alimentaires et des vêtements à se procurer un permis renouvelable tous les six mois. Comme toutes les pâtisseries, J. A. Vachon avait obtenu un quota de consommation de sucre établi en fonction du volume de sa production antérieure.

Une nouvelle contrainte s'était bientôt ajoutée, entravant la production des pâtisseries : la graisse se faisait de plus en plus rare. Une fois épuisées les réserves d'huiles végétales importées, les fabricants de savon s'étaient tournés vers la graisse comme produit de base. Les ménagères étaient même invitées à récupérer les corps gras et les os, car on pouvait en faire de la colle pour les avions, des fertilisants et surtout de la glycérine pour les explosifs. Une affiche intitulée *De la poêle à frire jusqu'à la ligne de feu* montrait une énorme poêle d'où débordaient des gouttes de graisse qui se transformaient en obus atterrissant sur un navire nazi. On pouvait y lire ce message : «Dans dix livres de graisse, il y a assez de force explosive pour tirer quarante-neuf obus antiaériens.»

La graisse avait donc fait l'objet d'un rationnement, comme le seraient bientôt la cellophane, l'essence et les pneus. Toutes ces restrictions affectaient grandement la pâtisserie J. A. Vachon.

Benoît entra dans le bureau de Paul, suivi d'Amédée et de Joseph qui riaient aux éclats. Ils avaient trouvé Benoît endormi, la tête au milieu des liasses de billets de banque, recettes des vendeurs qu'il devait compter. Paul s'esclaffa à son tour.

— Tu te souviens du frère Benoît? Quand il te réveillait à l'école, il te disait : «Le sommeil attire la fortune.»

— Il avait le même prénom que moi et c'est le seul qui m'a jamais compris, répondit Benoît en souriant.

Il était habitué depuis longtemps, le pauvre, aux taquineries à propos de ce que sa famille appelait «maladie du sommeil». Depuis sa tendre enfance, il s'endormait n'importe où, soudainement, et il pouvait même dormir debout, adossé à un mur. Ce qui ne l'empêchait pas de travailler quatorze ou dix-huit heures par jour.

Amédée le taquina :

— Je me demande bien ce qu'elle va dire ta petite Rachelle, la première fois qu'elle va t'entendre ronfler au beau milieu de la chose!

Après avoir feint d'être offusqué, Benoît ne put s'empêcher de mêler son rire à ceux de ses frères.

Paul sortit d'un tiroir quatre bouteilles de Coca-Cola et s'excusa de n'avoir pas d'alcool à servir. Il ne buvait plus depuis une cuite mémorable prise durant sa jeunesse. Amédée proposa d'aller quérir une bouteille qu'il conservait pour les visiteurs importants.

—C'est pas le temps de boire, fit Joseph d'un ton catégorique. On a des choses sérieuses à discuter.

Il expliqua que dorénavant, faute de sucre et de graisse, leur production plafonnerait. Benoît, qui s'occupait des achats, confirma la chose.

—Juste au moment où tout devient possible! dit Joseph, désolé. La demande est là...

—Plus besoin de se forcer, renchérit Amédée. Les propriétaires de magasins crient après nous autres pour avoir des gâteaux. Prenez Sébastien Bourbonnais, notre vendeur en Abitibi et au Témiscamingue, il s'arrache les cheveux parce qu'on peut plus remplir toutes ses commandes. Ses clients le talonnent. Et ça va empirer. Tout le monde court après tout ce qui contient du sucre et de la graisse.

Joseph baissa le ton pour obliger ses frères à prêter encore plus attention à ses paroles.

—Celui qui pourrait fournir à la demande des clients deviendrait le plus gros de la province. Pensez-y, les gars... On pourrait tasser Stuart, écraser la pâtisserie Jos Vaillancourt.

—Ouais... fit Benoît, en hochant la tête. Une chance comme ça, ça se représentera pas de sitôt. Mais y a pas de miracle, hein...

Il se tourna vers Paul qu'il interrogea d'un signe de tête. Celui-ci répondit :

—On peut économiser ici et là. J'ai commencé à faire mettre un peu moins de crémage sur certains gâteaux.

—Ils ont le même goût? dit Joseph, inquiet. Faut maintenir la qualité, je te le répète!

— Ils sont aussi bons. Et puis je fais des essais avec des Joe-Louis qui ne sont plus enrobés de chocolat, mais...

— Maudit! s'écria Joseph. Touche pas au Joe-Louis, c'est celui qu'on vend le plus.

Paul ne se laissa pas intimider.

— Pars pas en peur! Je sais ce que je fais... On met un peu de chocolat sur le dessus et le Joe-Louis goûte presque pareil. On pourrait même remplacer le chocolat par du *fudge*.

— Si le gâteau est bon, pas de problème, répondit Joseph qui s'était calmé devant l'attitude du plus jeune. Mais fais des tests avec les employés avant qu'on se mette à le vendre.

Benoît demeurait sceptique.

— Tout ça, c'est des économies de bouts de chandelle. Ça nous mènera pas loin.

— C'est de valeur qu'on puisse pas tout remplacer par des citrouilles! rigola Amédée.

Les frères s'amusèrent une autre fois de cette trouvaille de Joseph. Il avait acheté de plusieurs cultivateurs un énorme stock de citrouilles, qu'avec l'aide de Paul, il avait transformées en confitures de fraises. La formule, gardée jalousement secrète, contenait des grains de mil qui imitaient les akènes et, bien sûr, de l'essence de fraise. Le résultat était tel, que même Rose-Anna s'y était laissée prendre. Les carrés feuilletés fourrés de cette garniture à la citrouille avaient disparu des tablettes comme par enchantement.

— Êtes-vous d'accord pour qu'on prenne des risques si c'est nécessaire?

Comme ses frères acquiesçaient, Joseph ajouta :

— Moi, je vais essayer de faire augmenter nos quotas. Paul va me recopier ses recettes en doublant la quantité de sucre. Mais ça risque d'être long. Pendant ce temps-là, vous autres, trouvez-moi du sucre et de la graisse. À n'importe quel prix!...

— Peu importe les moyens? s'enquit Amédée.

— Tout ce que je te demande, c'est de pas te faire prendre.

* * *

Amédée, qui aimait négocier et savait prendre des décisions rapides, s'occupa des approvisionnements en graisse. Il connaissait un peu partout beaucoup de gens, et il avait rendu service à plusieurs d'entre eux; il n'eut aucune peine à dénicher des fournisseurs sérieux. Le matin, il partait au volant d'un camion, les poches pleines d'argent. Après bien des détours par les rues étroites du quartier des affaires de la basse-ville de Québec, il filait jusqu'à Sainte-Anne-de-Beaupré; au retour il effectuait un arrêt dans le quartier Limoilou. Il revenait à Sainte-Marie les poches vides, mais le camion était plein de barils de graisse. Il ramenait également de nombreux carnets de coupons qui permettaient de se procurer de la graisse en toute légalité.

Pour le sucre, la combine était encore plus simple. Plutôt que d'acheter les carnets de rationnement que vendaient les familles de militaires en service ou de personnes décédées, ce qui était très risqué, les Vachon se procuraient des coupons déjà utilisés. Une fois qu'ils avaient servi, tous les coupons étaient remis à la banque qui avait le mandat de les détruire. La loi stipulait «*mettre* dans une fournaise» et non pas «brûler». Un ami employé de la succursale de Sainte-Marie suivait le règlement au pied de la lettre, et chaque jour, l'un des frères Vachon passait vider la fournaise...

Malheureusement, la Gendarmerie royale découvrit le pot aux roses et les Vachon, qui avaient pu se procurer ainsi plus de mille sacs de sucre, furent condamnés à une amende de trois cents dollars.

Joseph fréquentait de plus en plus les milieux d'affaires et les cercles politiques libéraux où il se présentait toujours comme le président de la pâtisserie J. A. Vachon, un titre qu'il ne possédait pas, même si en pratique il en exerçait la fonction. Le moment semblait propice pour s'assurer de la valeur du réseau d'amis et de relations qu'il avait établi au fil des ans.

Cigare au bec et coiffé de son extravagant chapeau de cow-boy, il se présenta donc aux bureaux de Cyrille Vaillancourt qui occupaient le cinquième étage de l'édifice Desjardins, à Lévis. Cet homme influent, un libéral bon teint comme Joseph, servait de conseiller spécial francophone auprès du président de la Commission des prix et du commerce en temps de guerre.

Impulsif et grognon, traits de caractère qu'il retrouvait avec amusement chez Joseph Vachon, Cyrille Vaillancourt était doué d'un grand sens pratique et savait jauger les faits et les êtres. Joseph obtint la promesse que le gouvernement augmenterait rapidement les quotas de la pâtisserie. Bien qu'il n'en ait pas été question, Joseph savait qu'il convenait de verser une contribution à la caisse du Parti libéral du Canada.

Afin de pallier le manque de sucre en poudre, Paul installa des moulins pour moudre le sucre granulé. Et lorsque la cellophane destinée à l'emballage vint à manquer, il lui substitua du papier ciré. Mais le rationnement de l'essence représentait un problème autrement plus difficile à résoudre. Heureusement, grâce à ses relations dans le monde politique, Joseph savait qui voir à Ottawa.

Il fit tracer une grande carte du Québec sur laquelle figuraient toutes les routes et les principales municipalités où étaient distribués les produits Vachon. De petites flèches rouges indiquaient les douze entrepôts situés aux quatre coins de la province. Il fit également calculer les distances parcourues chaque semaine pour approvisionner tout le réseau de distribution. Cette carte et les arguments de Joseph furent assez convaincants pour qu'il obtienne un permis correspondant à la quantité d'essence nécessaire.

Malgré l'augmentation de ses approvisionnements, la pâtisserie connut bientôt de nouvelles pénuries. À mesure que le conflit se prolongeait, la demande de tartes et de gâteaux croissait. La guerre créait des emplois au pays, l'argent circulait et la prospérité faisait suite aux années de crise. Acheter des pâtisseries permettait aux ménagères de réserver à d'autres usages les maigres rations de sucre dont elles disposaient. En outre, du fait que beaucoup de femmes travaillaient à présent dans les usines, elles manquaient de temps pour cuisiner.

Il fallait du sucre, toujours plus de sucre. La graisse s'obtenant facilement sur le marché noir, Amédée crut qu'il en serait de même pour le sucre. Après plusieurs démarches, il constata que d'autres règles s'appliquaient dans le commerce illicite de cette denrée très en demande. La police traquait sans relâche les trafiquants; le chantage et la délation étaient monnaie courante.

Amédée craignait de noircir la réputation de l'entreprise. Il confia ses appréhensions à Honorius Cloutier, l'un des plus habiles vendeurs de la maison, homme peu instruit, mais d'une intelligence vive et pénétrante, et sur qui l'on pouvait compter jour et nuit. Il se dévouait pour la pâtisserie autant que s'il en avait été propriétaire, une attitude qu'on retrouvait d'ailleurs chez la plupart des employés. Cloutier était cependant l'un des rares à tutoyer les frères Vachon.

— Tu veux du sucre? fit-il. Ça peut s'arranger. Mais je veux être le seul à manœuvrer dans cette affaire-là. Tu te mêles de rien! Donne-moi seulement l'argent qu'il faut.

— C'est ça! Je vais te fournir de l'argent les yeux fermés.

— T'as pas confiance, Médée? demanda Cloutier en fronçant les sourcils.

— Tu sais bien que oui, Honorius!

— Je vais te rendre des comptes, mais tu sauras jamais où je prends le sucre, ni le nom de mes fournisseurs. Moins il y a de monde au courant... En plus, ça vous protège, toi et tes frères. Si je me fais prendre, c'est moi qui écope.

— Tu peux être sûr qu'on te laisserait pas tomber, Honorius. On sera toujours là pour te défendre. Je te demande seulement d'acheter du sucre.

En quelques jours, Honorius Cloutier réussit à établir des contacts et à apprendre tout ce qu'il convenait de savoir : quoi faire et quoi ne pas faire, avec qui négocier, qui éviter, comment s'y prendre pour les livraisons. Les trafiquants avec qui Honorius prit entente se réjouissaient d'avoir un client tel que la pâtisserie Vachon, qui achèterait en grande quantité et paierait toujours comptant. En effet, dans ce commerce comme ailleurs, les mauvais payeurs se rencontraient assez souvent et les recours étaient exclus...

Les trois premières livraisons se déroulèrent sans anicroche. Un camion se présentait à la pâtisserie en début de soirée, et pendant que des employés sûrs le déchargeaient, Amédée amenait le chauffeur prendre un verre dans son bureau. Puis il sortait de ses poches une liasse de billets pour payer le sucre. Au prix de vingt à vingt-cinq dollars la poche de cent livres, au lieu des sept dollars du cours officiel, le contenu d'un camion valait dans les quatre mille dollars. Plusieurs fois le salaire annuel d'un bon ouvrier.

Lors de la quatrième livraison de sucre, deux inspecteurs du gouvernement se présentèrent à la pâtisserie pendant le déchargement du camion. Amédée éloigna le chauffeur et, sans se départir de son calme et de son naturel, il amena les agents fédéraux dans son bureau. C'était le moment d'utiliser ses talents de causeur!

Amédée sortit une bouteille de gin, et interrogea ses visiteurs sur leur métier qui, disait-il, ne devait pas être de tout repos. Sûrement dangereux, même. On racontait tellement de choses effrayantes à propos de ces satanés trafiquants... Trop heureux de trouver enfin un interlocuteur intéressé, les deux inspecteurs se relayaient pour expliquer leur travail, émaillant leurs propos d'anecdotes savoureuses et de récits de situations comportant des risques. Amédée se contentait d'écouter en poussant au bon moment les exclamations appropriées. Quand leur ardeur fléchissait, il leur servait un autre verre et les relançait par d'habiles questions.

Au bout de deux heures, les inspecteurs légèrement éméchés annoncèrent enfin leur départ. Le camion était loin depuis longtemps déjà! Amédée leur proposa de visiter les lieux.

— Pensez-vous! répondit l'un d'eux. Pas besoin d'inspection, on sait juger sur la personne.

Et ils sortirent en se disant qu'ils n'avaient jamais rencontré un causeur aussi captivant.

Amédée tira une leçon de cette expérience et mit au point une procédure d'urgence avec deux manutentionnaires, Gobert Landry et Tit-Blanc Giguère.

— Si je vous donne un coup de fil, que je dis *may day* et que je raccroche tout de suite, ça veut dire que ça presse! Reculez un camion devant la porte, chargez-le de tous nos sacs de sucre et envoyez le chauffeur faire une promenade avec.

Les prédictions de Joseph se réalisaient : les produits Vachon envahissaient de plus en plus un marché que ne pouvait occuper leurs concurrents. Les petites boulangeries s'estimaient chanceuses de pouvoir vendre de porte en porte les gâteaux en provenance de Sainte-Marie-de-Beauce. La production augmentait d'un mois à l'autre, et certains employés s'étonnaient de l'abondance du sucre à la pâtisserie, alors que le rationnement demeurait toujours aussi sévère. En outre, l'arrivée fréquente de semi-remorques à l'édifice de la rue Notre-Dame passait difficilement inaperçue dans une petite ville telle que Sainte-Marie, même si cela se déroulait le soir ou la nuit. Le secret des Vachon s'ébruitait et le risque d'une dénonciation par quelque envieux grandissait d'autant.

Un jour, Honorius Cloutier reçut un appel urgent d'un ami :

— La police est en ville... Pour vous autres!

— Calvaire! Le camion doit arriver d'une minute à l'autre.

Il sauta dans son automobile, réussit à intercepter le camion à l'extérieur de la ville et le guida par une petite route de terre, jusqu'à un rang éloigné où il le fit reculer derrière une grange à moitié affaissée. Durant deux jours et deux nuits, les policiers de la Gendarmerie royale cherchèrent vainement le camion. Leur présence à Sainte-Marie au moment précis de la livraison n'était donc pas une simple coïncidence!

Honorius et Amédée comprirent qu'ils l'avaient échappé belle. Dorénavant les livraisons de sucre se feraient ailleurs qu'à la pâtisserie. Honorius Cloutier mettrait vite sur pied un réseau de cachettes dans les granges de cultivateurs qu'il connaissait bien. Mais le plus urgent était de décharger le camion pour lui permettre de repartir au plus vite. Amédée remit à son homme de confiance les clés d'une maison d'été située sur le bord de la rivière Chaudière.

Deux jours plus tard, Joseph eut une surprise en approchant de son chalet, à Saint-Bernard-de-Dorchester. La cheminée de brique qui aurait dû se trouver au centre de la toiture avait disparu! Le vent? La foudre? Aucun débris par terre, comme si elle s'était envolée. Une fois à l'intérieur, Joseph comprit tout. Sous la pression d'une dizaine de tonnes de sucre, le plancher avait cédé, entraînant avec lui la cheminée.

De retour à la pâtisserie, Joseph abordant Amédée lui dit d'un ton sévère :

— Tu diras à tes gars d'aller relever la cheminée de mon chalet. Elle a disparu. Oh... Y a aussi mon plancher. Défoncé!

— Je m'en occupe, fit Amédée d'un ton faussement affligé. C'est terrible la guerre! La destruction...

Il s'éloigna vivement pour ne pas éclater de rire devant Joseph qui ne trouvait rien de drôle dans cette mésaventure. Amédée s'arrêta soudain et appela son frère qui s'engageait dans l'escalier menant à son bureau.

— Oh! Joseph! J'oubliais. Maman a reçu un télégramme de Yellowknife.

— Rédempteur?

CHAPITRE 8

Rose-Anna remisa sa machine à coudre Singer et rangea dans un placard le monceau de sacs de sucre qu'elle réutilisait. Cette excellente toile de coton blanc, elle la transformait en tabliers et en pantalons pour ses fils, comme le faisaient toutes les mères ou les femmes des employés de J. A. Vachon. Elle en fabriquait surtout des poches à glaçage. Les économies que réalisait ainsi la pâtisserie étaient minimes certes, mais Rose-Anna ne pouvait demeurer un instant inactive.

— Je serai jamais prête à temps! s'exclama-t-elle en descendant l'escalier dont les marches craquaient sous son poids.

Depuis l'arrivée du télégramme, Rose-Anna avait perdu son calme olympien et, en même temps, un peu de son efficacité. Elle ne disposait que de cinq jours pour faire le ménage de fond en comble, et pour cuisiner tous les plats qu'elle avait en tête.

— Vous vous énervez pour rien, grand-mère, lui dit Marie Nappert qui s'était absentée de la pâtisserie et venait l'aider.

— Pour rien! T'appelles ça pour rien? s'écria Rose-Anna, irritée.

— C'est pas ça que je veux dire. Mais est-ce que c'est nécessaire de cuisiner comme pour les fêtes?

— Ma petite fille, dit Rose-Anna d'un ton péremptoire, la visite de mon Rédempteur, ça vaut tous les Noëls du monde!

Marie, qui comprenait bien l'importance qu'avait cet événement pour sa grand-mère, lui enserra les épaules et l'embrassa sur la joue.

— Je le sais, grand-maman. Si j'ai pris congé, c'est pour qu'on reçoive mon oncle Rédempteur comme un prince.

— Comme un roi!

— Un empereur, si vous voulez... Seulement, on pourrait bien servir des tartes, des beignes et des gâteaux de la pâtisserie.

— La nourriture, c'est bien meilleur quand c'est fait de la main de ta mère.

Marie s'apprêtait à répondre qu'elle ignorait le goût d'une telle cuisine, mais elle ne voulut pas amoindrir le bonheur de Rose-Anna.

— Imagine, Marie, ça fait quatorze ans que cet enfant-là n'a pas goûté à mes cretons, à ma soupe au choux, à mon ragoût de pattes, à mes tourtières, à mon bouilli au lard...

Il y avait longtemps que Marie ne l'avait vue aussi anxieuse. Maintenant que pour la pâtisserie Rose-Anna avait choisi de s'en remettre totalement à ses fils, elle semblait avoir acquis une certaine sérénité. Avec sa chevelure blanche et ses petites lunettes rondes, elle avait l'air d'une bonne grand-maman, un rôle qu'elle se plaisait d'ailleurs à jouer auprès de sa douzaine de petits-enfants.

Depuis la mort d'Arcade, sa principale occupation consistait à recevoir ses enfants et leurs familles chaque dimanche midi, soit à sa maison de la rue Notre-Dame, soit au chalet qu'elle louait l'été au bord de la rivière Chaudière, entre Scott-Jonction et Saint-Bernard. Après la messe de sept heures, elle passait son grand tablier et préparait un repas pour quinze ou vingt convives. Les réunions du dimanche avaient cessé d'être des rencontres d'affaires pour devenir de véritables fêtes familiales. Rose-Anna parlait encore moins qu'avant, mais elle écoutait les discours de ses fils sans avoir ce visage tendu et inquiet qui lui était autrefois coutumier.

Marie s'étonnait parfois de ce que Rose-Anna, qui n'avait encore que soixante-six ans, ait pu abandonner si facilement la direction du commerce auquel elle avait consacré plus de vingt ans de sa vie. Elle s'était fait répondre :

— Tu trouves pas que tes oncles se tirent bien d'affaire?

— Ah, oui. Ils font des miracles, et tous les employés les aiment.

— Tu sais, ma petite Marie, j'avais jamais rêvé d'avoir un aussi gros commerce. J'ai fait ça seulement pour mes enfants. Maintenant, j'ai tourné la page et je profite des quelques années qui me restent. T'apprendras ça, un jour : arrive un moment où il faut laisser sa place aux plus jeunes.

En réalité, Rose-Anna s'intéressait beaucoup plus à la vie de l'entreprise qu'elle ne voulait bien l'avouer. Elle en demeurait la propriétaire légale et inspectait régulièrement les livres de comptes, afin de voir comment allaient les choses. De plus, il se passait rarement un jour sans que l'un ou l'autre de ses fils s'amène chez elle, lui parle de son travail et la consulte comme si de rien n'était. Sauf Joseph...

Lui, il venait simplement mettre sa mère au courant : j'ai décidé de faire ceci. Ou encore : Paul veut faire cela et j'ai accepté. Il se comportait comme le patron, et Rose-Anna se doutait bien qu'il ne rapportait certaines choses que pour mieux lui en cacher un plus grand nombre. Comme cette histoire de sucre dont parlait tout le village. Il avait prétendu en obtenir de grandes quantités parce que la pâtisserie fournissait des gâteaux à l'armée. Comme si Rose-Anna était née de la dernière pluie!

* * *

Quand Rédempteur descendit du train, par un bel après-midi d'avril 1944, toute sa famille l'attendait sur le quai. Imposante dans son manteau en mouton de Perse, Rose-Anna murmura «Bonne sainte Anne!», puis demeura sans voix. Elle s'appuya plus fortement au bras de Benoît.

Le visage buriné par le vent et cuit par le soleil, Rédempteur paraissait plus grand et plus costaud qu'il ne l'était dans les souvenirs de sa mère.

— Toute une pièce d'homme! s'exclama Paul qui regardait son frère dans le viseur de son appareil photographique.

— Il marche comme un Indien, renchérit Benoît. Ça doit être l'habitude du bois.

Rédempteur se déplaçait en effet avec beaucoup de souplesse. La pipe à la bouche, il s'avança en souriant vers sa mère qui lui ouvrait les bras. Quand elle put enfin le serrer contre elle, Rose-Anna donna libre cours à son émotion.

Personne ne pouvait imaginer le chagrin qu'elle endurait chaque jour depuis quatorze ans, son inquiétude, ses remords. S'était-elle trompée en éloignant son aîné de la maison? Elle avait envisagé une absence de deux ou trois ans, tout au plus. Chaque mois qui s'était ajouté,

Rose-Anna l'avait ressenti comme une punition pour sa trop grande sévérité. Maintenant qu'il était revenu, maintenant qu'elle le tenait contre elle, tout cela ne comptait plus.

— Laissez-nous-le un peu, maman! lança Louis qui ricana nerveusement. Vous allez l'avoir rien qu'à vous pour dix jours.

Rose-Anna lâcha Rédempteur et recula de trois pas pour contempler ses fils qui se bousculaient joyeusement. Rédempteur avait quarante-quatre ans, Benoît, le plus jeune, en aurait trente à l'automne. Ils ressemblaient à des «monsieurs» avec leurs feutres mous et leurs paletots sombres, leurs tempes dégarnies, et un léger embonpoint chez les trois plus vieux; toutefois Rose-Anna ne voyait en cet instant que six gamins turbulents. Pour elle, ils resteraient toujours «les petits».

— Une bonne sœur! s'exclama Rédempteur avec un léger accent anglais.

Il se dégagea de ses frères pour rejoindre les trois filles demeurées à l'écart.

— T'as sûrement pas prié bien fort pour moi, reprocha-t-il à Béatrice. J'ai pas encore trouvé les bons filons d'or!

Il l'embrassa, en dérangeant sa coiffe, et embrassa également sa sœur Simone, venue de Sillery avec son petit dernier. Et il eut peine à reconnaître sa nièce, Marie Nappert, dans cette jeune femme de vingt-deux ans au visage de madone.

En revoyant sa famille, ses frères, hommes d'affaires respectables, et surtout sa mère dont les cheveux blancs ourlaient le bord du chapeau noir, Rédempteur prenait soudain conscience du passage du temps. Il fallait bien qu'il vienne à Sainte-Marie-de-Beauce pour constater qu'il était lui-même devenu un homme mûr! Jusque-là, il se considérait toujours comme un jeune homme. Peut-être parce qu'il ne vivait encore que d'espoirs : espoir que le prochain forage soit le bon, espoir que le prochain coup de marteau sur un rocher lui apporte la richesse.

Il secoua la tête pour chasser la nostalgie qui l'envahissait et promena son regard sur la gare et sur la rue de la Station où tout était demeuré identique. Non! Jamais il ne changerait sa vie à Yellowknife pour une existence dans ce village endormi. La quête de l'or n'était finalement qu'un prétexte. La véritable richesse, sa liberté, il l'avait trouvée depuis longtemps.

— T'es bien pensif! fit remarquer Rose-Anna qui lui prit le bras.

— Je regardais autour, maman. Il y a longtemps, et pourtant tout est pareil.

— C'est toujours chez toi, ici...

Elle caressait le secret espoir de décider Rédempteur à revenir au bercail. Il fixait son regard sur la boulangerie et sur la maison attenante.

— Ça fait drôle de penser que c'est plus vous qui restez là, que c'est plus papa qui livre le pain et les brioches avec son Weaver.

À cette évocation, les visages s'assombrirent. Pour dérider tout le monde, Amédée dit d'un ton entendu :

— À te voir lorgner du côté de la boulangerie, j'ai cru que tu rêvais à la veuve Leblond!

Rose-Anna fut seule à ne pas trouver l'allusion amusante.

Ils s'entassèrent dans deux automobiles pour se rendre à la maison. Malgré sa mère qui insistait pour qu'il se repose, Rédempteur céda à l'invitation pressante de ses frères à visiter la pâtisserie. Quand il revint devant l'édifice après avoir fait le tour des trois étages, il poussa un long sifflement admiratif.

— Chapeau! les gars.

Dans la maison, où Rose-Anna avait sorti la bouteille de gin, Rédempteur reparla de sa visite :

— Quand maman me décrivait la pâtisserie, j'imaginais pas que c'était une si grosse affaire. Ça doit être beaucoup de responsabilités. Tout ce monde à mener... Produire sous pression... Je vous trouve bons! Moi, je serais pas capable. J'aime bien faire ma petite affaire tout seul.

En entendant ces mots, Rose-Anna comprit que son aîné n'avait nullement l'intention de quitter le pays d'aventuriers où il avait construit sa maison. La première vraie maison de Yellowknife. Tant pis pour elle! C'était sa faute si son fils avait trouvé le bonheur au loin. Sa faute encore s'il vivait dans le péché avec une femme. Rose-Anna repoussa ces pensées. Rien ne devait gâcher sa joie; ce trop bref séjour de Rédempteur à Sainte-Marie, elle voulait le transformer en une fête mémorable.

Et c'en fut une, qui dura dix jours et presque dix nuits... Béatrice avait obtenu congé pour la circonstance; Joseph, Amédée, Paul et Benoît n'allèrent à la pâtisserie que lorsque leur présence y était absolument nécessaire. Même Louis négligea ses affaires à l'occasion de ces retrouvailles. Rose-Anna se vit chaque jour entourée de ses fils et de ses filles, de ses belles-filles et de ses petits-enfants. Ce n'était que rires et plaisanteries, repas plantureux qui n'en finissaient plus, palabres qui se prolongeaient tard dans la nuit.

Avec beaucoup de verve, Rédempteur racontait sa vie de prospecteur ponctuée de mille imprévus, d'incidents amusants, d'aventures parfois périlleuses. Il en rajoutait bien sûr, ses auditeurs auraient été déçus qu'il en fût autrement. Chacun avait l'impression de voyager avec lui dans la neige du Grand-Nord, de prospecter le «muskeg» au milieu des essaims de mouches noires. Il expliquait comment il utilisait la petite foreuse à diamant dont ses frères lui avaient fait cadeau l'année précédente, et sa façon de décrire l'extraction et l'examen d'une carotte communiquait à tous la fièvre de l'or. Joseph parlait d'acheter des actions de compagnies minières, ce qui fit dire à sa mère :

— Ta mine d'or, Joseph, elle est juste à côté, dans l'ancienne usine de la Diamond Shoe.

Il était beaucoup question du passé, de leur enfance sur la ferme de Saint-Patrice-de-Beaurivage qui, avec l'éloignement, prenait des allures un peu mythiques. Rose-Anna s'étonnait d'apprendre les tours pendables qu'ils avaient joués. Et des choses qu'ils lui avaient soigneusement cachées : premières cigarettes fumées dans la grange remplie de foin, première ivresse grâce à une bouteille de vin subtilisée dans la dépense, premières amourettes.

Arcade fut souvent au centre des conversations, surtout lors de la partie de sucre à Saint-Sylvestre-de-Lotbinière, à l'érablière d'Émile Nappert, le père de Marie. Les filles comme les garçons se rappelaient avoir aidé Arcade lorsqu'il faisait les sucres sur leur ferme, et tandis que l'alcool coulait à flots, les souvenirs devinrent empreints d'émotions.

— Votre père aurait aimé ça vous voir rire! s'exclama Rose-Anna en voyant leurs mines moroses. Il a toujours voulu juste le bonheur des autres, le vôtre comme le mien.

Louis et Joseph décidèrent alors de s'affronter dans un concours de mensonges. Il ne subsistait entre eux aucune rancœur depuis que Louis avait été forcé de quitter le commerce familial. L'esprit de famille et l'amour fraternel étaient plus forts que tout. D'ailleurs, les affaires de Louis prospéraient et il aimait bien être le seul maître à bord.

Après avoir fait faillite avec une manufacture de biscuits à Tring-Jonction, faute de quantités suffisantes de sucre, Louis s'était lancé dans le commerce du bois. La pâtisserie de ses frères avait été l'un de ses plus importants clients. À présent, il achetait à Boston, Lewiston et New York des autobus qu'il revendait aux entrepreneurs forestiers et aux compagnies minières pour le transport des travailleurs. En outre, il exploitait à Lévis un petit commerce d'automobiles usagées, en attendant que la guerre finisse et qu'il puisse offrir des véhicules neufs. Il ne doutait pas de fournir alors à la pâtisserie Vachon les camions dont elle aurait besoin.

Le matin du départ de Rédempteur, on pouvait lire le chagrin sur le visage de Rose-Anna. Elle s'était pourtant promis de rester forte. Par chance, il n'y avait que Béatrice avec elle dans la cuisine quand elle fondit en larmes.

— C'est pas seulement à cause de Rédempteur, confia-t-elle à sa fille qui la consolait. Vous allez tous repartir, et moi...

— Vous avez Marie.

— Elle va se marier avec son beau docteur Simard, et je vais me retrouver fin seule.

Béatrice prit une grande respiration et révéla à sa mère que son confesseur lui avait conseillé de quitter la vie religieuse pour laquelle elle n'était pas faite. Rose-Anna en échappa le couteau qu'elle essuyait.

— Bonne sainte Anne! Tes vœux perpétuels?

— On m'a demandé de réfléchir jusqu'à l'automne, dit Béatrice d'une voix penaude. Si je veux toujours partir, j'obtiendrai une dispense de Son Éminence le cardinal Villeneuve.

Elle regarda sa mère dans les yeux et ajouta d'un ton déterminé :

— Je ne changerai pas d'idée, maman.

— Je me suis toujours doutée que tu étais malheureuse, Béatrice. Et je t'ai trouvée bien pâle quand t'es arrivée. T'es pas malade, au moins ?

— Rien que de la fatigue.

Rose-Anna serra sa fille dans ses bras.

— Tu viendras rester avec moi, je vais te soigner, moi.

— Oh ! maman ! s'écria Béatrice, un sanglot dans la voix.

Comme Rédempteur arrivait, elle s'écarta vivement, baissa la tête, ferma les yeux durant quelques instants. Au couvent, elle avait si bien appris à dissimuler ses sentiments que son frère ne s'aperçut pas que la seconde d'avant elle était au bord des larmes.

La nouvelle du retour prochain de Béatrice au foyer atténua quelque peu la douleur qu'éprouvait Rose-Anna au moment du départ de Rédempteur. Habiter seule la terrorisait. Sa plus grande crainte, c'était mourir à l'insu de tous, privée des derniers sacrements.

Toute la famille était là pour accompagner Rédempteur à la gare. On prit une photo de groupe devant le perron de la maison, une autre encore, juste à côté du wagon. L'émotion était si intense que peu de paroles furent échangées. Comme le train s'ébranlait, Rose-Anna serra avec force le bras de Simone et murmura :

— Je le reverrai plus jamais!

— Voyons, maman...

— Je le sens!

* * *

En février 1945, Rose-Anna convoqua chez elle une réunion de famille dirigée par le notaire Pelchat en qui elle avait toute confiance. Au cours des semaines précédentes, elle avait consulté un avocat de Québec spécialisé dans la formation de compagnies. Il avait suggéré à Rose-Anna une façon de structurer J. A. Vachon et Fils en faveur de ses enfants. Elle voulait surtout éviter toute dispute à propos de sa succession.

Tous prirent place autour de la grande table dont le notaire, tel un père de famille, occupait une extrémité. Rose-Anna trônait à l'autre bout, ayant à ses côtés Benoît et Béatrice qui ne portait plus l'habit depuis le mois de décembre précédent. Ces deux enfants, informés avant les autres de la teneur de la proposition, se tenaient près de leur mère afin de la soutenir. Ils croyaient, comme elle, que le projet ne ferait pas l'unanimité. Paul et Louis étaient assis non loin du notaire, juste en face de Joseph et d'Amédée. La rougeole de son fils Jean-Pierre retenait Simone dans une chambre à l'étage; toutefois elle tendait l'oreille afin de ne rien manquer de ce qui se déroulait en bas.

L'homme de loi rappela d'abord qu'en vertu du testament de feu Arcade Vachon, Rose-Anna détenait la moitié de la compagnie tandis que le reste appartenait en commun à Louis, Joseph, Amédée, Paul, Benoît et Simone. Puis il dévoila le contenu de la proposition que formulait Rose-Anna. Les quatre enfants ayant le plus contribué à l'essor de l'entreprise, soit Amédée, Paul,

Benoît et Joseph, se partageraient quarante-neuf pour cent du capital-actions de la nouvelle compagnie. Rose-Anna demeurerait majoritaire avec cinquante et un pour cent des actions qui, à sa mort, reviendraient à Louis, Rédempteur, Béatrice et Simone.

— Jamais! s'écria Joseph en tapant du poing sur la table. Jamais j'accepterai une chose pareille.

Cette explosion de colère était adressée au notaire Pelchat. En se levant, Joseph tourna vers sa mère un visage empourpré, mais il lui parla d'un ton plus calme, et sembla vouloir la raisonner.

— Voyons, maman... Ç'a pas une miette de bon sens, votre affaire!

— Je veux être juste, donner une part à chacun, répondit Rose-Anna, un peu sur la défensive, ce qui ne lui ressemblait guère.

— Juste? s'exclama Joseph dont la voix reprenait des accents colériques. Bien laissez-moi vous dire que vous faites plutôt le contraire! Vous rendez-vous compte que vous donnez le contrôle de la compagnie aux *autres*, à ceux qui ont rien fait?

Louis lui répondit, sans se départir de son calme :

— Je te ferai remarquer que j'ai travaillé aussi longtemps que toi à la pâtisserie. Même que les gâteaux, c'était mon idée.

— C'est vrai, admit Joseph. Mais maman a racheté ta part. T'as reçu deux mille piastres.

Il promena son regard sur la famille, prenant chacun à témoin.

— Simone, c'était une employée, elle a toujours été payée. Béatrice, on n'en parle pas. Tant qu'à Rédempteur... On vient de finir de rembourser à la Wilsil sa dette de jeu.

— Je te défends! s'écria Rose-Anna. Les dettes de ton frère, ça te regarde pas. C'est moi qui les ai payées. Moi pis ton père!

Joseph baissa la tête un instant et marmotta.

— Mettons...

Puis il reprit aussitôt, d'un ton convaincu :

— C'est pas ça, la question. La boulangerie, c'est du passé. La pâtisserie qui se trouve à côté, elle a été établie par moi, Médée, pis les deux jeunes. Si ça n'avait pas été de nous autres, aujourd'hui on parlerait encore d'une petite pâtisserie à côté de la station. Juste depuis le début de la guerre on a passé de cent trente mille piastres à un demi-million de chiffre de ventes. C'est pas le Saint-Esprit qui a fait ça, maman! On a travaillé des quinze, vingt heures par jour. Vous avez pas le droit de donner à tout le monde ce qu'on a gagné à la sueur de notre front!

Il se rassit en poussant un profond soupir. Rose-Anna parut abattue, elle ne s'attendait pas à pareille réaction. Benoît prit sa défense :

— C'est pas une façon de parler à sa mère.

— T'aimerais ça, toi, téléphoner à Béatrice ou écrire à Rédempteur pour prendre tes ordres, savoir comment faire ta pâte? répliqua Amédée avec agressivité. Ou pour leur demander combien payer tel ou tel employé? Pas moi. Joseph a raison. Non, mais franchement, ça te plaît, toi, un pareil projet de compagnie?

— Ouais... Ouais... répondit Benoît, pensif, ce qui lui évitait de se prononcer sur-le-champ.

Il se sentait coincé. Il ne voulait pas peiner sa mère, mais reconnaissait la justesse des arguments de Joseph. Il se tourna donc vers Paul, avec qui il s'associait d'instinct pour faire contrepoids à l'équipe formée par

Joseph et Amédée. Paul n'hésitait jamais à s'opposer avec fermeté à ses deux aînés lorsqu'il s'agissait de défendre ses convictions. Il s'adressa à sa mère d'une voix posée, très douce, mais pleine d'assurance.

— Vos intentions sont généreuses, maman. Nous donner tout de suite quarante-neuf pour cent des actions, c'est quelque chose! Mais votre avocat à Québec connaît rien à notre famille, ni à l'histoire de la pâtisserie. Béatrice ou Rédempteur auraient une plus grosse part de la compagnie que moi ou Benoît? Admettez que ça n'a pas grand bon sens, maman.

Béatrice lança d'un ton aigu :

— Maman a bien le droit de faire ce qu'elle veut de son argent! Vous êtes des ingrats!

— Tu serais aussi bien de te taire, Béatrice, lui dit Louis en l'invitant d'un geste de la main à se calmer. Toi et moi, on est mal placés pour parler.

Rose-Anna constatait que telle que mise au point par l'avocat, la répartition des parts de la future compagnie se révélait en effet injuste. Elle se tourna vers le notaire.

— Qu'est-ce que vous en pensez, maître Pelchat?

— Je suis ici pour prendre acte. Je crois que vous devriez encore discuter de tout ça sérieusement avec vos enfants. Quelques semaines, au besoin. En raison de l'indivision, l'unanimité me semble nécessaire.

Il se défilait élégamment, les chicanes de famille à propos des successions lui ayant appris à ne pas mettre le doigt entre l'arbre et l'écorce. Rose-Anna devrait donc se débrouiller seule. Elle regarda Joseph dans les yeux.

— Et si on changeait les proportions : cinquante et un à vous autres, quarante neuf aux autres?

— Faire marcher une compagnie à huit, c'est pas possible. Demandez à Louis s'il voudrait avoir sept associés qui auraient les mêmes parts que lui dans son commerce.

Rose-Anna eut un cri du cœur :

— Mais tu voudrais que je donne rien à tes frères et sœurs?

— J'ai jamais dit ça, maman. Votre argent, j'en veux pas, ce qui m'intéresse c'est la pâtisserie.

— C'est tout ce que j'ai à laisser, la pâtisserie!

— On demande pas la charité! Vendez-nous le commerce, on s'arrange bien tous les quatre. Pis l'argent de la vente, vous le laisserez à qui vous voudrez dans votre testament. Comme ça, ce sera juste et tout le monde sera content.

Sans faire l'unanimité autour de la table, cette solution rencontrait moins d'opposition que celle qui avait été proposée par l'avocat. Rose-Anna se dit que rien n'étant parfait, la vente pure et simple serait sans doute un moindre mal. Toutefois, elle ne pouvait se résoudre à quitter définitivement le commerce dans lequel elle s'était autrefois donnée corps et âme. S'éloigner de l'entreprise petit à petit comme elle l'avait fait depuis l'achat de l'usine de la Diamond Shoe lui convenait tellement mieux. Vendre? Avant de prendre une décision, Rose-Anna devait d'abord s'habituer à cette idée. Elle demanda à réfléchir quelque temps.

Le lendemain, Joseph mit au point une position commune avec ses trois frères, et durant les deux semaines qui suivirent il négocia seul à seul avec sa mère. Discussions parfois orageuses qui laissaient à Rose-Anna un goût amer. Joseph se montrait intransigeant et elle craignait que plus tard il ne fasse preuve de la même dureté envers ses frères. Comprenant qu'il n'existait pas vraiment d'autres solutions, elle accepta finalement la proposition.

L'acte de vente en faveur de Joseph, Amédée, Paul et Benoît fut signé le 8 mars 1945, devant le notaire Pelchat. Rose-Anna cédait sept terrains, les immeubles qui y étaient construits, l'ameublement, l'équipement, les camions, en un mot tout le commerce de pâtisserie et l'achalandage, pour la somme de trente neuf mille neuf cent soixante-dix-neuf dollars et cinquante neuf cents. Trois mille dollars étaient payables à la signature du contrat et le reste, par versements annuels, le taux d'intérêt étant fixé à trois pour cent.

Rose-Anna n'avait plus maintenant qu'à rédiger son testament. Elle léguait à Béatrice douze mille dollars et tout son ménage; à Simone, cinq mille dollars, un service à thé en argent et son manteau en mouton de Perse. Les deux sœurs se partageraient à parts égales les vêtements de leur mère et la literie. Louis et Rédempteur hériteraient de trois mille dollars chacun, le résidu de la succession allant aux quatre autres fils.

Lorsqu'elle sortit de chez le notaire, Rose-Anna était épuisée, incapable de se débarrasser d'une sensation de total dépouillement. Maintenant qu'elle tournait le dos aux biens terrestres, il lui faudrait bien penser à l'au-delà qui lui faisait tellement peur. Depuis toujours elle redoutait le moment où elle comparaîtrait devant son Juge. Elle avait beau multiplier les examens de conscience, elle demeurait convaincue d'oublier des fautes. Dans ses dernières volontés, elle demandait qu'on dise un trentain de messes basses et qu'on chante cinquante grands-messes pour le repos de son âme. Serait-ce suffisant?

Et si elle parvenait à réparer la faute de Rédempteur dont elle était en partie responsable, à l'inciter à abandonner sa vie de concubinage, à le ramener dans le droit chemin? Dieu se montrerait sûrement plus magnanime envers elle...

Ne pas avoir abordé le sujet avec Rédempteur lors de sa visite de l'année précédente constituait une faiblesse que Rose-Anna se reprochait à présent. Elle allait de ce pas lui écrire.

* * *

— On va profiter de ce qu'on est juste entre nous pour réciter un chapelet, dit Béatrice.

Elle s'agenouilla sur le prie-Dieu devant le cercueil où sa mère dormait de son dernier sommeil. Ses frères, sa sœur, ses belles-sœurs, son beau-frère et les petits-enfants les plus âgés se tenaient debout derrière elle, le regard fixé sur le visage de Rose-Anna à qui le maquillage donnait un faux air de jeunesse.

On étouffait dans le salon tendu de noir où s'entassaient les cinquante-cinq tributs floraux, couronnes et gerbes, envoyés à la famille Vachon. Rose-Anna aurait surtout apprécié les cinq cent dix messes, dont cent soixante-quatorze grands-messes, qui avaient été payées à son intention.

En fin de soirée le dimanche, à quelques heures du service funèbre, la famille se retrouva pour la première fois en tête-à-tête avec sa défunte. Depuis trois jours, presque toute la population de Sainte-Marie, à commencer par les cent vingt-cinq employés, avait défilé dans la maison pour se recueillir devant la dépouille mortelle et offrir ses condoléances aux enfants de Rose-Anna.

Incapable de participer aux prières, Benoît pleurait en silence, les traits tirés par le manque de sommeil. De tous les fils, il était le plus attaché à sa mère, le plus près d'elle. Sa seule consolation était la certitude qu'elle n'avait pas souffert. Elle se berçait dans la cuisine, en l'écoutant parler, et tout à coup sa tête s'était penchée en avant, le menton s'appuyant sur la poitrine, comme si elle s'était endormie soudainement. Hémorragie cérébrale, avait diagnostiqué le médecin. Elle avait soixante-dix ans et sept mois.

Joseph marmonnait distraitement les paroles du Je vous salue, Marie. Il regardait le visage maternel qu'il ne reverrait plus jamais, une fois le cercueil fermé. Il ne lui avait jamais dit qu'il l'aimait. Tout jeune enfant, oui, mais depuis... Timidité? Pudeur? Ces dernières années, il l'avait plutôt brusquée, sa mère. Surtout quand il s'était agi de la vente de l'entreprise, il y avait maintenant trois ans et demi. Ce n'est qu'après coup qu'il avait compris à quel point cette vente, qu'elle considérait comme la perte de la pâtisserie, avait affecté sa mère.

Et à peine un mois plus tard, il avait dû lui annoncer la terrible nouvelle... Un an, presque jour pour jour, après sa visite à Sainte-Marie, Rédempteur s'éteignait à quarante-cinq ans. Ce cri de douleur que la nouvelle avait arraché à Rose-Anna, Joseph l'aurait gravé en lui sa vie durant. Crise cardiaque, prétendait l'officier de la Gendarmerie royale à qui Joseph avait parlé au téléphone. Crise cardiaque? En plein milieu de la rue, entre sa maison et la banque! Un colosse comme Rédempteur? Joseph et ses frères avaient trouvé cette mort bien mystérieuse. D'ailleurs, la femme avec qui vivait Rédempteur se disait intriguée: on n'avait rien retrouvé sur lui, ni papiers ni argent. En outre, Red, comme elle l'appelait, venait de conclure avec le gouvernement fédéral un important contrat de droits miniers sur trois cents terrains aurifères très prometteurs. Mais la police demeurait formelle : crise cardiaque.

Ces soupçons, on n'en avait jamais parlé à Rose-Anna. Elle souffrait déjà bien assez. Livide, elle avait dit à Joseph : «Tu vas aller me le chercher». Il s'était rendu en avion à Edmonton où les frères de sa mère avaient amené le corps de Rédempteur. Ils avaient vivement déconseillé à Joseph d'aller enquêter à Yellowknife.

La voix de Béatrice se brisa au milieu d'un Notre Père, mais elle recommença aussitôt la récitation d'un ton un peu contraint. Joseph regarda les mains de sa mère jointes sur sa poitrine. Mains fortes et rugueuses, qui avaient été capables tout autant des plus dures besognes que de caresses délicates sur la joue d'un nourrisson. Elle avait enseigné à ses enfants le dévouement et la générosité, mais surtout l'amour du travail bien fait, la rigueur, la persévérance. Elle leur avait aussi inculqué, à lui et à ses frères, ce qu'ils savaient du commerce et des affaires.

Joseph se sentait orphelin, sentiment qu'il n'avait pas connu à la mort de son père. Il tourna lentement la tête pour observer le visage empreint de bonté de Louis, celui si généreux d'Amédée, celui de Simone, qui respirait la douceur. Il croisa le regard de Paul où la tristesse remplaçait en ce moment le pétillement de l'intelligence. Malgré sa carrure de boxeur poids lourd, Benoît avait en ce moment l'air d'un enfant blessé. De Béatrice, Joseph ne voyait que le dos, mais dans sa voix, il reconnaissait l'écho de sa propre douleur.

Il sentit monter en lui une puissante bouffée d'affection pour eux, orphelins tout comme lui. Il aurait eu envie de leur dire à quel point il les aimait, de leur dire aussi qu'ils pouvaient tous compter sur lui. La prière prenait fin, cela aurait été le temps de dire ces choses, de les avouer au moins une fois, en présence de leur mère. Mais les mots ne lui venaient pas. S'adresser à cinquante employés pour leur donner des ordres, ou discuter d'affaires avec un ministre, c'était une chose. Ouvrir son cœur et s'épancher en public, c'en était une autre. Il incombait à Louis, le plus vieux, de prononcer à voix haute les mots auxquels chacun pensait tout bas. Après tout, il avait l'habitude des discours, lui, maire de Sainte-Marie depuis un an. Ou à Paul, alors. Paul, le plus instruit d'entre eux, Paul qui lisait constamment et maniait les mots avec aisance.

Après le signe de la croix, Simone annonça :

— Y a des tourtières dans le four pour ceux qui ont faim. Maman les avait déjà préparées pour les fêtes.

— Je... commença Joseph d'une voix forte.

Il s'arrêta quand tous les regards se portèrent sur lui. On attendit la suite qui ne vint pas.

— Oui, Tit-Père? fit Mathilda, sa femme.

— Je... Je vais rester un peu avec maman.

Quand il fut seul dans le salon, Joseph s'approcha du cercueil et posa une main sur celles de sa mère, faisant glisser le chapelet qu'on y avait posé. Il demeura ainsi durant quelques minutes, puis s'assura qu'il n'y avait personne d'autre dans la pièce.

— Je m'excuse de m'être emporté des fois, murmura-t-il. Je vous aime, maman.

CHAPITRE 9

Au petit matin, ce jour-là, Joseph se leva pour regarder par la fenêtre. Il ne pleuvait plus, mais le ciel était encore gris. Le mauvais temps n'allait tout de même pas lui gâcher cette journée! Il ouvrit la radio juste au moment où l'annonceur du poste CHRC de Québec prédisait du soleil pour la Saint-Jean. Joseph se frotta les mains. Il n'y avait pas l'ombre d'un doute, le 24 juin 1949 serait une journée mémorable.

— Tu te lèves tôt, mon Tit-Père... murmura Mathilda, encore à moitié endormie.

Il répondit joyeusement :

— Tu devrais te préparer toi aussi, ma petite Savoie. Les vingt-cinq ans de la pâtisserie Vachon, c'est aussi important que le jour de nos noces!

— Le pire, dit-elle après un bâillement, c'est que tu le penses pour vrai.

Joseph sortit de la chambre en riant. Mathilda s'était depuis longtemps habituée à partager son homme avec la pâtisserie. Une véritable maîtresse!

Il fit mousser le savon avec son blaireau et entreprit de se raser, tout en réfléchissant. Cette assemblée générale des vendeurs n'était qu'un prétexte. Joseph voulait célébrer la réussite de l'entreprise avec ceux qui en étaient les artisans. Cela deviendrait aussi l'occasion pour tout le monde, y compris la population de Sainte-Marie-de-Beauce, de constater *de visu* les progrès accomplis depuis vingt-cinq ans. Les soixante camions et fourgonnettes normalement répartis aux quatre coins de la province seraient cette fois réunis à Sainte-Marie, alignés dans le stationnement de la pâtisserie. Joseph avait exigé que tous les véhicules soient là à huit heures, propres comme des sous neufs.

Depuis la veille, les représentants et les vendeurs convergeaient vers la Beauce. En compagnie de leurs femmes, invitées elles aussi à la fête, certains d'entre eux avaient roulé toute la nuit sous la pluie. Pour ceux qui venaient de l'Abitibi, cela signifiait parcourir quinze cents kilomètres, en bonne partie sur de mauvaises routes de gravier. Ce n'était guère mieux pour les représentants de la Gaspésie, du Lac-Saint-Jean et de la Côte-Nord.

Alors que Joseph déjeunait d'œufs et de bacon, Honorius Cloutier frappa à la porte.

— Déjà sur pied, Honorius?

— Toi aussi, à ce que je vois.

Invité à manger par Mathilda, le visiteur n'accepta qu'un café. Il avait passé la nuit debout, accueillant les représentants et les vendeurs...

— Ils sont déjà presque tous arrivés, dit-il. Personne aurait voulu manquer ça. Ton assemblée, Jos, c'est une bonne idée.

— Qu'on ménage rien; je veux que nos vendeurs se sentent importants aujourd'hui. Comme ils le sont en réalité! Qu'ils sentent tous qu'ils font partie d'une grande famille.

Joseph eut un rire joyeux et ajouta :

— Mais pourquoi je dis ça? C'est pas à toi que je vais apprendre ton métier!

Vendeur hors pair, Honorius Cloutier possédait un don inné pour l'organisation et les relations humaines. Depuis la fin de la guerre, durant laquelle il avait acheté du sucre sur le marché noir pour le compte de la pâtisserie, il s'occupait avec Amédée et Joseph de développer le territoire, de consolider les percées réalisées au cours des années précédentes. Amédée était le principal lieutenant de Joseph, et il avait bien des chats à fouetter : la distribution des produits, la direction du groupe de camionneurs, la réparation des camions, l'entretien des bâtiments. Sans compter ses nombreuses affaires personnelles...

À titre d'inspecteur, Cloutier supervisait le travail des vendeurs et, au besoin, les remplaçait temporairement en cas de maladie, ou si l'un d'eux quittait l'entreprise. Quelques collègues jaloux de sa promotion le surnommaient «le remplaceux de routes», mais en réalité, il était le bras droit de Joseph et d'Amédée.

— Un vrai Vachon! disait Joseph qui le considérait comme un frère et le traitait en conséquence.

L'une des premières tâches auxquelles Joseph, appuyé par Amédée et Honorius, s'était attelé après la guerre avait été de réorganiser le réseau de distribution. Plutôt que de laisser les concurrents, qui revenaient en force, leur reprendre plusieurs des distributeurs — les *jobbers* — les Vachon décidèrent d'attacher à leur service ces hommes d'expérience. Pour cela, ils en firent des représentants qui relevaient directement d'eux.

Honorius retira une partie du marché à quelque vingt-cinq petits revendeurs, au profit des représentants. Ceux-là étaient surtout des boulangers régionaux qui offraient les produits Vachon, en même temps que leur pain, dans les campagnes et les petites villes. En plus de faire du porte à porte, ils fournissaient les magasins et les restaurants de leur territoire. On ne pouvait toutefois pas toujours se fier à eux puisqu'ils n'hésitaient pas à offrir aussi des produits des concurrents ou à vendre des gâteaux qui n'étaient plus très frais.

Selon Joseph, le temps était venu de prendre la direction de toutes les activités de distribution, et l'entreprise avait maintenant les moyens de posséder ses propres camions. Vachon ne voulait plus faire du porte à porte mais, grâce à ses représentants, mieux servir les magasins et les autres points de vente.

Le démantèlement du système de revendeurs qui avait très bien servi à faire connaître les produits Vachon, et à développer le réseau de distribution, provoqua les hauts cris. Joseph voulait à tout prix que l'on ne fasse pas de mécontents qui ne se priveraient sans doute pas de dénigrer l'entreprise. Il importait avant tout de préserver la renommée et l'image de la compagnie.

Quant aux revendeurs, tous tenaient à peu près le même discours :

— Monsieur Cloutier, quand Jos Vachon venait nous solliciter, il était bien content qu'on accepte de vendre ses gâteaux. Aujourd'hui, vous nous enlevez tout ça!

— On vous enlève pas tout, répondait Honorius. On va continuer de vous fournir et vous pourrez vendre nos produits à vos clients. Sauf aux magasins. Vous autres, votre affaire, c'est le pain. Nous autres, on vit avec les gâteaux, c'est pour ça qu'on veut développer encore plus le marché des magasins.

Adaptant ses explications à chacun, Honorius s'y prenait avec tant de tact qu'il donnait à ses interlocuteurs l'impression d'avoir gagné leur point.

En se levant de table, Joseph demanda à Honorius :

— Redis-moi donc le nom de notre nouveau vendeur à la succursale de Rouyn, pis de celui que tu viens d'engager à Joliette. T'aurais pas une photo d'eux autres, que je les reconnaisse du premier coup d'œil?

Comme Cloutier répondit par la négative, Joseph ajouta :

— Ça serait bon, des photos des nouveaux. Y a rien que j'haïs autant que de pas reconnaître mon monde.

— Ouais, j'y penserai à l'avenir.

— Essaie de me les présenter tout suite à matin.

* * *

Amédée, Joseph et Honorius se multipliaient pour accueillir les quatre cents invités qu'ils connaissaient tous personnellement. Nombre de représentants et de vendeurs étaient fiers que leurs femmes puissent constater que les patrons les reconnaissaient au milieu de cette foule, les appelaient par leur nom. Certaines femmes prenaient des photos de leurs maris en compagnie de l'un ou l'autre des frères Vachon.

Avec son chapeau de cow-boy et son gros cigare, Joseph faisait une forte impression, et ceux qui ne le connaissaient pas encore s'étonnèrent de sa simplicité et de sa chaleur. Il gesticulait beaucoup en parlant, émaillait ses propos de plaisanteries et surtout, il savait écouter. Amédée faisait montre d'autant d'entregent. Vêtu comme toujours avec une élégance rare, il circulait d'un groupe à l'autre suivi du regard des dames. Après son passage, certaines murmuraient à leur voisine : «Quel homme séduisant!» Caméra en main, Paul se faufilait partout pour filmer cet événement important. Benoît, quant à lui, veillait à ce que personne ne manque de rien.

Puis vint le moment de faire visiter les lieux. Paul monopolisa l'attention et s'improvisa guide de tous les invités. Il fit d'abord remarquer l'agrandissement de sept cent quatre-vingts mètres carrés, réalisé deux ans plus tôt à l'arrière de l'édifice, et le nouvel entrepôt construit non loin de là.

— Pour payer ces constructions et l'achat du nouvel équipement, nous sommes allés deux fois sur le marché des obligations. Le deuxième emprunt, cent trente mille dollars, a établi un record dans le monde financier : en moins de dix heures, il était couvert!

Il se garda bien de révéler que lui et ses frères en avaient eux-mêmes acheté une tranche de cinquante mille dollars.

Paul entraîna ensuite les invités dans le sous-sol où étaient produites les tartes et les pâtes feuilletées, et il fournit des explications accompagnées de chiffres frappants. Ce gros pétrin mélangeait trois cents livres de pâte à la fois. Ces immenses bassines servaient à fabriquer six sortes de confitures pour garnir les deux mille huit cents tartes que l'on cuisait chaque jour. Et là, dans le coin, cette machine que Joseph avait imaginée et fait fabriquer, et qui produisait deux cents douzaines de beignes à l'heure.

Mêlé aux visiteurs, Joseph, comme Amédée et Benoît, suivait et souriait du comportement de son jeune frère. Paul, qui aimait bien prendre la parole et se mettre en évidence, avait soigneusement préparé ses propos.

— Ici, c'est ce que nous appelons «le département des chefs-d'œuvre». Les gâteaux de noce et tous les gâteaux spéciaux que vous connaissez bien. Voyez celui-ci, il a été commandé pour l'ordination d'un prêtre à Victoriaville. Celui-là, c'est pour une grosse soirée de joueurs de quilles à Rivière-du-Loup.

Joseph tiqua lorsqu'il entendit Paul expliquer que la production de ces gâteaux n'était pas tellement payante mais constituait une excellente publicité. Tout n'était pas bon à dire aux invités. La suite du discours le réconcilia toutefois avec l'aveu de son jeune frère.

— Quand deux cents convives ont aimé un gâteau de noce Vachon, ils ont ensuite envie de goûter à nos autres produits lorsqu'ils les voient en magasin.

Joseph reconnut là le langage qu'il tenait pour défendre auprès de ses frères, et de Paul en particulier, sa politique de bas prix appliquée à ces commandes spéciales. Amédée eut la même pensée :

— Il tire la couverture de son bord! souffla-t-il à l'oreille de Joseph, en souriant.

La visite se poursuivit au rez-de-chaussée où Paul montra aux vendeurs et à leurs femmes la voie qu'empruntaient les gâteaux. Trois gros malaxeurs trituraient les ingrédients des douze sortes de pâtes utilisées pour les différents gâteaux. Ensuite des appareils automatiques étendaient la pâte dans des moules, au rythme de mille deux cents douzaines à l'heure.

— D'ici, les petits gâteaux sont transportés sur un tapis roulant qui traverse le four chauffé à quatre cent cinquante degrés. Ce four a quarante-cinq pieds de long et quand les gâteaux l'ont traversé, ils en sortent cuits.

Enthousiaste, Paul entraîna ses visiteurs un peu étourdis vers la section du glaçage, et y expliqua le fonctionnement de l'enrobeuse.

— Elle enrobe trente-six gâteaux à la fois, puis la chaîne, là, les emporte vers le réfrigérateur qui a soixante-quatorze pieds de longueur. Comme il était plus long que la pièce, nous avons dû pratiquer une ouverture dans le mur pour pouvoir l'installer.

Après un arrêt à l'emballage et à l'expédition, Paul leur montra à l'étage les bureaux de l'administration où travaillaient Alyre Pelchat, le comptable en chef, René Carrier, le contrôleur et expert en prix de revient, ainsi que douze comptables, sténographes, «paie-maîtres» et surveillants de l'expédition. La visite se termina à l'entrepôt où, debout sur une caisse, il lança les chiffres qu'il avait soigneusement préparés dans le but de frapper les imaginations.

— Nous utilisons chaque année près de cinq millions d'œufs... la ponte annuelle de trente-cinq mille poules! Chaque jour, la pâtisserie consomme dix mille livres de sucre et six mille livres de farine, et chaque année, soixante-neuf wagons de graisse et cent mille livres de chocolat.

Joseph observait le visage des vendeurs et constatait que leur ébahissement se transformait peu à peu en fierté. Il était temps qu'il récupère ses hommes. Il prit place sur la caisse que Paul venait de quitter.

— Je remercie mon frère de sa visite guidée.

Les gens applaudirent Paul, qui les remercia d'un signe de tête.

— Comme vous le voyez, il est tellement fier de ses gâteaux qu'il ne mangerait que ça!

Sous les rires de ses auditeurs, Joseph reprit :

— Toute cette machinerie et tous ces chiffres sur le sucre et la farine, c'est bien beau. Mais vous savez aussi bien que moi que c'est une autre histoire qui commence quand les gâteaux partent d'ici en camion pour les entrepôts. Vous savez que chaque boîte de gâteaux Vachon, il faut quelqu'un pour la vendre. Et si c'était pas de vous autres, et de vos femmes qui acceptent de vous voir partir sur la route à longueur de semaine, les malaxeurs et l'enrobeuse tourneraient pas longtemps.

Après la messe à la chapelle de Sainte-Anne, le prêtre accompagné de ses deux enfants de chœur, vint à la pâtisserie pour bénir chacun des camions peints en rouge et jaune, les couleurs de Vachon. À la demande de Joseph, un employé du studio Gosselin de Lévis photographia pour une publicité dans les journaux les véhicules bien alignés, puis il prit devant le collège des clichés panoramiques de la grande famille de J. A. Vachon et Fils ltée : les patrons, les vendeurs, les camionneurs, les employés de bureau, ceux de la production et ceux de l'expédition.

Tandis que le photographe faisait se déplacer des gens afin d'obtenir une composition harmonieuse, Joseph murmura à ses frères :

— Imaginez comment papa et maman seraient fiers de nous voir aujourd'hui.

— Mais, ils nous voient, Jos, répondit Benoît.

Le repas terminé, les vendeurs prirent place au volant de leurs véhicules. Une pancarte fixée sur le pare-brise de chacun en indiquait la provenance : toutes les régions et toutes les villes importantes du Québec étaient représentées. Les quatre frères s'entassèrent dans une voiture et prirent la tête du convoi ainsi formé qui défila dans les rues de Sainte-Marie. Derrière les camions de la pâtisserie, venaient ceux de quinze transporteurs généraux dont Vachon était le meilleur client.

Étonnés, les gens sortaient de leurs maisons et se regroupaient sur les perrons ou le long de la rue. Joseph dit alors d'un ton triomphant :

— Les gens de Sainte-Marie qui avaient encore des doutes sur nous autres vont les perdre! Un défilé de la Saint-Jean-Baptiste comme ça, ils en ont jamais vu.

— Ça prouve, déclara Paul, grand amateur de mots d'esprit, que notre réussite n'est pas une allégorie!

— Parlant de char allégorique, on aurait dû faire un gâteau géant sur roulettes, fit Amédée en rigolant.

Benoît dit d'une voix émue :

— Quand on pense qu'il n'y a pas si longtemps, papa distribuait encore le pain avec son cheval.

— Je l'ai fait moi aussi! s'écria Amédée. Avec une picouille, parce que papa aurait jamais laissé quelqu'un d'autre mener son beau Weaver. C'est difficile à croire, hein! mais ça fait vingt-deux ans que je suis dans le métier!

— Parle pas comme un vieux! dit Joseph. Ça fait juste commencer. Y reste Montréal à gagner. Ça va se faire, même si ça prend dix ans. Veut, veut pas, les gens de Montréal mangeront des gâteaux de la Beauce! Je vous en signe un papier. Après, ça sera Toronto...

— Oui, renchérit Paul, il reste encore beaucoup à faire. Ça va nous prendre un laboratoire, d'autres fours, d'autres réfrigérateurs. Et aussi, plus d'espace.

— Encore agrandir? s'écria Joseph. On vient juste de le faire! Des fois, t'es porté à voir trop grand!

— Pis toi, Joseph, tu vois pas grand avec Montréal et l'Ontario? Ça veut pas dire d'autres camions? D'autres entrepôts? D'autres vendeurs? Oublie pas que les gâteaux que tu vends tombent pas du ciel.

Benoît les apaisa d'un geste de la main.

— Les gars, les gars. C'est pas le moment!

Au cours de l'après-midi eut lieu, dans une petite salle où ils s'entassèrent, la première réunion générale des vendeurs de l'histoire de Vachon. Il faisait si chaud que tous enlevèrent leur veste, desserrèrent le nœud de leur cravate et roulèrent leurs manches. Même Amédée sacrifia l'élégance au confort! Seul Joseph demeurait impeccablement mis parce qu'il était le premier à prendre la parole. Il fit état des résultats passés : les ventes avaient fait un bond entre 1947 et 1948, passant d'un demi-million de dollars à huit cent cinquante-huit mille dollars. Au rythme actuel, elles atteindraient le double à la fin de l'année en cours. Non seulement on aurait franchi le cap du million de dollars, mais on approcherait celui des deux millions!

Suivirent des discussions sur la qualité et la variété des produits, les goûts des clients, les stratégies de vente et les concurrents. Amédée donna un aperçu des nouvelles «routes» qu'on prévoyait établir et il prit note des suggestions de ses interlocuteurs. Comme Joseph, il trouvait précieuse l'expérience de leurs hommes qui étaient en relation directe avec la clientèle.

Invité à présenter les produits en cours d'élaboration, Paul déborda rapidement le sujet et passa au contrôle de la qualité, puis à un projet qu'il nourrissait secrètement, soit engager un chimiste afin de doter la pâtisserie d'un véritable laboratoire.

Un grand banquet servi au collège clôtura l'assemblée. L'atmosphère y était cordiale et des représentants de régions éloignées les unes des autres eurent l'occasion de fraterniser et d'échanger des idées. Joseph contemplait son monde et se disait que son but était atteint : le sentiment d'appartenance de ses vendeurs était renforcé. Ils repartiraient enthousiastes, gonflés à bloc, plus que jamais déterminés à participer à l'expansion de la maison Vachon.

* * *

L'année suivante, Paul créa son laboratoire. On allait y mettre au point des méthodes scientifiques de contrôle de la qualité et on effectuerait des recherches sur la façon de prolonger la durée de fraîcheur des gâteaux. En plus, le laboratoire leur permettrait de fabriquer leurs essences et leurs colorants. L'aménagement et l'appareillage nécessitèrent un investissement de soixante mille dollars, ce qui fit bondir Joseph qui eut l'impression d'avoir cédé à un caprice de son frère.

— Il a des jouets qui coûtent cher, le petit Paul! dit Amédée.

— Ah! Qu'est-ce que tu veux, répondit Joseph, sur un ton moqueur; toutes ces revues qu'il lit, ces voyages d'études à l'étranger, ça lui donne des idées.

— Soixante mille piastres... Les gâteaux ont besoin d'être encore meilleurs! Et espérons que ça va l'amuser un bout de temps, son nouveau jouet.

— La prochaine fois qu'il me propose quelque chose, je te promets de lui dire non, conclut Joseph en souriant.

Quelques mois plus tard, Paul réussit pourtant à convaincre ses frères d'aller encore plus loin en fondant une nouvelle compagnie qui se consacrerait à la fabrication de confitures. On cesserait de produire ces denrées dans le sous-sol de la pâtisserie pour s'approvisionner plutôt auprès de la confiturerie.

— À cause du manque d'espace, on ne fournit plus et on doit souvent acheter de la garniture à l'extérieur, fit-il valoir. En plus d'approvisionner la pâtisserie, notre nouvelle compagnie pourrait vendre ses produits aux épiceries.

Rue Notre-Dame, à quelques minutes de marche de la pâtisserie, Paul disposait d'un local; c'était l'ancienne tannerie des Cuirs Pathé ltée. Il avait fondé cette entreprise avec Benoît et trois autres associés, en 1947. Après des débuts très prometteurs, il avait fallu fermer en raison du prix des peaux brutes qui ne cessait de grimper dans un marché où se créait de grands monopoles.

La compagnie Les Produits Diamants ltée venait de naître. Paul aménagea lui-même les lieux, en y travaillant le soir avec l'un de ses beaux-frères, Jacques Corriveau. Ce n'était pas tant pour économiser que parce qu'il aimait faire les choses lui-même. Pour lui, monter une entreprise, c'était d'abord l'aménager physiquement, en prévoir le fonctionnement jusque dans le moindre détail, installer les équipements nécessaires et enfin entreprendre la production.

En cette même année 1951, alors que la compagnie livrait ses premières confitures à la pâtisserie Vachon, Paul entreprit un voyage d'études de trois mois en Europe, accompagné de Madeleine, sa femme.

Son absence permit une recrudescence des activités syndicales dans la section de la production qu'il contrôlait en temps normal, de main de maître. Présent toute la journée et souvent en soirée, Paul avait l'ouïe fine et le regard perçant : il captait des bribes de conversation, enregistrait et interprétait les sautes d'humeur. Il savait généralement tout sur *ses* employés, d'autant plus qu'il pouvait compter sur les confidences de certains qui lui rapportaient fidèlement les faits et gestes de leurs collègues.

Pendant le voyage de Paul, plusieurs de ses employés refusèrent de se soumettre à l'autorité des contremaîtres. S'il survenait un problème au travail ou dans leur vie personnelle, ils ne savaient qui voir. M. Joseph, le président, parcourait la province, puis de retour à Sainte-Marie, il était parfois d'humeur massacrante. S'il apercevait un petit gâteau tombé par terre, la personne la plus proche se faisait réprimander vertement. M. Amédée, le gérant des ventes, s'absentait beaucoup lui aussi, autant pour s'occuper des entrepôts dans chaque coin du Québec que pour administrer ses propres affaires. Et puis, seuls ses camionneurs comptaient vraiment pour lui. Restait M. Benoît, le directeur des achats et chef du personnel, un homme très doux et juste, mais tellement occupé avec ses comptables, ses vérificateurs, ses inventaires et ses commandes... Comme il venait rarement à la section de la production, les employés devaient demander la permission de s'absenter de leur poste pour monter à l'étage où il était souvent accaparé par les représentants des fournisseurs.

Joseph et ses frères ne se préoccupaient guère de l'humeur du personnel. Pour eux, les rebelles se limitaient à une poignée de jeunes employés : des «petites têtes folles», selon l'expression de Joseph. Jamais ils n'obtiendraient l'appui de la majorité pour former un syndicat, pensait-il.

Le fait est que leur travail et leur rémunération satisfaisaient la plupart des employés, mis à part quelques-uns qui jugeaient les salaires trop bas et les heures de travail trop longues, et qui se sentaient exploités. Espérant changer la situation, deux jeunes femmes avaient formé un syndicat qui peu à peu attira des adhérents, chez les hommes comme chez les femmes. Le recrutement devint plus facile lorsqu'un employé de longue date se joignit au mouvement. Il estimait que ses patrons, avec qui il travaillait depuis le temps de la petite boulangerie de la rue de la Station, gagnaient maintenant suffisamment d'argent et devaient payer beaucoup mieux ceux qui, dans une certaine mesure, avaient contribué à la réussite de l'entreprise.

La reconnaissance du Syndicat national catholique des employés de la pâtisserie Vachon par la Commission des relations ouvrières de la province de Québec, le 4 juillet, causa un véritable émoi dans Sainte-Marie-de-Beauce. Les membres du conseil municipal, suivant en cela l'opinion de la majorité de la population, se déclarèrent contre l'instauration d'un syndicat dans la principale entreprise du village.

Le gouvernement avait donné le feu vert au syndicat qui allait pouvoir négocier une première convention collective. Selon les termes du certificat de reconnaissance, le syndicat représentait «tous les salariés, à l'exception des contremaîtres, des assistants-contremaîtres, des contremaîtresses, des vendeurs, des livreurs et des employés de moins de seize ans».

— Me faire honte comme ça! s'écria Joseph, devant ses frères réunis à son chalet afin de discuter de l'affaire loin de toutes oreilles indiscrètes.

Cette histoire le blessait d'autant plus que la revue *Commerce* venait de lui conférer le titre d'homme d'affaires du mois. Il ajouta :

— Le syndicat devra me marcher sur le corps pour entrer chez nous.

— Il y est déjà, constata Benoît, aussi secoué que ses frères par la nouvelle. Quelle ingratitude...

Paul, qui se tenait debout devant une fenêtre, s'exclama d'un ton aigre, sans quitter la rivière des yeux :

— Quand je pense qu'ils ont mis «catholique» dans leur nom, alors qu'ils mordent la main qui les nourrit.

— On les a tous aidés d'une manière ou d'une autre, ajouta Amédée. Nommez-en un à qui on a pas donné de l'argent quand il était mal pris, à qui on a pas fait une faveur.

Les quatre frères se considéraient comme de bons patrons. En vérité, ils s'étaient toujours montrés très charitables, prêts à délier les cordons de leur bourse. Ils aidaient les employés aux prises avec la maladie, un décès, un accident, une malchance ou un imprévu. Ils prêtaient de l'argent sans intérêt, donnaient des paniers de nourriture, fournissaient des camions pour les déménagements, effaçaient des comptes impayés chez les épiciers, envoyaient des employés malades se faire traiter aux frais de la compagnie.

— Qu'est-ce qu'ils veulent de plus? demanda Joseph. Mon bureau? Je fais plus d'heures et je travaille plus fort que n'importe qui de leur groupe... Est-ce que je parle de me syndiquer, moi?

Pas plus que ses frères, il ne comprenait l'attitude des employés, et il éprouvait le sentiment d'avoir été trahi. De quoi se plaignaient-ils? On leur fournissait du travail tant qu'ils en voulaient, on accordait des augmentations de salaire, des faveurs et des privilèges. Chacun pouvait venir discuter de ses problèmes, on prenait toujours le temps de l'écouter. Le premier vendredi du mois, ils pouvaient même assister à la messe et se confesser à la pâtisserie, pendant leurs heures de travail.

D'accord, il arrivait que l'on congédie quelqu'un de manière cavalière, et souvent pour des raisons politiques, mais on le réembauchait. C'était bien connu : si Joseph ou Amédée vous mettait à la porte, vous alliez voir Paul ou Benoît qui vous trouvaient un emploi dans une autre section. L'inverse se produisait aussi.

— On n'a rien qu'à sacrer dehors quelques têtes brûlées! proposa Amédée. Les autres vont comprendre!

Joseph fit un signe de négation.

— J'ai consulté un avocat; on peut pas faire ça. Mais il m'a suggéré quelque chose de légal pour casser le syndicat.

Il exhiba la lettre que l'homme de loi avait rédigée; chaque employé qui la signerait s'engagerait à renoncer au syndicat. Après l'avoir lue et relue, les quatre frères se mirent d'accord pour entreprendre sur-le-champ une vaste campagne de «désyndicalisation».

Aidés par leur frère Louis, maire de Sainte-Marie, Joseph, Amédée, Paul et Benoît se rendirent au domicile de chacun des employés pour leur faire signer la lettre de renonciation, en exerçant sur eux d'énormes pressions. On faisait valoir que le syndicat ruinerait la compagnie et l'acculerait à la faillite. On rappelait les services rendus, les passe-droits accordés, toutes choses qui cesseraient avec l'adoption d'une convention collective. On affirmait que le syndicat avait beau se qualifier de catholique, il y avait toujours des communistes derrière ces organisations. Quand les appels à la raison et aux bons sentiments ne donnaient rien, tombait la menace :

— Signe, si tu veux garder ta *job*. Tous ceux et celles qui signeront pas vont se retrouver dehors.

Tous signèrent. Une fois le syndicat dissous, les choses redevinrent comme avant. Les frères Vachon dirigeaient leur entreprise à leur manière qu'ils ne savaient pas d'un autre temps, et les employés donnaient le meilleur d'eux-mêmes. Les affaires continuèrent de prospérer...

Joseph recommanda à Paul, sur le ton de la confidence :

— Surveille bien ton monde ; la gangrène, ça reprend des fois.

CHAPITRE DIX

— MAUDITES ÉLECTIONS! maugréa Yvon Paré, en grimpant l'escalier qui menait aux bureaux de la direction.

Il ne se trompait nullement sur la raison pour laquelle Joseph Vachon l'avait convoqué en ce mardi 10 juillet 1952, et les élections se tenaient le lundi suivant. C'était chaque fois la même chose : on se trouvait coincé entre Joseph, organisateur libéral, et Paul qui jouait le même rôle pour l'Union nationale. Il s'agissait de bien manœuvrer afin de ne pas perdre, ne fût-ce que temporairement, son emploi.

Les quatre frères Vachon s'étaient taillé chacun un petit royaume dans l'entreprise familiale, et ils réussissaient à maintenir un bon esprit d'équipe malgré certains accrochages qui survenaient de temps à autre. Cependant la politique les opposait et contribuait à renforcer ce qui les divisait en deux clans.

Dans toute la Beauce, on ne trouvait pas plus «rouge» que Joseph et Amédée, alors que Paul et Benoît étaient des «bleus» convaincus. En général, les employés de bureau, de même que ceux de la production et des achats, votaient pour l'Union nationale, à l'exemple de leurs patrons, Paul et Benoît. Tous les gens du transport et des ventes appuyaient, comme Joseph et Amédée, les libéraux.

Depuis une semaine, Joseph et Paul se promenaient dans la pâtisserie en disant tous les deux sensiblement la même chose aux contremaîtres, et assez fort pour que les employés entendent :

— Si je gagne pas mes élections lundi, ça va aller mal dans la cabane!

Les contremaîtres s'étaient présentés l'un après l'autre dans le bureau de Benoît pour lui confier leurs appréhensions devant ces menaces à peine voilées. Même s'il était unioniste, Benoît ne se mêlait pas de politique. Il n'avait pas une très haute opinion des politiciens, qu'il soupçonnait d'être avant tout intéressés à se servir eux-mêmes.

— Vote donc selon ta conscience, avait-il conseillé, et dis-le à personne. Au besoin, laisse entendre à Jos ou à Paul que t'as voté de son bord.

Les choses se compliquaient quand Joseph, abusant un peu de son titre de président, forçait la main aux employés de son frère Paul. Il lui arrivait même d'imposer à de fidèles partisans de l'Union nationale de travailler activement pour le Parti libéral. Voilà ce qui attendait Yvon Paré, il n'en avait aucun doute.

Il hésita avant de frapper à la porte du bureau de Joseph. Lui, un proche collaborateur de Paul et, comme lui, membre de l'Union nationale, se montrer au local des libéraux? Mais comment dire non à un patron, même quand on sait qu'on déplaira à un autre?

— Maudite politique, répéta-t-il entre ses dents serrées.

Joseph Vachon et son jeune frère avaient commencé à «s'occuper d'élections» en 1945. Pourtant, quelques années auparavant, les quatre frères avaient convenu de ne jamais se mêler activement de politique, afin d'éviter qu'elle ne les oppose les uns aux autres. Mais lorsque Joseph avait rompu l'entente pour appuyer le candidat libéral, Paul s'était mis au service de l'Union nationale.

Dans leur région, Joseph et Paul étaient ce que l'on appelait des «hommes pesants», des personnalités dont tout politicien rêvait d'avoir l'appui. Également dotés du sens de l'organisation et versés dans l'art de la persuasion, les deux frères s'étaient rapidement mis à remplir, chacun pour son parti, le rôle d'organisateur politique.

Voyant leurs patrons jouer ainsi sur deux tableaux, les employés de la pâtisserie les trouvaient bien habiles, car en dépit de sa popularité, Duplessis ne demeurerait pas éternellement au pouvoir. Ils se trompaient, car la pâtisserie ne tirait aucun avantage des activités partisanes de ses dirigeants. Aussi bien pour Joseph que pour Paul, la politique ne constituait qu'un jeu.

La plupart des amis de Joseph, tels Wilfrid Cliche, propriétaire d'un garage à Vallée-Jonction, et Robert Cliche, avocat et orateur truculent de Saint-Joseph, étaient membres actifs du Parti libéral. Ils se réunissaient au Club de Réforme, à Québec, pour discuter des idées avant-gardistes de leur chef, Georges-Émile Lapalme, et pour jouer aux cartes et prendre un verre.

Joseph contribuait largement à renflouer un parti depuis longtemps dans l'opposition, et il payait de sa poche le coût des activités libérales qui se déroulaient à Sainte-Marie. Il n'utilisait à cet effet que son argent personnel, jamais celui de la pâtisserie. Son aide pécuniaire, ses qualités de meneur d'hommes, sa connaissance de la province et la lucidité de ses analyses faisaient de lui un personnage important chez les libéraux.

Paul, au contraire, n'avait pas ses entrées dans l'entourage de Maurice Duplessis ou de son organisateur en chef. Il ne fréquentait pas non plus le Club Renaissance où se réunissaient les notables de l'Union nationale. En fait, Paul Vachon ne s'engageait dans la politique que durant les deux ou trois semaines précédant une élection. Il prenait alors des vacances pour se lancer corps et âme dans la lutte. Une fois son candidat élu, il réintégrait son bureau à la pâtisserie jusqu'aux élections suivantes.

— Entre, mon Yvon, dit Joseph. Prends le temps de t'asseoir. Qu'est-ce que tu penses des élections?

Par prudence, Yvon Paré répondit évasivement :

— Oh... Vous savez, monsieur Jos, moi la politique...

Connaissant l'allégeance de son employé, Joseph répliqua avec un sérieux qui masquait son amusement :

— Je suis bien content de voir que t'es pas comme certains qui sont teints en bleu et qui voteraient pour un poteau de téléphone si Duplessis leur disait que c'est son candidat.

Paré, qui roulait une cigarette, hocha simplement la tête. Joseph reprit :

— Tu vas travailler pour moi tous les soirs d'ici aux élections, pis toute la journée du vote.

— C'est que... Je suis pas en congé, ce lundi-là.

— Faire mes commissions ou faire des gâteaux, c'est du travail pareil.

— M. Paul...

— C'est moi le président! clama Joseph. Tu me l'enverras, ton M. Paul, s'il est pas content!

Yvon Paré savait que les choses n'étaient pas si simples et qu'il courait au-devant des ennuis.

— Va prendre ton millage et mets-moi ça sur un papier. Je te rembourserai tes dépenses. Après le souper, amène-toi au bureau du Parti libéral.

Désireux d'éviter les sautes d'humeur de Paul Vachon au lendemain des élections, Yvon Paré accumula des heures supplémentaires sans se les faire payer. Ainsi, il compenserait son absence du lundi suivant.

Le vendredi après-midi, Paul vint jaser de la pluie et du beau temps avec Yvon Paré. Puis il glissa, d'un air entendu :

— Yvon, comme tu le sais, lundi c'est la journée des élections. Faudrait que tu rappelles aux autres gars que c'est pas congé, hein! Tout le monde doit travailler, et ça veut dire *tout* le monde.

— C'est bien ce que j'ai dit à M. Jos. Mais il a besoin de moi comme chauffeur.

Paul eut l'air contrarié, Yvon Paré ajouta avec un clin d'œil :

—Conduire, c'est pas voter, monsieur Paul.

Ce dernier réfléchit un instant, puis sourit.

— Tu vas en voir des faces longues, lundi! Faudra que tu me racontes ça.

Joseph était tellement certain que la Beauce rejetterait enfin l'Union nationale de Duplessis, qu'il transportait une pleine caisse de bouteilles de gin dans le coffre de sa Cadillac. Ainsi, tous les travailleurs d'élection de son parti pourraient fêter leur victoire. Le lundi soir suivant, il déchanta. Même s'ils menaient dans les bureaux de vote de Sainte-Marie, les libéraux avaient été défaits aussi bien dans le comté que dans toute la province.

Pendant que Paul et ses hommes paradaient bruyamment dans les rues de Sainte-Marie, Joseph rageait. Il décida d'aller à Saint-Georges avec Mathilda, pour réconforter le docteur Louis Poulin, le candidat défait. À Vallée-Jonction, Wilfrid Cliche et sa femme se joignirent à eux. Yvon Paré, qui avait été chargé de conduire la Cadillac, se dit qu'il ne rentrerait pas avant le lendemain matin. Ce qui s'avéra exact.

De retour chez lui, Joseph dont le discours était hésitant, mais qui marchait bien droit, dit à Yvon :

— Va-t'en chez vous, couche-toi. Ta journée est payée.

Au lieu d'agir comme le demandait son patron, Yvon Paré fit sa toilette, mit son pantalon blanc et se rendit au travail comme d'habitude. Craignant que Paul ne tolère pas deux jours d'absence consécutifs, il avait dormi dans la Cadillac plutôt que de boire avec Joseph Vachon et les autres.

Vers onze heures, Joseph s'amena à la pâtisserie. Il ne donnait nullement l'impression d'avoir passé une nuit blanche, pas plus d'ailleurs que d'avoir perdu ses élections. Au passage, il apostropha son chauffeur d'une nuit :

— Qu'est-ce que je t'ai dit, ce matin ?

— J'ai de l'ouvrage, monsieur Jos, il faut que je le fasse. Les mariés attendront pas après leurs gâteaux de noce. C'est pour ça que je suis rentré. Mon *boss*, moi, c'est le client.

— Ouais ! tonna Joseph, qui ne pouvait qu'approuver cette attitude.

Il s'arrêta quelques pas plus loin, se retourna et pointa Yvon Paré d'un index menaçant :

— À l'avenir, quand je te dirai de rester chez vous, tu y resteras! Parce qu'autrement, tu pourrais bien y retourner avec tes timbres de chômage.

Au début de l'après-midi, Paul vint faire son tour au «département des chefs-d'œuvre» où se fabriquaient les gâteaux de noce, et y salua Yvon Paré. De toute évidence, il venait aux nouvelles. Son frère et lui évitaient de se croiser ce jour-là, car au lendemain d'une élection, pas question pour eux de se faire humilier ou de pavoiser. Il ironisa :

— T'as passé des bonnes vacances?

— J'étais pas le seul en vacances, répondit Yvon, d'un ton ironique. Hier, j'ai beaucoup vu Tit-Loup Giguère en ville!

Giguère, contremaître à la section de la production, était le bras droit de Paul et un chaud partisan de l'Union nationale. Un moment décontenancé, Paul eut un sourire malin.

— Parle-moi donc de tes amis libéraux... Paraîtrait que Joseph est allé pleurer à Saint-Georges?

Yvon Paré ne put résister à la tentation de se payer un peu la tête de son patron, sans en avoir l'air. Il dit innocemment :

— Je pense que M. Jos, Wilfrid Cliche et le docteur Poulin ont passé une assez bonne soirée, même s'ils ont perdu. Je les ai entendus rire en masse et dire que la prochaine fois, Duplessis prendrait son trou.

Paul haussa les épaules et tourna les talons.

* * *

Devant l'ampleur des problèmes quotidiens, la politique fut vite chose du passé. Chacun retournant à ses tâches, Joseph reprit le collier, en proie à des sentiments contradictoires.

Au départ, Joseph avait cru satisfaire ses ambitions. Maintenant qu'il tenait les rênes, il se rendait compte qu'il n'avait pas atteint les buts qu'il s'était fixés et que l'exercice du pouvoir l'éloignait même de tout ce qu'un être normal peut rechercher. Être un homme respecté et craint? S'enrichir? Bâtir une entreprise qui force l'admiration? Rien de tout cela. Il se découvrait serviteur de l'entreprise, moins libre que le dernier manutentionnaire.

C'était comme si la pâtisserie avait possédé une volonté propre et dirigé toute sa vie, l'avait obligé à développer une vision d'avenir, une stratégie à long terme. Chacune de ses actions devenait un coup qu'il jouait dans une partie qui ne finissait jamais, et Joseph éprouvait souvent le sentiment de dépasser les limites que le destin lui avait tracées.

Ces pensées lui venaient parfois lorsqu'il était en voiture, par exemple quand Honorius Cloutier le conduisait à Rimouski, en Abitibi ou à Valleyfield, pour lui présenter de nouveaux vendeurs ou lui permettre d'inspecter une nouvelle «route». Mais Joseph n'osait pas confier ces idées à son ami, craignant de paraître ridicule. Qui pourrait le comprendre? Tout cela n'était peut-être qu'idées folles.

— Pourquoi tu travailles? demanda-t-il un jour à Honorius que la question étonna.

— Faut bien gagner sa vie!

— Mais si t'avais tout l'argent qu'il te faut? Tu resterais chez vous à rien faire?

De plus en plus intrigué, Honorius regarda son patron du coin de l'œil.

— Bien non, je m'ennuirais à me tourner les pouces! Je pense que je me lancerais en affaires.

— Pourquoi? Pour avoir plus d'argent? Pour avoir du monde à mener?

Honorius fixa la route en fronçant les sourcils. Au bout d'un moment, il répondit :

— Bien... Pour me changer les idées, pour m'amuser, je pense.

Le visage de Joseph s'illumina.

— Du plaisir! Tu veux dire que ce serait comme un jeu pour toi, être en affaires?

Honorius ne savait plus que penser de l'attitude de Joseph. Ces phrases en l'air, ça ne lui ressemblait pas, lui si pragmatique. Où voulait-il en venir? Était-ce une sorte de test? Un homme de la trempe d'Honorius n'était jamais à court de ressources quand une conversation devenait dérangeante.

— C'est à toi que tu devrais poser la question, Jos. T'es riche, pis tu continues à travailler.

— J'ai un bon salaire, c'est vrai, mais je suis pas riche.

— Si toi et tes frères vous réinvestissiez pas tous les profits dans la compagnie, vous seriez riches. Si tu vendais Vachon et Fils, tu serais riche, Jos. Alors, pourquoi tu continues?

Joseph fit une moue et regarda les ormes qui défilaient le long de la route menant de Marieville à Rougemont. Satisfait de sa manœuvre, Honorius souriait. Il demanda encore :

— Veux-tu me dire pourquoi t'es arrêté tantôt saluer le patron de la petite binerie au bord de la route? S'il vend pour cent piastres de tes gâteaux par année, c'est beau. Cent piastres sur trois millions et demi!

— La binerie, c'est une brique de l'édifice Vachon, répondit Joseph d'un ton évasif.

Vendre plus de gâteaux, établir de nouvelles «routes», construire de nouveaux entrepôts, grossir encore et encore, tout cela faisait partie du jeu. Mais ce jeu, Joseph ne pouvait s'y adonner en restant isolé dans son bureau comme le faisaient certains grands financiers, simplement en déplaçant des pions. Il était un homme de terrain, il devait mettre la main à la pâte. Surtout, il n'oubliait jamais qu'il jouait grâce à des partenaires dont le seul but était d'assurer leur pain quotidien.

Ces hommes et ces femmes, Joseph les aimait comme un père aime ses enfants. Et il les respectait. Pour lui, aucun de ses employés n'était ni moins grand ni moins important que les hommes d'affaires, les industriels et les politiciens qu'il fréquentait. Tout d'une pièce, Joseph demeurait le même en présence de son ami, le financier Jean-Louis Lévesque, ou de Sébastien Bourbonnais, représentant de J. A. Vachon à Rouyn.

Plusieurs fois dans l'année, Joseph Vachon voyageait à travers le Québec, l'Ontario et les Maritimes afin de rencontrer ses représentants et ses vendeurs. Il connaissait tous les hôteliers de la province chez qui il logeait alors, et la plupart des épiciers qui vendaient les produits Vachon. Autant d'informateurs qui le tenaient au courant des manœuvres de leurs concurrents, mais aussi des problèmes survenant dans son propre réseau de distribution. Amédée et Honorius s'étonnaient souvent qu'il apprenne certaines choses bien avant eux.

Quand il demeurait quelques jours à son bureau de Sainte-Marie, Joseph passait donc une partie de son temps au téléphone à recueillir des informations sur chaque région. Grâce à sa formidable mémoire et à son esprit de synthèse, Joseph possédait en tout temps un portrait global de la situation de son entreprise. Même le montant des ventes à chaque entrepôt, et jusqu'aux problèmes personnels de tel ou tel représentant.

Dès que quelque chose clochait, Joseph joignait Honorius Cloutier par téléphone, puisqu'il connaissait toujours ses déplacements.

— Honorius? Albert Savard est sur la balloune depuis douze heures à Roberval. Mets-le à la porte!

Cloutier se trouvait peut-être alors à Hull, à Val-d'Or ou à Moncton. Il sautait dans sa voiture et filait au Lac-Saint-Jean pour régler ce problème et trouver un autre vendeur. Il avait beau les choisir avec soin, il n'avait jamais la certitude d'embaucher des anges. Et puis, nul homme n'est à l'abri des faiblesses. Les problèmes venaient souvent du mélange de l'alcool, des femmes et du jeu. Une fois sur place, Honorius confessait son malheureux vendeur et tentait de récupérer l'argent que ce dernier devait à la compagnie. Il dénichait ensuite un nouveau représentant et consacrait une semaine ou deux à lui enseigner la méthode de vente Cloutier et la philosophie du service Vachon.

Parfois, Joseph le chargeait d'une tâche encore plus délicate, soit servir d'arbitre entre un gérant de succursale et ses vendeurs mécontents. Honorius disposait alors de tous les pouvoirs et prenait les mesures qu'il jugeait nécessaires au retour de l'harmonie dans le territoire mis en péril par une dispute.

À mesure que le réseau s'agrandissait, il fallait établir des succursales comprenant bureaux et entrepôts.

Après avoir loué temporairement des locaux modestes, Joseph voulait constituer un réseau permanent de succursales. Dès que lui ou Amédée avaient décidé de l'endroit le plus favorable, il incombait à Honorius de dénicher le meilleur terrain, au meilleur prix possible. Ce fin renard connaissait aussi bien le métier d'acheteur que celui de vendeur.

Quand Joseph lui donna le mandat d'implanter une succursale importante à Rimouski, Cloutier trouva un emplacement exceptionnel. Il s'agissait d'un terrain situé boulevard Saint-Germain, à l'entrée ouest de la ville, au détour de la route où se faisait toute la circulation entre Lévis et la Gaspésie. Avec l'affluence des touristes venant de Montréal ou d'ailleurs pour effectuer le tour de la péninsule gaspésienne, un entrepôt Vachon à cet endroit offrait un immense potentiel publicitaire.

L'emplacement convoité appartenait à une veuve dont le fils était ivre à longueur d'année. Or sans la signature de son fils, à un moment où il aurait les idées claires, la veuve refusait de vendre. Honorius prit les grands moyens : séquestrer le jeune homme pour l'empêcher de se soûler.

Un soir, juste après le souper, Cloutier le fit monter dans son automobile sous la fallacieuse promesse de «virer une brosse» et il le promena sur les routes de campagne, arrêtant ici et là pour lui offrir un verre, mais repartant aussitôt après la première consommation. Comme les débits de boissons étaient distants les uns des autres, le garçon n'avait pas le temps de s'enivrer. Au milieu de la nuit, Honorius téléphona à Joseph qui attendait depuis deux jours dans un hôtel où il avait en quelque sorte établi son bureau.

— Demain matin, notre homme sera lucide.

Tel que prévu, le contrat fut signé à neuf heures, à la plus grande satisfaction de tous. Joseph était heureux...

et sobre lui aussi. Quand cela était nécessaire, il pouvait rester plusieurs jours, sinon des semaines, sans consommer une seule goutte d'alcool.

En effet, Joseph buvait parfois plus que de raison. Il prenait alors la précaution de s'éloigner de Sainte-Marie afin que ni Mathilda ni les enfants ne soient témoins de son état. En voyage, il lui arrivait de s'installer à un bar et de vider des bouteilles, en payant la traite à tous ceux qui l'entouraient. Les lendemains étaient pénibles, pas tant à cause du mal de tête et de la gueule de bois que du remords. Un intense sentiment de culpabilité le tenaillait, et il ne parvenait à s'en libérer qu'au bout de plusieurs heures. Il se promettait de ne plus recommencer, mais cette promesse il l'avait brisée tant de fois déjà...

Cet aspect de sa personne lui demeurait incompréhensible et l'inquiétait. Pourquoi ces cuites, alors qu'il n'avait rien à oublier, à «noyer», alors qu'il se considérait comme un homme comblé par la vie? Lui venait parfois l'image d'une bouilloire dont la valve de sûreté aurait sauté afin de laisser échapper un trop-plein de vapeur. Il oubliait ainsi la pâtisserie, il n'était plus que lui-même, un homme avec ses rêves et ses peurs.

Quelques heures d'angoisse et de remords, puis Joseph se remettait à vivre comme si de rien n'était. Il redevenait l'homme d'affaires au jugement sûr et aux décisions rapides. Mais il avait hâte de rentrer à Sainte-Marie, de se retrouver auprès de sa Mathilda, si douce et si attentionnée.

* * *

— Monsieur Jos, ça va être impossible de la sortir d'ici.

Joseph émit un grognement à l'adresse de Lucien Roy qui s'inquiétait.

— Casse-toi pas la tête avec ça!

Dans le sous-sol au plafond bas de la pâtisserie, Joseph observait avec fierté la machine qu'il avait conçue l'année précédente. Capable de confectionner presque automatiquement le carré Caramel, elle ferait passer de cent vingt-cinq à dix seulement, le nombre d'employés affectés à la fabrication de ce gâteau. Et ces employés n'auraient plus à toucher au produit, n'ayant qu'à vérifier le bon fonctionnement de la chaîne.

— Mais j'ai tout mesuré, insista Lucien Roy, je vous assure que...

Joseph lui signifia de ne pas se tracasser.

— Quand viendra le temps, on la sortira bien d'ici.

En raison de la taille et de la complexité de l'appareil, on en avait confié la construction à un atelier spécialisé de Québec. Certains défauts de fonctionnement avaient convaincu Joseph de descendre la nouvelle machine au sous-sol afin de l'améliorer. Il s'était attelé à cette tâche avec Lucien Roy, un «patenteux» comme lui, qui travaillait d'instinct et souvent par tâtonnement. On avait perfectionné le système de vis sans fin qui déposait sur le gâteau une couronne de crème épaisse où se nichait le caramel. Avec le modèle original, une fois que les gâteaux étaient garnis, on les retirait à la main pour les déposer sur une courroie qui les transportait au refroidisseur. Par la suite, un système de sabot et de râteau avait été mis au point pour éviter cette manipulation.

— C'est vrai qu'elle commence à être grosse, murmura Joseph qui venait d'en faire le tour à pas lents.

Il y avait presque un an qu'on l'améliorait, et d'ajout en ajout, la machine avait pris des proportions imposantes. Lucien Roy revint à la charge.

— Je vous l'ai dit, monsieur Jos. On pourra jamais la sortir de la cave. Comptez pas sur moi pour la couper et la ressouder une fois en haut, c'est trop délicat comme mécanique.

Joseph eut un geste d'impatience.

— Fais-la partir, que je voie aller ton système de sabot.

Le mécanicien mit l'appareil en marche, et Joseph constata tout de suite que quelque chose n'allait pas.

— Je pense que j'ai fait trop de dents à cette roue d'engrenage, dit Lucien d'un ton piteux. J'ai de la misère avec les fractions.

Joseph lui tapota l'épaule.

— C'est pas grave mon Lucien. On va en fabriquer une autre tout de suite.

— Vous voulez dire après le souper? demanda le mécanicien qui montra d'un signe de tête l'horloge murale indiquant dix-huit heures.

— Le souper peut bien attendre, on en a pour une petite heure. Mange une couple de Joe-Louis si t'as faim!

Joseph retira son veston et sa cravate, roula les manches de sa chemise blanche. Pendant qu'il installait un morceau de métal sur le tour, Paul arriva à l'atelier de mécanique. Il jeta un coup d'œil au sabot nouvellement installé.

— Ça ne marche pas encore? demanda-t-il avec un sourire narquois. J'ai rencontré un acheteur de ferraille qui serait intéressé!

— C'est ça, répliqua Joseph, irrité. Vends-lui donc ta graisseuse de moules qui a jamais fonctionné! Ça fera une traînerie de moins...

Paul haussa les épaules et fit mine d'admirer la machine à Caramel.

Joseph et Paul avaient en commun la passion de la mécanique, et des dons d'inventeurs. Dès le début de la guerre, ils avaient installé au sous-sol de l'usine un atelier où l'on réparait l'équipement, adaptait des appareils aux besoins spécifiques de la pâtisserie et fabriquait les machines dont ils avaient eux-mêmes conçu les plans. Ils parvenaient ainsi à doter la pâtisserie d'appareils dont le coût d'achat était trop élevé, ou qui tout simplement n'existaient pas sur le marché.

Après leur journée de travail, les deux frères passaient souvent la soirée dans cet atelier, aussi habiles l'un que l'autre à opérer les machines-outils. Une émulation régnait entre eux et chacun dessinait en secret les plans de sa plus récente invention.

Quand, vers vingt et une heures, Paul fut convaincu qu'ils pourraient procéder le soir même à l'essai de l'appareil, il monta au rez-de-chaussée et alluma un four afin de cuire des gâteaux. Tandis que Joseph et Lucien effectuaient une dernière vérification des mécanismes, Paul remplit les réservoirs de crème et de caramel.

Enfin arriva le moment de vérité. Quelques ajustements, afin que la couronne de crème soit parfaitement circulaire, un dernier réglage de la quantité de caramel, et voilà, la machine fonctionnait à merveille. Joseph, qui s'était juré qu'elle serait prête avant le début de 1953, poussa un hurlement de joie et, en riant très fort, il serra la main de Paul et celle de Lucien.

— La seule et unique machine à Caramel du monde! Vous voyez, y a rien d'impossible quand on veut vraiment.

— On la déménage en haut dès demain, lança Paul qui voyait déjà comment il réorganiserait la production.

Cette machine libérerait une centaine d'employés qu'il pourrait affecter à de nouvelles tâches.

— Je voudrais pas gâcher votre joie, dit Lucien Roy, mais... comment on va la sortir d'ici?

Joseph haussa les épaules et répondit avec un sourire :

— On va défoncer !

Il fallut démanteler un mur de béton et de brique ainsi qu'un bout de plancher afin de hisser la machine à Caramel au rez-de-chaussée, à l'aide de palans et d'une grue placée à l'extérieur de l'édifice. Cela demanda toute une journée de travail. La mise en marche attira les employés curieux de voir un appareil qui, plus vite qu'eux, fabriquait des gâteaux plus uniformes et plus beaux.

— C'est une nouvelle époque qui commence, déclara Joseph en posant la main sur l'épaule de Paul. Tu sais ce qu'il nous reste à faire?

— Oui. Inventer d'autres machines qui se chargeront des tâches répétitives.

— Exactement.

— Un jour, dit Paul d'une voix sentencieuse et en balayant la pâtisserie d'un geste du bras, tout se fera automatiquement. On ne touchera aux gâteaux que lorsqu'ils seront emballés.

Des employées qui l'entendirent se mirent à craindre pour leurs emplois. L'une d'elle souffla à ses compagnes :

— On aurait dû garder notre syndicat, l'année dernière.

CHAPITRE 11

LA CADILLAC s'arrêta devant l'hôtel Windsor dont la façade illuminée se reflétait sur l'asphalte mouillé de la rue Peel. Joseph Vachon se pencha vers l'avant pour parler à Gérard Cliche, son chauffeur :

— As-tu dix piastres à me passer?

Habitué à l'imprévoyance de son patron qui se promenait souvent sans un sou en poche, Cliche avait déjà préparé la somme en coupures de un et de deux dollars. Cet argent permettrait à Joseph de distribuer des pourboires; la note d'hôtel serait postée.

— Si vous aviez pas besoin de moi, monsieur Jos, je parquerais la Cadillac et j'irais voir mon cousin.

— Tu vas y aller comment?

— Avec les petits chars.

— Pourquoi les petits quand t'en conduis un gros? Prends mon char, voyons! Mais oublie pas qu'à sept heures, demain matin, faut que tu me conduises à l'entrepôt.

Depuis déjà quelques instants, le portier du Windsor tenait ouverte la portière de la Cadillac.

— Bonjour, monsieur Vachon, dit-il quand Joseph descendit de la voiture. Vous avez fait un bon voyage? La santé est bonne?

— Oui, merci, répondit Joseph qui, une fois descendu, coiffa son chapeau de cow-boy. Et toi, Michel, la famille?

— Numéro un, monsieur Vachon. Si le printemps peut arriver pour de bon...

Le portier prit la valise de cuir brun que tenait son client et fit signe à un jeune chasseur. Faisant toujours tout lui-même, Joseph n'avait pas encore perdu l'habitude de porter ses bagages, même si, depuis quatre ans, il descendait à l'hôtel Windsor presque chaque semaine. Le personnel appréciait ce Beauceron au visage rubicond qui se souvenait du nom de chacun et distribuait de généreux pourboires. Il rendait cependant les employés un peu mal à l'aise en les traitant comme s'ils étaient ses égaux.

Malgré la présence de nombreuses personnes dans la rotonde de l'entrée principale, il y régnait une atmosphère feutrée. On n'entendait qu'un brouhaha lointain venant des salons où se donnaient de fastueuses réceptions.

— *Do you have a reservation, sir*? demanda avec un fort accent de francophone, un employé de la réception.

Joseph le regarda avec étonnement et constata qu'il s'agissait d'un nouveau. Le caissier arriva précipitamment.

— Je suis désolé, monsieur Vachon.

Il se tourna vers son collègue et dit, d'un ton ferme :

— M. Vachon n'a pas besoin de réserver. Il y a toujours une chambre pour lui, quels que soit le jour et l'heure.

Joseph laissa finalement sa valise au chasseur qui la porterait dans sa chambre, et se dirigea vers le grand escalier de marbre qui conduisait au premier étage. Là, il emprunta le corridor bordé de colonnes qui le mena à la salle à manger assez vaste pour accueillir six cents convives sous ses coupoles et ses magnifiques lustres de cristal. Le luxe de ces lieux qui avaient accueilli tant de têtes couronnées, de chefs d'État et de personnages célèbres n'impressionnait nullement Joseph. Il s'y sentait aussi à l'aise qu'à l'Hôtel central d'Amos ou au Château Vachon, propriété de son frère Amédée.

Depuis qu'en 1950 il avait entrepris la conquête de l'immense marché que constituait Montréal, Joseph avait fait de l'hôtel Windsor son quartier général. Dans ses bars et ses salons, il rencontrait souvent des amis libéraux et des hommes d'affaires qu'il avait connus aux réunions de l'Association professionnelle des industriels, où il faisait partie du conseil de direction depuis 1953.

Le maître d'hôtel salua ce client qu'il connaissait bien et le guida vers la table où se trouvait déjà l'abbé Gadbois. Chemin faisant, Joseph s'arrêta pour serrer la main à Jean-Louis Lévesque qui était attablé en compagnie de deux autres personnes.

— Voulez-vous vous joindre à nous, monsieur Vachon? demanda l'homme d'affaires qui, à travers son holding, gouvernait un véritable empire financier et manufacturier.

— C'est bien aimable à vous, monsieur Lévesque, mais on m'attend déjà. On se reprendra.

Au fil de rencontres occasionnelles, les deux hommes avaient appris à se connaître; ils avaient du respect l'un pour l'autre, une espèce d'admiration réciproque. Jean-Louis Lévesque présenta à Joseph ses compagnons de table, les frères Adrien et Gérard Miron, des entrepreneurs dont les activités dans le domaine de la construction s'étendaient à toute la province.

Après avoir pris congé d'eux, Joseph emboîta le pas au maître d'hôtel qui l'avait attendu un peu à l'écart. L'abbé Charles-Émile Gadbois avait déjà commandé un verre de gin pour Joseph, en guise d'apéritif. Ils parlèrent de la pluie et du beau temps, puis l'abbé commenta longuement les derniers succès de la pâtisserie Vachon. Joseph comprit que le fondateur de l'œuvre de *La Bonne Chanson* en venait lentement au but de cette rencontre.

— Il faut consolider ce succès par de la publicité, monsieur Vachon.

— Monsieur l'abbé, ma devise a toujours été : la qualité, le service et les prix passent avant la publicité.

Il expliqua qu'à part de rares annonces dans des journaux et des revues, qui souvent tenaient lieu de souscription à une bonne cause, la maison Vachon avait adopté en guise de publicité, la distribution gratuite de gâteaux — parfois jusqu'à douze mille en une seule journée — lors de fêtes civiles ou religieuses, ou encore d'événements sportifs.

— Nous avons aussi un kiosque pour les expositions régionales. Il a coûté cher, et il est si grand qu'il faut une semi-remorque pour le transporter.

C'est Joseph lui-même qui, avec son frère Amédée et Honorius Cloutier, se chargeait de l'animation au stand qui attirait des milliers de visiteurs.

— Cela ne suffit plus monsieur Vachon, insista l'abbé Gadbois d'un ton convaincant. Maintenant que vos produits sont en vente partout, il faut les faire connaître davantage de tous les acheteurs potentiels.

Joseph approuva d'un signe de tête.

— C'est vrai qu'à Montréal le bouche à oreille ne fonctionne pas autant qu'à la campagne et dans les petites villes. Il va falloir employer des moyens nouveaux.

— Monsieur Vachon, la radio se trouve dans tous les foyers. Il n'y a pas une ménagère qui n'écoute les radio-romans et les chansonnettes en vaquant au soin de sa maison. La publicité à la radio vous permettra de vous adresser à toutes les mères de famille; ce sont elles qui choisissent la nourriture à l'épicerie.

Bien sûr, les propos de l'abbé Gadbois n'étaient pas totalement désintéressés. Grâce aux profits tirés de *La Bonne Chanson*, il venait de fonder avec son frère la station de radio CJMS. Il voulait l'inaugurer le 18 avril 1954, en proposant un grand concours appelé «Vive la Canadienne», où seraient distribués mille dollars par jour pendant un an.

— Avec sa puissance de cinq mille watts, CJMS sera entendue dans la grande région de Montréal, et jusqu'à Saint-Jérôme, Hull, Saint-Hyacinthe, Trois-Rivières et Valleyfield. Songez-y, monsieur Vachon, nous nous adresserons ainsi à la moitié de la population du Québec ou presque.

Avant la fin du repas, Joseph avait décidé d'associer sa maison au succès de *La Bonne Chanson* et à celui, prévisible, de la nouvelle station de radio. Il ne lui restait plus qu'à expliquer à ses frères ce changement de cap radical en matière de publicité. Ce ne serait pas facile, car comme cela se produisait souvent, l'instinct avait joué un grand rôle dans cette décision. Il avait senti que le moment était propice. Les trois autres devraient lui faire confiance.

Le lendemain matin, Joseph arriva à l'entrepôt en même temps que le gérant, Jean Samson. Devant une carte murale de la région métropolitaine, les deux hommes discutèrent de l'établissement de deux nouvelles «routes», ce qui porterait à vingt-quatre le nombre de camions Vachon sillonnant les rues de Montréal. Joseph s'exclama alors avec fierté :

— Dire qu'il y a quatre ans, on n'en avait pas un seul ici! Tout le travail était confié à des revendeurs. On a fait du bon travail, mon Jean.

— Mais c'est pas encore fini, monsieur Jos.

— Ça sera jamais fini! La journée où tu ralentis, il y a quelqu'un qui te dépasse.

Joseph avait toujours caressé le projet de conquérir la ville. Il avait d'abord visé Québec, puis une fois son réseau bien établi dans la capitale, il s'était attaqué à la métropole. La formation d'une équipe de vente stable et efficace avait demandé plusieurs mois.

Beaucoup de nouveaux vendeurs n'avaient pas tenu longtemps, car le travail était plus exigeant qu'ils ne l'avaient cru. Percer dans un marché déjà bien servi par les concurrents se révélait une tâche ingrate. Chaque semaine, Joseph avait rencontré ses représentants à Montréal afin de maintenir un bon moral, de leur enseigner la patience.

— Rome s'est pas bâtie en un jour! La semaine passée, on a vendu pour trois cents piastres de plus que la semaine d'avant. Vous me direz que c'est pas grand-chose... mais c'est ça de moins que Stuart et POM ont vendu! À ce rythme-là, au bout d'un an on aurait augmenté nos ventes de quinze mille piastres par semaine.

Mois après mois, année après année, ce travail patient permettait à la pâtisserie Vachon d'accaparer une part croissante du marché de Montréal et de sa banlieue. Pour Joseph, la partie était en passe de réussir et depuis l'année précédente, il s'attaquait au marché de Toronto, fief de la compagnie Christie Brown. Modestes débuts : Vachon ne possédait là que deux vieux camions et deux employés, dont le gérant, Howard Forgie. Les ventes hebdomadaires y plafonnaient à cinq cents dollars.

Après avoir donné son accord à Jean Samson pour l'établissement des «routes», Joseph se promena au milieu des chauffeurs qui chargeaient leurs camions. Il échangeait quelques mots avec l'un, en aidait un autre à empiler des boîtes de gâteaux. Et les vendeurs lui rapportaient des commentaires de clients à propos des produits, l'informaient des manœuvres des concurrents.

— Je vais aller avec toi, dit Joseph à Réjean Lapointe, un vendeur qui n'était à l'emploi de Vachon que depuis trois semaines.

Le jeune homme parut surpris et hésita un peu avant de répondre, intimidé :

— Bien sûr, monsieur Vachon.

— Appelle-moi Jos.

— D'accord, monsieur Jos.

Il arrivait souvent à Joseph de monter dans un camion et d'accompagner un vendeur dans sa tournée, autant pour juger son travail et lui donner des trucs, que pour tâter le pouls de la clientèle.

Le camion recula dans la cour où les ornières creusées la veille dans la neige fondante avait gelé durant la nuit. Les petites rues étaient glacées et le jeune vendeur conduisait avec prudence. Tandis que le camion roulait sur l'avenue du Mont-Royal en direction du quartier Mile End, les deux mains sur le volant, il fumait sans que jamais la cigarette quitte ses lèvres.

— Marié? demanda Joseph.

— Pas encore. Mais avec un bon emploi comme celui que j'ai, je vais pouvoir marier ma Lorette l'an prochain.

— Tant qu'un gars est travaillant et honnête, il garde sa *job* chez Vachon. Il y a des employés qui sont avec nous autres depuis vingt ans.

Joseph observait les gens qui faisaient la queue aux arrêts de tramway. La plupart d'entre eux portaient une boîte ou un sac contenant leur lunch. Réjean suivit le regard de son patron :

— Je sais pas si vous vous dites comme moi, monsieur Jos? Si chacun avait un petit gâteau Vachon dans sa boîte, ça en ferait des ventes au bout de la semaine!

Joseph sourit, car il pensait exactement la même chose. Il demanda :

— Tu restes chez tes parents?

— Oui.

— Ta mère écoute la radio?

— C't'affaire! Tout le monde écoute la radio, monsieur Jos. *Rue principale*, *Je vous ai tant aimé*, *Les joyeux troubadours...*

Quand Joseph interrogea son vendeur à propos de la publicité diffusée à la radio, Réjean Lapointe lui chantonna spontanément les slogans de la soupe Aylmer, du thé Salada et de Jell-O.

— Si on annonçait les gâteaux Vachon à la radio, tu penses que t'en vendrais plus?

Le visage du jeune vendeur s'épanouit :

— Nos petits gâteaux à la radio? C'est sûr que les ventes seraient encore meilleures, monsieur Jos! Quand est-ce que vous allez commencer?

— Ça, pour le moment, c'est un secret. Mais t'en entendras parler bientôt.

Ils roulèrent encore un peu au milieu de la circulation qui devenait plus dense. Joseph dit encore :

— C'est bien beau des annonces, mais ça ne remplacera jamais un bon service. Le service, c'est aussi important que la qualité des produits. Faut que tes clients apprennent qu'ils peuvent se fier sur toi, mon Réjean. Passe au moins une fois par semaine, le même jour, à la même heure. Enlève toujours tous les invendus, fais des beaux étalages. Faut que tes clients sentent qu'ils sont importants pour toi, que tu cherches à leur faire faire des profits à eux autres aussi.

Le jeune homme approuvait avec sérieux, mais intérieurement il s'amusait, parce que Honorius Cloutier et Amédée Vachon lui avaient déjà dit à peu près la même chose.

Lorsqu'ils s'arrêtaient dans un magasin ou dans un restaurant, le vendeur présentait Joseph au patron heureux de voir que le président de J. A. Vachon et Fils se donnait la peine de venir le saluer. Par sa simplicité et l'intérêt sincère qu'il manifestait, Joseph avait tôt fait de mettre le marchand à l'aise. Bientôt ils discutaient comme l'auraient fait de vieilles connaissances.

Quand sonna midi, Joseph invita Réjean Lapointe à manger dans un casse-croûte de la rue Saint-Laurent. Pendant qu'ils mordaient dans leurs hot dogs, Joseph fit remarquer à son vendeur :

— J'ai étudié la route qu'on faisait cet avant-midi. Tu l'as prise à l'envers. Des détours inutiles.

— C'est à l'envers, vous avez raison, monsieur Jos. Mais c'est pas inutile.

Le jeune homme mordit dans son hot dog et mâcha lentement, un sourire énigmatique aux lèvres. Il reprit enfin :

— J'ai réglé ma route sur celle du représentant de Stuart. Je passe derrière lui, parce que autrement, il enterre mes boîtes de gâteaux sous les siennes. Comme ça, je peux mettre mon stock bien en évidence : le Joe-Louis en avant du May West.

Joseph éclata de rire et tapa l'épaule de son vendeur :

— Continue comme ça, mon petit gars, et tu iras loin. Ton gâteau de noce, tu vas l'avoir en cadeau.

* * *

Dans son bureau dont les fenêtres donnaient sur la rivière gonflée par la crue printanière, Joseph signait des lettres ronéotypées. Sur chacune il avait ajouté un petit mot personnel manuscrit.

Cette missive s'adressait aux vendeurs des régions où émettrait CJMS, la nouvelle station de radio. Joseph leur annonçait le concours «Vive la Canadienne» et la commandite de Vachon, une publicité qui ne pouvait que multiplier les ventes. Il en profitait pour recommander à chacun de bien servir les restaurants saisonniers qui s'échelonneraient le long des routes de la province durant l'été. Il concluait en ces termes : «Plusieurs de ces restaurants ne sont ouverts que pendant deux ou trois mois. Il n'y a donc pas de temps à perdre.»

— Annoncer les produits Vachon à la radio! dit Amédée, assis devant lui. Maman aurait jamais pu imaginer qu'on en arrive là.

— Si ça marche comme je le pense avec CJMS, on annoncera aussi à la radio dans d'autres villes. Pis un jour, ça sera peut-être à la télévision.

Croyant à une plaisanterie, Amédée rit de bon cœur. Joseph demeura sérieux et ajouta, en déposant sa plume :

— C'est une nouvelle époque qui commence, Médée. Au Québec, en tout cas, on achève de s'étendre géographiquement. Avec nos routes et nos succursales, on est partout. Maintenant qu'on occupe le territoire, faut le travailler en profondeur, aller chercher tous les clients qu'on peut. Faut aussi moderniser nos façons de faire.

— Qu'est-ce que tu veux dire, au juste?

— On pourra pas continuer juste tous les quatre à voir à tout. Ça nous prendra avant longtemps des bons hommes pour nous seconder, des hommes de talent, des spécialistes.

— Des «pelteux de nuages»? demanda Amédée, en reprenant l'expression du premier ministre Duplessis.

Derrière cette blague, Joseph devinait l'inquiétude de son frère. Des gens diplômés, mais sans expérience dans la compagnie? Des craintes semblables à celles d'Amédée avaient traversé l'esprit de Joseph, vite repoussées cependant par la certitude que personne ne pouvait faire aussi bien que lui. La croissance constante de l'entreprise en témoignait éloquemment. Il était président parce que seul en mesure d'assumer cette fonction. Ces hommes, qu'il engagerait pour leur confier des postes de responsabilité, seraient *ses* hommes au même titre que les représentants, les camionneurs et les pâtissiers.

— Ils ne prendront pas ta place, Médée. Ils ne te diront pas quoi faire. Il y a juste moi qui a le droit de te dire quoi faire.

— Et ma Mirza! ajouta Amédée en riant. Mais dis-moi, Joseph, à quoi tu penses quand tu parles de gens instruits? Pour faire quoi?

— Pour commencer, ça nous prendrait un directeur du personnel.

— Voyons! Benoît fait bien sa *job*.

— Je dis pas le contraire, mais il en a trop sur les épaules pour voir à tout. Les finances, les achats...

Amédée se frotta le menton.

— Tapèche! Benoît va croire que tu mets quelqu'un à sa place pour tout mener. Paul non plus aimera pas ça que des étrangers aient trop de pouvoir. Es-tu sûr qu'on peut pas continuer seulement tous les quatre?

Joseph rassura son frère.

— Je sais ce que je fais, tu peux me croire. Ça se peut que les deux jeunes aient peur un peu. C'est pour ça que j'ai besoin que tu m'appuies sans réserve, Amédée. Je compte sur toi.

— C'est toi le patron.

* * *

Durant les trois jours où Amédée Vachon fut exposé dans sa maison de la rue des Érables, à Sainte-Marie, plusieurs personnes qui vinrent se recueillir devant le cercueil firent des révélations à Émériza, sa femme.

— Amédée m'a prêté quatre mille piastres quand j'ai été sur le bord de faire faillite. Je vais vous les remettre, sans faute.

Un autre disait:

— Ça va peut-être prendre du temps, mais vous allez tout ravoir, jusqu'au dernier sou.

Ces gens promettaient de respecter leurs engagements envers Amédée, même si aucun papier n'avait été signé. Ils auraient pu taire leur dette; mais aucun toutefois n'avait le cœur de faire cela à un tel ami. Émériza savait son mari généreux, mais pas à ce point. Amédée n'avait jamais dit un mot sur les nombreux prêts qu'il consentait à des gens qui étaient aux prises avec des difficultés, ou même à certains qui désiraient se lancer en affaires. Quant aux dons, il s'efforçait de les oublier aussitôt. Il affirmait parfois : «Un homme généreux qui a trop de mémoire, c'est un pharisien!»

Leur fille Noëlla tendit à sa mère un petit carnet noir.

— Papa me l'a donné deux jours avant de mourir pour que je vous le remette.

— Sais-tu ce qu'il contient? demanda Émériza qui n'osait l'ouvrir.

— Papa y inscrivait le nom de ceux à qui il prêtait de l'argent et le montant de leur dette.

Les larmes aux yeux, la veuve feuilleta le carnet. Au lieu d'être étonnée du nombre et de l'identité des débiteurs, elle fut émue de retrouver les gribouillis d'Amédée et elle l'imagina en train d'écrire ces mots.

— Papa a dit de laisser ces gens tranquilles, de ne pas chercher à vous faire rembourser.

— C'est bien le genre d'Amédée, soupira Émériza, en essuyant ses larmes. Un cœur d'or! Un homme comme ton père, ça ne court pas les rues, ma petite fille.

Noëlla étreignit sa mère.

Au service funèbre d'Amédée Vachon, l'assistance fut si nombreuse qu'il s'avéra impossible d'accueillir tout le monde à l'intérieur de l'église qui pourtant pouvait contenir mille deux cents personnes. Un cortège de cent cinquante voitures accompagna la dépouille mortelle au cimetière.

Tout s'était passé tellement vite! Amédée avait expulsé un fauteur de troubles du Château Vachon, un de ses deux hôtels. Pour être certain qu'il parte, il l'avait accompagné à l'extérieur. Désireux de se venger, le client malfaisant avait écrasé le pied droit d'Amédée avec une roue de sa voiture. Puis il avait aussitôt fait marche arrière, pour passer une deuxième fois sur le pied blessé avant de s'enfuir à toute vitesse. Une blessure mineure, avait pensé Amédée, seulement le bout du pied. Même pas de sang.

Le lendemain, son pied avait légèrement bleui, mais le médecin n'avait constaté qu'une contusion; ni fracture ni entorse. Tout le jour, Amédée avait enduré la douleur sans se plaindre, essayant de travailler comme si de rien n'était. Cependant son moral baissait au fil des heures; à l'instar de sa mère et de ses frères, il avait une peur irraisonnée de la maladie, car il l'associait à la mort.

Le soir venu, de vilaines plaques noires mouchetaient toute la jambe d'Amédée que l'on avait transporté à l'Hôtel-Dieu de Québec. Le lendemain, on avait amputé sa jambe menacée de gangrène. En son for intérieur, il avait vite eu la certitude qu'il ne retournerait pas vivant à Sainte-Marie et, chose étrange, l'angoisse de la mort s'était peu à peu évanouie. Il ne pouvait plus qu'accepter son sort avec philosophie.

Il avait passé les jours suivants à somnoler et à repenser à sa vie dont il ne regrettait aucun moment. Ses plus grandes joies avaient été les visites de membres de sa famille et d'amis avec qui il évoquait des souvenirs et qu'il parvenait à faire rire. Il n'avait révélé à personne que l'amputation de son autre jambe était probable. Mais à son grand ami Edgar Mercier, il avait confié :

— Edgar, je m'en vais pour de bon! Mais j'ai vécu à mon goût.

Et au curé de Sainte-Marie, il avait affirmé :

— Ça me fait rien de mourir, monsieur le curé. C'est comme si j'avais quatre-vingt-dix ans, parce que j'ai toujours vécu deux journées en une.

Lui qui n'avait jamais ralenti son rythme de vie, qui n'avait jamais tenu en place tant il débordait d'énergie et d'idées, il éprouvait une immense fatigue. Mourir était si simple : il ne s'agissait que de s'abandonner. Son unique tristesse venait de ce qu'il quittait les siens mais il se consolait à l'idée qu'au moins il les laissait à l'abri du besoin. À un Joseph complètement atterré, il avait demandé de veiller sur sa famille. Il s'inquiétait surtout pour son fils de quatorze ans.

— Tâche d'être un père pour mon Miville.

Dans la nuit du samedi au dimanche 30 janvier 1955, Amédée Vachon rendit l'âme, emporté à l'âge de quarante-sept ans par une hémorragie interne. Pour lui éviter un dernier chagrin, on lui avait dissimulé qu'un incendie avait, quelques heures plus tôt, détruit la confiturerie Diamant.

* * *

La mort d'Amédée causa un véritable choc à Joseph qui était d'un an son aîné. Rien ne permettait de supposer qu'une maladie minait cet homme débordant d'enthousiasme et qui travaillait quinze ou seize heures par jour. Un petit accident bête, dont il aurait dû guérir rapidement, avait révélé que sa santé florissante n'était en réalité qu'une apparence.

En plus d'un frère, Joseph perdait un ami, un confident, ainsi qu'un allié qui partageait ses vues. Travaillant surtout à l'extérieur de l'usine avec les vendeurs et les clients, Joseph et Amédée avaient développé une même philosophie, une même conception de l'entreprise. En dépit de son profond chagrin, Joseph songeait à la compagnie. Devant la dépouille d'Amédée, il n'avait pas tant mesuré sa propre vulnérabilité que celle de la pâtisserie.

Ce départ rompait l'équilibre établi par les quatre frères, et la venue de la veuve d'Amédée comme actionnaire n'arrangeait pas les choses, bien au contraire. Leur belle-sœur ne connaissait rien à l'entreprise, ce qui compliquerait singulièrement la prise de décision. Et si elle mourait, la part d'Amédée serait divisée entre ses enfants. Refusant de songer à la mort, Joseph n'avait jamais envisagé un émiettement de leur capital.

Il ne voyait qu'un seul moyen d'assurer l'avenir de J. A. Vachon et Fils : en devenir l'unique propriétaire, ou du moins l'actionnaire majoritaire. Il offrit donc à la veuve d'Amédée de lui acheter ses actions. Émériza souhaitait les garder, bien qu'elle trouvât délicat de refuser la proposition de Joseph, son beau-frère et son voisin immédiat. Comment lui dire non sans créer une atmosphère invivable pour sa sœur Mathilda et pour elle-même ? Elle demanda à réfléchir, mais Joseph revenait à la charge, chaque jour plus insistant.

Entre-temps, Joseph tentait d'acheter les actions de Benoît qui hésitait, lui aussi, cherchant la meilleure solution pour lui et pour l'avenir de la compagnie. Rester avec Paul, ainsi que ce dernier le demandait, équivalait à s'opposer à la volonté de Joseph. Vendre, c'était presque trahir son frère Paul et le laisser aux prises avec un Joseph devenu tout-puissant. Et puis, Benoît aimait cette pâtisserie à laquelle il consacrait toutes ses énergies depuis qu'il avait quitté l'école.

— C'est pas parce que je veux être le seul *boss*, parce que je veux plus de pouvoir, expliqua Joseph à son frère. C'est pour éviter que la compagnie soit paralysée. Imagine qu'Émériza décide de vendre ses actions à deux ou trois personnes! Ou que tu meures avec ta femme dans un accident d'auto. Chacun de tes gars aurait cinq pour cent de la compagnie et là, on serait huit actionnaires!

— J'adore mon travail, plaida Benoît. Je sais rien faire d'autre.

— Et tu le fais bien, répondit Joseph. Je te garantirais par contrat que tu conserverais ton emploi.

— Ouais... C'est sérieux tout ça, faut que j'y réfléchisse.

Durant plusieurs jours, Benoît soupesa la question. Il se demanda ce qu'aurait souhaité Rose-Anna, et quand il crut tenir la réponse, il opposa à son aîné une fin de non-recevoir.

La rumeur d'une démarche de Louis Vachon auprès de la veuve d'Amédée à qui il offrait d'acheter ses actions de la pâtisserie, parvint aux oreilles de Joseph qui en eut des sueurs froides. Il aimait bien Louis, mais il ne désirait aucunement travailler avec lui. Son frère était de sa trempe, un patron dans l'âme, et Joseph ne le voyait pas se cantonner dans un rôle secondaire. Il faudrait donc s'attendre à une lutte de pouvoir qui ne pourrait que nuire à la bonne marche de l'entreprise. Peut-être visait-il lui aussi le contrôle de J. A. Vachon et Fils, ce à quoi il avait tenté d'en venir en 1938? Avait-il fait des propositions à Benoît ou à Paul?

Joseph jugea plus sage d'éviter une surenchère auprès des actionnaires, manœuvre qui ne pouvait que déstabiliser la compagnie. Puisque dans les circonstances la mainmise sur la compagnie se révélait impossible, Joseph préférait s'accommoder de la participation de la veuve d'Amédée au bureau de direction. Il avait mis au point une autre stratégie pour empêcher la dilution du pouvoir.

Joseph chargea sa femme de s'assurer qu'Émériza n'avait pas encore fait connaître sa réponse à Louis, après quoi il se précipita chez sa belle-sœur. Sans mentionner qu'il était au courant de la visite de Louis, il déclara :

— Oublie ce que je t'ai dit, Émériza. Je pensais que c'était ça que tu voulais, vendre. Mais si tu veux garder tes actions, c'est tant mieux. De toute façon, c'est dans ton intérêt et celui de tes enfants, parce que la compagnie va continuer de grossir.

Paul et Benoît acceptèrent d'emblée l'arrivée de leur belle-sœur au bureau de direction. Toutefois, une question d'argent fit rapidement naître un nouveau conflit entre les trois frères. Une assurance-vie de cent mille dollars avait été contractée pour chacun des actionnaires, au bénéfice de la compagnie.

Or, l'argent revint à la veuve d'Amédée à la suite de manœuvres comptables. Si Paul et Benoît trouvaient légitime de vouloir aider Émériza et ses enfants, ils croyaient que cela ne devait pas se faire au détriment de l'entreprise. Pourquoi avoir signé tant de papiers si on faisait tout le contraire de ce qu'ils stipulaient? Joseph avait-il favorisé sa belle-sœur pour s'assurer de son appui inconditionnel?

Irrités, Paul et Benoît consultèrent des avocats, à la recherche d'une structure qui permettrait d'éviter les disputes, et de son côté, Joseph en fit autant. Cela dura des mois, mais personne ne trouvait la solution magique. Joseph en était venu à la conclusion qu'ils ne devaient pas s'en remettre à des étrangers pour régler leurs problèmes, et un jour il invita ses deux frères à le rejoindre dans la salle de réunions.

Paul et Benoît trouvèrent Joseph en train de suspendre au mur une photographie d'Amédée, juste à côté du grand portrait à l'huile de Rose-Anna et Arcade Vachon. Sur la table, trois bouteilles de Coke marquaient la place de chacun. D'un geste, Joseph pria ses frères de s'asseoir.

— Si on a réussi jusqu'ici, leur dit-il, c'est qu'on a travaillé *ensemble*. Là, on est bien mal partis, faut qu'on s'arrête un peu et qu'on se parle.

— T'as raison, dit Paul, en se carrant dans son fauteuil.

Il regarda Benoît qui opina du bonnet, et il ajouta à l'adresse de Joseph :

— On se déteste pas, bien au contraire, et chacun aime par-dessus tout la compagnie. Il devrait pas y avoir de problèmes entre nous.

Promenant son regard de Joseph à Paul, Benoît déclara, sans gêne aucune :

— Moi, ça m'a fait pleurer de nous voir nous méfier les uns des autres et nous déchirer.

Il attendit que Joseph ait fini d'allumer son cigare avant de poursuivre :

— Le rêve de maman, c'était de créer un commerce pour faire travailler ses fils. Vous savez comme moi quel drame ç'a été pour elle de renvoyer Rédempteur, puis ensuite Louis. De nous voir tirer la couverture chacun de notre bord depuis quelques semaines doit lui crever le cœur.

Joseph leva les yeux vers le portrait et eut l'impression que le regard perçant de sa mère le fixait avec sévérité. C'est alors qu'il proposa à ses frères de faire la paix. Après tous ces mois de réflexion, ils arrivèrent à se pardonner mutuellement et prirent la résolution d'éviter dorénavant tout conflit.

— La force d'une équipe, dit Joseph, vient de ce qu'on y trouve des gens différents qui se complètent et travaillent dans le même sens. Chacun de nous a sa spécialité. Personne pourrait organiser et diriger la production mieux que toi, Paul. En ce qui te concerne, Benoît, tu as toute ma confiance pour les achats, les finances et l'administration. Et moi, je pense que je me débrouille très bien avec la distribution et la vente.

Pour marquer leur réconciliation, ils signèrent une convention reconnaissant qu'ils étaient tous les trois à la tête d'une entreprise familiale dont chacun possédait toujours vingt-cinq pour cent des actions; la quatrième tranche demeurait entre les mains d'Émériza Savoie, la veuve d'Amédée. Cette dernière accédait au bureau de direction à titre de directrice et serait inscrite sur la liste de paie. Joseph devenait président et gérant des ventes; Paul, vice-président et gérant de la production; Benoît, secrétaire-trésorier et directeur général.

— Finies les combines, déclara Benoît en regardant chacun de ses frères d'un air espiègle, maintenant on fait des gâteaux!

Joseph saisit la perche que lui tendait involontairement son frère, et débita les arguments qu'il avait préparés.

— Il n'y a pas de combines, ni d'une part ni d'une autre, affirma-t-il avec assurance. Si quelqu'un a pu avoir l'impression qu'on lui jouait dans le dos, ça vient de ce qu'il a perdu de vue l'ensemble de la compagnie. Le problème, c'est que nous sommes trop occupés chacun de notre côté, débordés de travail, ce qui fait que nous manquons de recul. Il nous faut du monde pour nous appuyer.

Paul et Benoît se montraient réticents à l'idée de partager leur pouvoir avec des étrangers.

— Il ne s'agit pas de partager, plaida Joseph patiemment, mais de déléguer. Regardez ce qui se passe à la distribution : Honorius Cloutier dirige depuis des années, ce qui n'a jamais diminué l'autorité d'Amédée ni la mienne. Au contraire, ça nous a permis de tout savoir, de voir à tout. Si t'as un directeur du personnel pour s'occuper des petits bobos de chacun, toi, Benoît, tu pourras te consacrer aux questions qui concernent l'ensemble des employés.

Joseph obtint l'aval de ses frères qui se réservaient toutefois la possibilité d'avoir droit au chapitre dans le choix des candidats.

* * *

En faisant appel à des professionnels, Joseph entretenait le secret espoir d'éviter toutes querelles. Des éléments extérieurs modéreraient les susceptibilités familiales et établiraient un style de gestion capable de survivre au départ de l'un ou l'autre des associés actuels, et de se poursuivre même après l'arrivée de nouveaux actionnaires.

Pour maintenir l'équilibre entre lui et ses frères, Joseph songea à Roland Beaudin, un comptable agréé de Montréal qu'il avait déjà rencontré lors de réunions de l'Association professionnelle des industriels où il avait prononcé des conférences. Cet homme cultivé, au regard droit et franc, à l'allure déterminée et à la poignée de main ferme, avait fortement impressionné Joseph. Doté d'un jugement sain, Beaudin savait s'exprimer en termes clairs et précis, sans utiliser de grands mots. Il avait de l'expérience en matière d'entreprises familiales et, ce qui ne gâtait rien, il partageait avec Joseph un goût prononcé pour la nature, une véritable passion pour la chasse et la pêche.

Quant à Roland Beaudin, il était séduit par ce Beauceron astucieux, à l'esprit vif et à la répartie facile, d'un naturel spontané et d'un commerce agréable. Joseph raconta dans ses grandes lignes l'histoire de l'entreprise familiale de Sainte-Marie, mentionna les crises traversées, et lui fit part de leurs projets pour l'avenir. Joseph avait beau être un excellent causeur et un homme doué pour les relations publiques, on ne pouvait douter de sa sincérité quand il parlait avec passion de la maison J. A. Vachon.

Il était rare à cette époque de rencontrer chez un homme d'affaires canadien-français cette volonté d'étendre ses opérations à tout le Canada et, pourquoi pas? aux États-Unis. Roland Beaudin eut envie de participer à la croissance de l'entreprise de Sainte-Marie, même si cela signifiait abandonner une excellente situation et quitter Montréal où étaient nés ses enfants.

Après discussion avec Paul et Benoît, Joseph proposa à Roland Beaudin le poste de trésorier, et un salaire de treize mille dollars qui, en trente mois, serait progressivement porté à quinze mille dollars. À quarante-huit ans, Roland Beaudin entreprenait une seconde carrière, et cette fois, il serait en plein cœur de l'action.

Le contrat signé, Joseph dit à Paul, en aparté :

— Il nous faut du monde compétent, mais ils ne prendront pas les décisions à notre place, parce que les risques, c'est nous autres qui les prenons.

— Oui, fit Paul. Regarde notre mère qui se servait de son gros bon sens, elle qui n'avait qu'une cinquième année; malgré ça, elle s'est très bien débrouillée. Toi,

Joseph, t'as seulement une sixième année, et ça ne t'a jamais nui!

Joseph détestait qu'on lui rappelle un manque d'instruction dont il souffrait, tout comme il ne pouvait supporter qu'on dénigre l'instruction en disant que ce n'était pas cela qui comptait.

— On est plus à la petite boulangerie près de la station, répondit-il, d'un ton plutôt sec. Pour Vachon, le gros bon sens «en souliers de beu», ça suffit plus.

— Fâche-toi pas! Je voulais te faire un compliment.

Après l'arrivée de Roland Beaudin, véritable ange gardien pour les frères Vachon, deux autres experts firent leur entrée dans le sérail.

Le premier, Marius Laliberté, était l'un des six associés d'une firme de comptables de Québec, filiale de la firme internationale Coopers & Lybrand. Lorsque l'entreprise eut besoin d'un conseiller juridique, il proposa Me Yves Pratte, un avocat qui, à trente-cinq ans, était déjà considéré comme l'un des meilleurs fiscalistes de Québec. Marius Laliberté prit rapidement plaisir à ces réunions animées où régnait une saine émulation entre les trois patrons. La vigueur de l'entreprise beauceronne qui connaissait un perpétuel développement l'étonnait, tout comme l'émerveillaient la réceptivité des Vachon devant les idées nouvelles et la rapidité avec laquelle ils prenaient leurs décisions.

— Chez vous, messieurs, leur disait-il, ça va vite en maudit!

Les années cinquante s'achevaient. La décennie suivante s'annonçant comme une période de croissance et de prospérité, tous les espoirs semblaient permis. Joseph Vachon ne pouvait pressentir la menace...

CHAPITRE 12

En ce dimanche d'août 1962, Doris Vachon, la plus jeune des filles de Joseph, se tenait près du téléphone. La famille venait d'assister à la messe de sept heures, projetant de partir tôt pour le chalet. Le temps était exceptionnel; on pourrait se baigner. Peut-être était-ce le dernier vrai dimanche d'été! Le seul empêchement à cette échappée familiale ne pourrait venir que du téléphone.

Quand il sonna, Doris répondit prestement :

— Oui?

— J'aimerais parler à ton papa.

Elle mentit avec assurance.

— Je regrette, monsieur Lesage, papa ne sera pas là avant demain.

— Pourtant, fit le premier ministre, étonné, il m'avait bien dit qu'il attendrait mon appel cet avant-midi.

— Il a eu un problème très urgent à régler.

— Très bien, mademoiselle, dit la voix grave et solennelle. Je rappellerai cette semaine.

— Je lui ferai le message.

Doris Vachon raccrocha rapidement, certaine maintenant que rien ne viendrait gâcher ce dimanche passé en famille.

Après avoir remplacé Georges-Émile Lapalme à la tête du Parti libéral en 1958, Jean Lesage avait appris à connaître Joseph Vachon, un visiteur assidu du Club de Réforme de Québec. Le nouveau chef aimait s'entourer de personnes capables de lui répondre du tac au tac, ou même de lui tenir tête dans une discussion ; et Joseph Vachon ne se gênait pas pour dire carrément ce qu'il pensait. Les deux hommes s'entretenaient souvent en tête-à-tête lors des visites de Joseph à la permanence du Parti libéral, rue Saint-Cyrille, à Québec, ou à l'occasion de parties de pêche dans la région de Montmagny.

Depuis la victoire libérale aux élections de 1960, Joseph Vachon, figure importante dans le milieu de l'alimentation au Québec, membre du conseil d'administration de la Corporation de Valeurs Trans-Canada, le holding de Jean-Louis Lévesque, et l'un des principaux employeurs dans la Beauce, faisait partie du cercle des personnalités que le premier ministre consultait régulièrement.

Jean Lesage téléphonait fréquemment au président de J. A. Vachon, aussi bien à la maison qu'à son bureau. Ce dimanche-là, Jean Lesage ne put compter sur la présence de son ami à cause du mensonge de Doris. Joseph, Mathilda et leurs trois enfants se rendirent au domaine aménagé sur la rive de la Chaudière, à quelques kilomètres de Sainte-Marie. Près d'une immense piscine, se trouvait la maison dont les fenêtres donnaient sur la rivière. Ce domaine, Joseph le considérait comme son refuge, au même titre que le camp de chasse et de pêche qu'il possédait sur une île du lac Édouard, dans la Mauricie.

Au milieu de la nature, il avait l'impression de renouer avec une partie de lui-même que sa vie trépidante l'obligeait à négliger. Il retrouvait sa faculté d'émerveillement, et la vue d'un écureuil ou d'une sittelle l'enchantait. Il prenait alors un canif et sculptait un animal ou un oiseau dans un morceau de bois tendre, avec autant d'habileté que le faisait autrefois son père, Arcade. Les mains travaillaient, l'esprit vagabondait. C'étaient les seuls moments où les pensées de Joseph s'éloignaient des problèmes du présent et des projets d'avenir, pour se tourner vers le passé. Il laissait les images se succéder sans tenter d'en fixer aucune.

— Le bouilli sera prêt dans une heure, annonça Mathilda qui sortait de la cuisine.

Joseph se reposait dans sa berçante et contemplait la rivière; il ne répondit que par un murmure distrait. Par les fenêtres ouvertes, on entendait les cris de Lucette, de Doris et de Pierre-Maurice qui s'ébattaient dans la piscine. Joseph savourait, ravi, ce moment de bonheur tranquille. Il recommençait enfin à vivre l'esprit en paix après l'alerte qu'il avait connue l'année précédente.

Tout avait commencé lorsque, ayant décidé de contracter une assurance-vie considérable, il s'était soumis à un examen médical complet, ce qu'il avait rarement fait au cours des années. Le résultat avait été un véritable coup d'assommoir. L'un de ses reins était sérieusement atteint. Le cancer! Cela n'avait aucun sens, on faisait certainement erreur; il ne ressentait aucune douleur, pas le moindre symptôme. Les légers étourdissements qu'il avait quelquefois étaient sûrement liés à la fatigue. Le diagnostic confirmé, Joseph avait dû se résoudre à l'ablation du rein.

Dans sa chambre de l'Hôtel-Dieu de Québec, il avait souvent pensé à Amédée, terrassé par une maladie dont personne n'avait soupçonné l'existence. Et pour la première fois de sa vie, Joseph avait eu peur.

L'intervention chirurgicale s'était déroulée sans complications et Joseph s'était rétabli rapidement. Cette maladie désormais en rémission, peut-être même allait-elle disparaître à tout jamais. Le médecin avait dit à Joseph :

— S'il n'y a pas de rechute d'ici cinq ans, vous allez vivre aussi vieux que Mathusalem !

Ce danger, Joseph n'en avait jamais fait part à son entourage, surtout pas à sa femme, ni à ses enfants. Seul Miville, l'un des fils d'Amédée, connaissait son secret.

Aujourd'hui, un an après l'opération, il se sentait un homme neuf. Il l'avait vaincu ce cancer ! Toutefois, il s'en était fallu de peu, et Joseph avait décidé de prendre le temps de vivre, de passer le plus d'heures possible avec les siens.

* * *

Après une seconde lecture, Joseph lança sur son bureau la liste des demandes présentées par le syndicat des employés de la production.

— Maudite union ! maugréa-t-il avant d'allumer un cigare.

Même si les temps avaient changé, il éprouvait, comme Paul et Benoît, bien du mal à se plier à une volonté autre que la sienne. Le contexte n'était plus celui de 1951... Joseph sourit en se rappelant comment ils avaient, selon ses propres mots, «planté l'union» à cette époque. Impossible d'agir de la sorte en 1966 ; il fallait s'adapter.

Joseph rapprocha son fauteuil de l'immense maquette qui depuis trois ans occupait tout un coin de la pièce. Le grand rêve de Paul, un projet qui semblait un peu fou au départ, mais dont la réalisation achevait pourtant.

Depuis des années, Paul et Joseph n'avaient cessé de faire des ajouts de machinerie et d'embaucher du personnel afin de suivre le rythme de croissance des ventes. Cela les avait fréquemment obligés à agrandir l'usine qui en était venue à ressembler à une véritable «courtepointe» de rallonges et d'annexes.

Paul avait proposé de recouvrir l'usine et ses agrandissements d'une superstructure d'acier supportant un toit unique. Une fois le nouvel édifice terminé, on démolirait progressivement les anciens murs et les divisions sans perturber la production qui serait désormais assurée par des chaînes en continu. Capable de produire jusqu'à deux cent cinquante gâteaux à la minute incluant l'emballage, le nouvel équipement réduirait considérablement la partie salaires dans le prix de revient.

On frappa à la porte. Joseph s'écarta de la maquette et s'installa derrière son bureau pour accueillir Benoît, Roland Beaudin et Claude Boulet, le directeur du personnel, qu'il avait convoqués.

— Qu'est-ce que tu en penses? demanda Benoît en désignant le document posé devant son frère.

— Y a là-dedans quelques folleries, mais aussi des choses qui ont de l'allure. C'est un point de départ. Il faut étudier ces propositions en détail. C'est pas ton avis, Roland?

— Oui, répondit ce dernier, il faut voir quelles sont celles qu'on peut accepter et celles qu'on doit écarter à tout prix.

Benoît prit le document.

— C'est plein de choses que Paul ne pourra jamais digérer! Par exemple, ils demandent que l'agent du syndicat ait le droit de pénétrer dans les locaux de la production pour parler à ses membres pendant les heures de travail.

— Ça, dit Claude Boulet, on peut difficilement s'y opposer. C'est une coutume établie partout.

Joseph fit tomber la cendre de son cigare dans le cendrier et répondit à Benoît, d'une voix ferme :

— Va falloir que Paul apprenne à vivre avec l'union. Faudra qu'on apprenne tous à vivre avec ça.

Benoît fit la moue.

— Ouais... C'est vrai. Mais ça sera pas facile pour personne, même pour toi, Joseph. Tu vas trouver ça moins drôle quand tu seras plus capable de mettre une tête croche ou un paresseux à la porte.

— Je m'arrangerai bien, répondit Joseph en haussant les épaules.

Le directeur du personnel se fit rassurant.

— Même avec le syndicat, monsieur Benoît, il reste possible de congédier un employé si on a des raisons valables de le faire.

— Tout à fait, renchérit Roland Beaudin. Il y aura une période d'adaptation, mais on s'y fera. Partout ailleurs, d'autres y sont arrivés. Un syndicat, ça peut même devenir une bonne affaire.

Joseph eut bien du mal à cacher sa colère.

— On dirait que ça te fait plaisir! Ménage tes arguments pour Paul. Je compte sur toi pour l'habituer peu à peu à l'idée du syndicat.

— C'est plus qu'une idée, Jos, fit Benoît. C'est déjà une réalité. Y a plus de peu à peu, faut faire vite.

— Vite, pas vite, c'est à vous d'y voir, répondit Joseph. L'important, c'est que Paul sorte pas les officiers du syndicat de l'usine à coups de pied au derrière. Voyez-y.

Il avait parlé lentement, en détachant ses mots pour leur donner plus d'importance. Il fit une pause et regarda à tour de rôle les trois hommes qui étaient devant lui.

— Je veux que tout se passe en douceur. Pas question qu'on parle de nous autres dans les journaux et à la télévision. Oubliez pas que beaucoup des acheteurs de nos produits sont des syndiqués. Faut faire attention à l'image de Vachon. On inaugure la nouvelle usine à l'automne, je veux que tout soit réglé avant.

— On devra mettre les bouchées doubles, dit Roland Beaudin.

— Parfait, répliqua Joseph. Et toi, Boulet, avise le syndicat qu'on commencera à négocier dans trois semaines, au début d'avril. Il faudra aussi que tu prépares les contremaîtres à travailler avec un syndicat dans les jambes...

Le directeur du personnel et le comptable prirent congé, laissant les deux frères en tête-à-tête.

— Comme ça, tu es vraiment décidé à propos du syndicat?

— Qu'est-ce que tu veux, Benoît... Les temps changent!

* * *

Vêtu d'un pyjama, Joseph était assis dans son lit. Quelques timides rayons de soleil pénétraient dans sa chambre en cette matinée frileuse de novembre 1966.

Comme il avait été naïf! Pas un instant au cours des cinq années écoulées depuis son opération, il n'avait songé au danger qui le guettait. Ou peut-être le savait-il, inconsciemment, car il avait voulu goûter à fond ces années de bonheur, de travail et de succès, profiter un peu plus de la vie, réaliser quelques-uns de ses rêves. Comme ce voyage au Mexique avec Pierre-Maurice et Doris, et ce périple autour du monde, l'année précédente.

Il s'était retiré des conseils d'administration où il siégeait pour consacrer désormais son temps à autre chose, à certaines œuvres. Ainsi, de retour d'un long voyage autour du globe, il avait présidé la campagne de la Plume rouge dans le diocèse de Québec. Durant deux mois, il avait animé une équipe de dix-huit mille solliciteurs et participé à des réunions dans deux cent soixante-quinze paroisses. Après huit semaines de travail incessant, il avait pu annoncer que l'objectif de huit cent soixante-quinze mille dollars était dépassé.

— Tit-Père, à quoi tu penses? lui demanda Mathilda en entrant dans la chambre de son mari.

— Je pense à notre voyage, maman.

Elle sourit, le regard rêveur. Elle s'efforçait de ne jamais lui laisser voir son chagrin, de ne pas gâcher les jours qu'il leur restait à vivre ensemble. Elle ne voulait pas penser à demain. Joseph était là, à elle, présent comme jamais, et cela seul comptait.

Il descendit du lit.

— J'ai envie d'aller faire un tour à l'atelier de mécanique.

— Repose-toi donc, Tit-Père.

— Rien qu'une heure, Mathilda. Ça va me faire du bien.

— Une heure, pas plus, sinon j'envoie la police te chercher!

Malgré ce cancer qui avait recommencé à le ronger, Joseph se rendait régulièrement à l'atelier de mécanique, le seul endroit de l'entreprise qui était resté inchangé. Au bureau, où l'on apprenait déjà à se passer de lui, il avait l'impression de déranger. Quant à la section de la production, l'atmosphère qui y régnait depuis l'avènement du syndicat le rendait morose.

Les quelques dizaines de pas qui le séparaient de l'usine représentaient pour Joseph un exercice pénible. Bien qu'aidé d'une canne, il devait faire une couple de haltes en cours de route afin de reprendre son souffle.

Joseph Vachon avait appris l'effroyable nouvelle un peu par hasard, en arrivant à New York où ses médecins l'avaient envoyé se faire soigner sans même lui révéler la gravité de son état. En apercevant le nom du New York Memorial Research, l'un des rares centres de recherche sur le cancer en Amérique du Nord, il avait tout compris.

— Je suis pas fou! avait-il lancé à Mathilda et à leurs enfants. Vous ne m'amenez pas ici pour une appendicite aiguë.

Et, d'une voix abattue, il avait ajouté :

— Vous saviez que j'étais fini...

La famille Vachon était prête à tout pour sauver Joseph et mettait son espoir dans ce séjour à l'hôpital new-yorkais où œuvraient les meilleurs cancérologues. De nombreux tests avaient révélé la présence de métastases dans l'organisme : cancer généralisé. Il était trop tard pour tenter quoi que ce soit. La semaine suivante, Joseph était revenu à Sainte-Marie. Il ne lui restait qu'à attendre la fin.

Joseph s'arrêta devant l'usine de Vachon inc. inaugurée le mois précédent. Il se rappela l'ancienne manufacture de la Diamond Shoe qu'on trouvait si grande quand on y avait emménagé, en 1937, et à la place de laquelle se dressait maintenant une immense pâtisserie automatisée, la plus considérable du Canada avec sa superficie de quarante-sept mille mètres carrés.

Chacune des onze chaînes de fabrication produisait deux cent vingt petits gâteaux à la minute. On était bien loin de l'époque où, pour fabriquer des Jos. Louis, il fallait effectuer manuellement quinze opérations différentes. Malgré cette automatisation, Vachon inc. employait mille personnes, sans compter les deux cents vendeurs.

L'entreprise possédait trois cents camions et semi-remorques pour livrer cent douze tonnes de produits par jour à ses quinze succursales. Cent onze variétés de gâteaux! En 1966, son chiffre d'affaires avait grimpé à dix-sept millions et demi de dollars, et l'on prévoyait atteindre les vingt millions en moins de deux ans. Mais cela, Joseph ne le verrait pas...

Ces réalisations étaient le fruit de quarante-trois années d'efforts continus que les frères Vachon avaient voulu célébrer lors de la bénédiction et de l'inauguration officielle de leurs nouveaux locaux. Quelque trois cents invités de l'extérieur de Sainte-Marie avaient participé avec les employés à la cérémonie et à une grande fête avec allocutions, visites guidées de l'entreprise, buffet somptueux et bar bien garni.

Joseph se rappelait les mots qu'il avait alors prononcés pour exprimer la fierté et la reconnaissance des dirigeants. «La réussite de la maison Vachon est le résultat d'un effort d'équipe. J'ai travaillé ferme, oui. Mes frères ont travaillé ferme, oui. Et nos parents avant nous, sans oublier notre frère Amédée, malheureusement disparu, mais dont l'épouse fait partie du bureau de direction. Mais tous nos employés ont aussi travaillé. Et c'est cette contribution que je veux souligner aujourd'hui. Ils ont eu leur large part dans le succès de la compagnie Vachon et je leur en rends publiquement hommage.»

Appuyé sur sa canne, Joseph se dirigea vers la porte de côté de l'usine. Il ne se sentait plus chez lui ici, maintenant que Paul avait pris la relève. Cependant, il voulait respirer encore une fois l'odeur des gâteaux fumants à la sortie du four, entendre le cliquetis des machines. Avoir pendant un moment l'illusion que tout était comme avant.

* * *

La fin vint très vite, peu après les fêtes de fin d'année. Désarmé devant cette maladie qui le terrifiait, Joseph ne luttait plus; il glissait lentement vers la mort sans même tenter de se cramponner à la vie.

Ce qu'il aurait donné pour que Dieu vienne le chercher brusquement, comme Il l'avait si bien fait pour son ami Wilfrid Cliche! Joseph pensait à sa mère, morte subitement dans sa chaise berçante, à des amis fauchés par une crise cardiaque ou un accident violent. Ils avaient eu bien de la chance de partir ainsi.

Le sommeil le fuyait. La nuit, l'angoisse devenait profonde, et la douleur, intolérable. Pour trouver un bref moment de répit, il se servait un verre d'alcool qui l'écrasait au creux de son lit ou parfois lui donnait des ailes. Il revoyait sa vie où les joies et les bonheurs l'emportaient sur le reste. Il n'y cherchait pas des motifs de fierté, mais faisait plutôt le bilan de ses actes.

Une nuit, Joseph se leva péniblement de son lit, mit en marche son magnétophone et, d'une voix faible, enregistra le nom des mouvements auxquels il avait consacré temps et argent. Il souhaitait que ses enfants apprennent tout ce qu'il avait accompli. Cette tâche l'avait essoufflé, et il appela l'infirmier dont on avait retenu les services pour veiller sur lui la nuit. Joseph ne voulait pas constituer un fardeau pour son entourage, mais il refusait d'entrer à l'hôpital.

Le jour, pourtant, la maladie semblait régresser quelque peu. Assis dans sa chaise berçante, souriant et calme, Joseph occupait son temps à recevoir parents, amis et employés. Il prenait plaisir à évoquer son histoire et celle de l'entreprise. Sa fierté devant les réalisations de la famille Vachon et de ses collaborateurs et employés, le financier Jean-Louis Lévesque la sentit fort bien lorsqu'il vint au chevet de son ami.

Le plus grand bonheur de Joseph était de se trouver en compagnie de Mathilda et de leurs enfants. L'émouvaient aussi les visites de ses frères et sœurs, de ses neveux et nièces. Il sentait son cœur gonflé des choses qu'il aurait désiré leur dire, mais rien ne passait, sinon l'émotion dans son regard. Ce n'était pas faute d'essayer, mais même à l'approche de la mort il ne parvenait pas à effacer les habitudes de toute une vie.

Joseph fut particulièrement touché par la visite de son frère aîné.

Louis avait fait sa marque dans le domaine de l'automobile. Il avait acheté un vaste terrain au milieu des champs pour y aménager un carrefour commercial, le Rond-Point de Lévis. C'est là qu'il exerçait ses activités comme concessionnaire. Louis et sa femme habitaient maintenant une luxueuse maison de la Grande-Allée, à Québec.

Sa visite achevée, Louis céda sa place à Béatrice; puis vint Simone qui passa de longs moments auprès de son frère Joseph, évoquant leurs parents disparus.

— Tu peux être fier de toi, Joseph, fit-elle en retenant ses larmes. Tu as réalisé le rêve de maman, comme personne n'aurait jamais pu l'imaginer. Même pas elle.

Quand Simone prit congé de lui, Joseph était brisé par l'émotion.

— Vous vous fatiguez trop, dit l'infirmier. Il faut dormir.

— Dormir... dormir... Tu penses pas que bientôt c'est tout ce que je ferai, dormir! lança Joseph, d'un ton bourru.

* * *

Au matin du samedi 11 février 1967, lorsque Mathilda Savoie vit son mari, elle fondit en larmes. Son Tit-Père n'en avait plus pour longtemps.

Joseph respirait avec peine, mais il ne demanda pas comme d'habitude à son infirmier de lui apporter le ballon d'oxygène. Depuis plusieurs jours il ne mangeait plus et bien que la faim le tenaillât, il se sentait incapable d'avaler quoi que ce soit.

Il avait voulu s'éteindre au milieu des siens, dans sa maison, près de son entreprise. Parfaitement lucide et conscient de son état, Joseph confia à ses proches :

— Je suis en train de mourir...

Lorsqu'il aperçut ses petits-fils Michel et François, les enfants de sa fille Lucette, des larmes roulèrent sur ses joues. Douce consolation, la vie continuait.

Une grosse tempête s'abattit sur le Québec et paralysa peu à peu toutes les activités. La route reliant Québec à Sainte-Marie devint impraticable. Or, Joseph voulut voir son avocat et son comptable qui habitaient la capitale, pour modifier son testament. Ils affrontèrent la tempête, finissant la route en motoneige. En fin d'après-midi, les deux hommes étaient auprès du mourant.

Pourquoi avait-il attendu jusqu'au dernier moment? Joseph l'ignorait. Le secret espoir de survivre, peut-être. À présent, il s'inclinait; plus rien ne pouvait le sauver. Trouvant que l'avocat prenait son temps pour rédiger certaines clauses, Joseph murmura :

— Dépêche-toi, tit-gars, le bedeau a déjà creusé mon trou...

CHAPITRE 13

Paul Vachon grimpa d'un pas vif l'escalier qui menait aux bureaux, à l'étage de la pâtisserie. Il conservait, à cinquante-cinq ans, une minceur qui le faisait paraître plus jeune, malgré une calvitie prononcée.

Comme il avait gardé l'habitude d'arriver au travail très tôt, il entrait chaque matin dans des bureaux silencieux et déserts. Il jouissait alors d'un moment de répit avant d'être sollicité de toutes parts, appelé à résoudre maints problèmes, à servir d'arbitre ou de médiateur. S'il aimait le titre de président, la direction de l'entreprise, elle, lui paraissait parfois fastidieuse. Les questions relatives à la distribution et aux ventes ne l'enthousiasmaient guère; il se sentait créateur, bâtisseur, bien plus que gestionnaire. Paul s'ennuyait de la fièvre de la section de la production, avec tous ses défis quotidiens, ses problèmes plus concrets, ses réalisations plus tangibles.

D'un geste hésitant, il ouvrit la porte du bureau voisin du sien, celui que Joseph occupait avant sa mort, un an et demi plus tôt. Paul souffrait encore du peu de communication entre Joseph et lui. Leurs échanges s'étaient limités au quotidien de l'entreprise et aux projets immédiats. Rien de personnel. Jamais.

Quand Joseph arrivait le matin, il entrait parfois dans le bureau où Paul s'affairait déjà depuis un bon moment. Il regardait son jeune frère, semblait hésiter, puis sortait. Il aurait voulu lui dire quelque chose, Paul en était convaincu, mais rien n'avait jamais été exprimé. Ni parole d'amitié ni mot d'appréciation. Pourtant, ils formaient une solide équipe, comme deux vieux chevaux de trait habitués à tirer de concert sur le «bacul». Paul avait beau s'en défendre, la présence de son frère lui manquait terriblement.

Il regrettait aussi que Joseph ne l'ait pas désigné officiellement comme son successeur, avant de mourir. À une question de Pierre Doyon, le directeur du transport, qui s'inquiétait de savoir qui pourrait devenir président de l'entreprise, Joseph avait répondu, peu de temps avant sa mort :

— Paul, mon frère. Il connaît la pâtisserie par cœur. C'est lui qui va prendre les affaires en main, et ça va marcher.

Ces phrases, Paul aurait donné n'importe quoi pour les entendre de la bouche de son frère. Joseph aurait pu au moins laisser des instructions écrites! Benoît prétendait que leur aîné ne s'était pas donné cette peine parce que dans son esprit, il allait de soi que Paul le remplace. Mine de rien, il avait prévu que sa succession se fasse dans la continuité. Les hommes étaient en place, il ne s'agissait que de leur donner de nouvelles fonctions : Paul devenait président, Benoît, directeur général, et Roland Beaudin, secrétaire-trésorier. L'ingénieur Claude Bédard était nommé directeur de la production et Honorius Cloutier, directeur des ventes.

— La relève était toute prête, ajoutait Benoît. Pourquoi Joseph aurait-il précisé ce que tout le monde savait? Il t'aimait beaucoup et il avait une grande confiance en toi.

Aucun des arguments de son frère ne satisfaisait Paul. C'était facile pour Benoît de parler ainsi; Joseph l'ayant fait venir à son chevet à New York lui avait déclaré avoir eu plaisir à travailler à ses côtés. Puis, à la célébration des noces d'argent de Benoît, devant plusieurs centaines de personnes, Joseph avait improvisé un discours pour le remercier de tout ce qu'il avait fait pour lui et pour l'entreprise.

Le silence de Joseph à son égard, Paul en demeurerait éternellement blessé.

Il referma la porte du bureau et gagna le sien où l'attendait le rapport de Roland Beaudin qui revenait de Chicago avec Benoît et Claude Bédard. Ils avaient été les invités de Beatrice Foods, une multinationale de l'alimentation intéressée à ce que Vachon inc. soit intégrée à son empire dont le chiffre d'affaires dépassait le milliard de dollars. Le vice-président administratif et des spécialistes de la société américaine étaient d'ailleurs venus visiter l'entreprise de Sainte-Marie au mois d'octobre.

Paul ne songeait pas à vendre, mais il étudiait toutes les possibilités d'expansion de Vachon inc. Il caressait le projet de bâtir un complexe alimentaire à partir de la pâtisserie, de la confiturerie Diamant et de la compagnie Les Œufs Vachon. Les seuls moyens d'y parvenir : des acquisitions et des alliances.

Ainsi, trois mois auparavant, en juillet 1968, Paul avait acheté la biscuiterie Lido, une entreprise familiale fondée en 1934 par les frères David. Lido possédait à Saint-Lambert une usine ultramoderne où étaient produits une vingtaine de sortes de biscuits, ainsi que des bonbons. Les opérations de Lido étaient déficitaires, mais Paul ne doutait pas de pouvoir corriger rapidement la situation. «Nous allons virer la crêpe de bord dans le temps de le dire», avait-il affirmé aux autres actionnaires de Vachon.

Mais un nouveau projet lui tenait à cœur : l'acquisition de la pâtisserie Stuart, le seul véritable concurrent de Vachon dans la région de Montréal.

* * *

À l'aube du 13 mai 1969, Benoît Vachon, qui habitait à deux pas de la pâtisserie, vit par la fenêtre des centaines de piqueteurs rassemblés devant l'usine. Et la surprise fit place à la stupeur; jamais il n'aurait cru possible que la situation se dégrade à ce point. Certains grévistes passaient même sur sa pelouse, comme pour le narguer. Âme sensible, Benoît eut peine à retenir ses larmes en reconnaissant un parent au premier rang des piqueteurs.

Ce qui l'affectait le plus, c'était la pensée que la pâtisserie Vachon était paralysée pour la première fois de son existence. Jusque-là, rien n'avait pu arrêter la production, pas même les débordements soudains de la rivière Chaudière. Il n'imaginait pas que l'entreprise puisse être si vulnérable. Quelques énervés qui montent la tête aux autres, un vote à main levée, et la plus grosse pâtisserie du pays cessait de fonctionner. Benoît eut tout à coup le sentiment d'être lui-même fragile et il téléphona à Paul dont la maison était située à flanc de colline, trop loin pour qu'il puisse voir ce qui se déroulait devant l'usine. Sans même saluer son frère, Benoît eut un cri du cœur :

— C'est la grève!

— Je le sais! répondit Paul, d'une voix colérique. Maudite bande d'ingrats. Je gage que c'est ceux qui ont braillé pour qu'on les engage qui crient le plus fort contre nous aujourd'hui.

— Ouais... C'est vrai, j'en ai reconnu.

Benoît parlait d'une voix fatiguée.

— Tout ça, c'est de la faute de Louis Laberge et de sa gang.

— C'est pas eux qui tiennent les pancartes, répliqua vivement Paul qui ne décolérait pas. C'est nos propres employés. J'ai bien envie de vendre. En tout cas, moi je rentre aujourd'hui et je fais des gâteaux! Et le premier maudit qui essaie de m'en empêcher...

Benoît comprit qu'il devait calmer son frère et l'empêcher de jeter de l'huile sur le feu.

— Je vais monter chez toi et on va déjeuner ensemble pour discuter de ça à tête reposée.

— À tête reposée? s'écria Paul. T'en as des bonnes, toi!

— Tu t'en fais pour rien. Un jour ou deux, et ça sera fini. Au pire, on offrira quelques cents de plus de l'heure. Ils reprendront le travail, et tout rentrera dans l'ordre.

Paul soupira longuement, essayant de retrouver son calme.

— Ce qu'ils font, c'est mordre la main qui les nourrit. Moi, je pourrai pas oublier de sitôt un pareil coup de cochon.

— Attends-moi, j'arrive. On va profiter de notre journée de congé forcé.

Après avoir raccroché le combiné, Paul sortit dans le jardin et s'assit au soleil. En fixant les bourgeons du lilas qui en étaient au stade du débourrement, il songea à la ferme de Saint-Patrice-de-Beaurivage et au potager que sa mère entretenait avec tant de soin, puis il revit Rose-Anna payant ses deux employés avec l'argent qu'elle tirait de la poche de son grand tablier. Il se rappela cette journée de juillet où, assise dans la balançoire, elle lui avait demandé de remplacer le pâtissier. Si on lui avait dit à ce moment-là qu'il se retrouverait un jour avec six cents employés en grève...

Maudite grève! Si elle se prolongeait le moindrement, Paul devrait appeler à Chicago pour annuler la visite que le président de Beatrice Foods comptait effectuer à Sainte-Marie.

Malgré l'heure matinale, Paul sentit tout à coup la lassitude l'envahir. Cela valait-il la peine de tenter de bâtir un complexe alimentaire? Acquérir d'autres entreprises, n'était-ce pas multiplier les possibilités de conflits de travail? courir au devant des problèmes?

Quelques mois plus tôt, accompagné de Roland Beaudin, il avait rencontré Jean Deschamps, de la Société générale de financement du Québec. Son intention était de proposer une association qui permettrait de créer un empire dans l'alimentation. La société d'État possédait déjà David Lord limitée, une conserverie de légumes. Les dirigeants de la Société générale de financement songeaient eux aussi à regrouper des entreprises du domaine de l'alimentation et envisageaient l'achat de Stuart.

Paul Vachon avait déjà engagé des pourparlers avec les frères Marcel et Jean Allard, les deux actionnaires de Stuart, à qui il avait fait une proposition d'achat. Il pensait intégrer à Vachon une partie de la production de Stuart et fusionner les deux centres de distribution à Montréal. Mais Marcel Allard, le président, avait mis fin aux discussions au bout de deux heures :

— Écoute, Paul, on vendra pas Stuart à Vachon. Jamais de la vie!

Il se rappelait amèrement la concurrence féroce que Joseph Vachon lui avait menée dans son château fort de Montréal.

Paul s'était dit que la famille Allard aurait sans doute moins de réticences à céder ses actions de Stuart à un conglomérat dont ferait partie la société d'État.

Les discussions entre Jean Deschamps et Paul Vachon avaient été franches et courtoises. Chacun s'était montré enthousiaste, mais une semaine plus tard, Jean Deschamps faisait savoir à Paul qu'il commençait à négocier avec Marcel Allard, et deux jours après, il annonçait que la société d'État avait acquis soixante pour cent du capital-actions de Stuart. Paul n'arrivait pas à le croire. Il était question de travailler ensemble, et voilà que la Société générale de financement faisait cavalier seul. «Les maudits cochons!» avait-il laissé tomber. Ce qui ne l'avait pas empêché de continuer les pourparlers.

Le mois de février avait été marqué par une série de discussions entre les représentants des deux entreprises. Une rencontre d'une journée avait eu lieu dans un hôtel de Miami où Paul séjournait avant de se rendre en Haïti. Jean Deschamps était arrivé en Floride avec un projet d'entente que Paul avait jugé bien conçu, bien structuré.

Tous les éléments étaient en place pour la formation d'une grande compagnie provisoirement appelée Vachon Corporation et dont la présidence et la direction générale seraient assumées par Paul Vachon. L'ensemble du complexe industriel représenterait une valeur totale de près de vingt et un millions et demi de dollars. La participation de la Société générale de financement serait de cinquante-trois pour cent, celle de Vachon, de quarante et un pour cent, et celle de Stuart, de six pour cent. Paul avait donné son approbation à l'entente à condition qu'elle fût acceptée par les actionnaires de Vachon.

À son retour de vacances, Paul avait eu la surprise de constater que Benoît, ainsi que les héritiers d'Amédée et de Joseph refusaient d'être minoritaires dans la future entreprise. On avait soumis à la société d'État une contre-offre dans laquelle les pourcentages étaient inversés : cinquante-trois pour cent du capital pour les familles Vachon.

Et les négociations continuaient... De son côté, Beatrice Foods rappelait régulièrement son intérêt pour la pâtisserie Vachon. Elle n'était d'ailleurs pas la seule. Depuis le début de l'année, une dizaine d'autres grandes sociétés avaient proposé d'acheter l'entreprise de Sainte-Marie-de-Beauce.

Le refus par les autres actionnaires de Vachon inc. de la proposition que Paul avait lui-même acceptée lui démontrait les limites de son pouvoir. Il pressentait qu'avec le temps, son autorité serait mise en cause.

Paul se leva pour accueillir Benoît. Durant le déjeuner, ils ne parlèrent que de la grève et s'entendirent sur les revendications salariales auxquelles, à la rigueur, ils pourraient satisfaire. Grâce aux paroles apaisantes de Benoît et surtout à son attitude conciliante, la rancœur de Paul s'atténua. Mais il lâcha tout de même, d'une voix morne :

— Je me demande des fois si on ne devrait pas vendre.

— Ouais... fit Benoît qui semblait mal à l'aise.

Comprenant que sa présence gênait son beau-frère, Madeleine annonça :

— Moi je vous quitte, j'ai du travail en haut. Il reste du café bien chaud...

Paul fit un sourire à sa femme. Quand il fut seul avec son frère, il demanda :

— Tu ne dis rien?

— C'est certain qu'avec toutes ces offres qui nous arrivent, j'y pense moi aussi. Mais je suis trop jeune pour devenir rentier. Toi aussi, d'ailleurs!

Paul comprit que malgré son ton badin, Benoît lui signifiait qu'il ne souhaitait pas s'étendre sur ce sujet.

— Je suis d'accord qu'il faut faire quelque chose, ajouta pourtant Benoît. Une entreprise comme la nôtre peut pas être stable; elle évolue ou elle devient vite dépassée. Tu sais comme moi qu'on manque de capitaux.

Avec leurs conseillers, Paul et Benoît avaient mis le doigt sur un problème majeur de Vachon inc. : un fonds de roulement trop faible et l'impossibilité pour l'entreprise d'autofinancer sa croissance comme elle le faisait autrefois. Au cours des cinq dernières années, les ventes avaient progressé annuellement de huit ou dix pour cent. Or, l'usine de Sainte-Marie ne suffisait plus à la demande; il faudrait bientôt effectuer des investissements importants ou éliminer certains territoires, au moins les réduire.

Paul se leva et versa du café à son frère.

— Va falloir se décider vite, dit-il. Ou on reste seuls et on progresse par nos propres moyens, ou on fait une alliance et on entre sur le marché international.

— Si tu veux mon idée, j'aimerais mieux qu'on essaie d'emprunter d'une banque ou qu'on aille sur le marché boursier. Mais ça n'empêche pas de continuer de discuter avec la SGF et Beatrice Foods.

* * *

Après vingt-six jours de grève, les employés de Vachon inc. rentraient au travail avec un contrat de trois ans qui leur accordait la semaine de quarante-cinq heures. Tous ignoraient alors que des tractations se poursuivaient.

Le 2 octobre, la Société générale de financement présenta une nouvelle offre dans laquelle Vachon inc., Produits Diamant et Lido étaient évaluées à treize millions six cent mille dollars. La société d'État voulait demeurer majoritaire avec une participation de cinquante-trois pour cent et accordait trente jours à la famille Vachon pour prendre une décision finale.

Beatrice Foods proposa la même somme, tout en précisant qu'elle voulait se porter acquéreur de la totalité des actions. Elle désirait garder la même équipe de direction et offrait aux cadres supérieurs un contrat d'au moins cinq ans. Elle promettait en outre d'encourager la formation des membres de la famille Vachon et de les préparer à jouer un rôle prépondérant dans l'entreprise, ce qui était intéressant pour les fils de Joseph, d'Amédée et de Benoît qui y travaillaient déjà.

Malgré cette offre, Paul et Benoît préféraient une association d'intérêts avec la Société générale de financement, d'autant plus que «l'affaire Vachon» était maintenant sur la place publique, faisant la une d'un quotidien de Québec, *Le Soleil* : «Vachon, à la SGF ou aux Américains». À leur tour, les hommes politiques s'en mêlèrent; il ne fallait pas qu'une telle entreprise québécoise passe comme tant d'autres aux mains des Américains, disaient-ils.

Les discussions entre la compagnie Vachon et la Société générale de financement se poursuivirent durant le mois de novembre. Malgré la position adoptée par la société d'État, Paul et ses associés n'en démordaient pas : ils voulaient garder le contrôle du groupe. Finalement, au début de décembre, Paul écrivit au président Jean Deschamps pour lui annoncer qu'il mettait fin aux négociations.

* * *

Benoît entra en trombe dans le bureau de Paul. Pareille précipitation ne lui ressemblait guère. Brandissant un document, il s'exclama, le visage grave :

— Tu ne devineras jamais ce que c'est... Une nouvelle offre de la SGF!

Incrédule, Paul parcourut rapidement le document. Il s'étonnait que cette proposition leur arrive le 30 décembre, précisément le jour où Benoît et lui devaient accepter les offres de Beatrice Foods. Benoît s'assit en face de son frère.

— Comme tu vois, dit-il, c'est ni plus ni moins que la traduction de l'offre des Américains!

Paul acquiesça d'un grognement distrait, tandis qu'il relisait en diagonale les pages dactylographiées, puis il déposa les deux propositions côte à côte sur son bureau.

— Ça nous complique la vie, soupira Benoît.

— Chaque chose en son temps. Il faut d'abord voir si on est toujours bien décidés à vendre. Y as-tu pensé comme il faut?

— Dix fois plutôt qu'une. J'en reviens toujours à la même chose. Si les garçons étaient majoritaires, nous pourrions vendre quarante pour cent des actions pour que les familles reçoivent une somme d'argent raisonnable. Il en resterait soixante pour cent pour que les jeunes puissent être intégrés à l'entreprise et prendre la relève. Mais il y a les filles...

297

Paul aurait pu conclure que son frère parlait ainsi parce qu'il avait cinq garçons. Mais bien qu'étant lui-même père d'une fille, il partageait l'opinion de Benoît. La création de fiducies pour alléger l'impôt sur les successions avait dans les faits transféré aux enfants la propriété des entreprises Vachon. Ginette, la fille unique de Paul, possédait à elle seule le quart de toutes les actions; en additionnant celles que détenaient les quatre filles d'Amédée et les deux filles de Joseph, on arrivait à un total de cinquante-sept pour cent des actions.

— Les garçons font problème eux aussi, murmura Paul, comme si soudain il poursuivait à voix haute sa réflexion.

— Ouais... fit Benoît tout aussi absorbé. Lequel a l'étoffe d'un président ?

Cette question, les deux frères l'avaient abordée quelques fois, toujours un peu mal à l'aise. Les garçons étaient encore jeunes et peu expérimentés. Miville, l'un des fils d'Amédée, Pierre-Maurice, le fils de Joseph, et François, un fils de Benoît, semblaient se détacher du peloton. Mais ils avaient à peine terminé leurs études et n'avaient pas eu le temps de faire leurs preuves à la pâtisserie. Difficile encore de dire lesquels seraient aptes à faire de bons administrateurs. Même si l'on attendait dix ans, comment en choisir un sans provoquer des querelles familiales, sans créer des tensions qui se répercuteraient sur la marche de l'entreprise ?

— Si on ne règle pas le problème avant de mourir, dit Paul, on le laisse à d'autres.

Benoît voulut répliquer qu'ils étaient encore jeunes tous les deux, mais en songeant à Joseph et à Amédée, il donna raison à son frère.

— Il faut éviter le pire, dit-il.

Durant quelques minutes, ils firent de nouveau valoir leurs arguments, comme si chacun cherchait à se rassurer, puis Paul reprit la proposition de la Société générale de financement.

— Je repense à ce que tu disais tantôt, Benoît. Cette nouvelle offre nous complique la vie.

— Moi, mon idée est déjà faite. J'ai visité le siège social de Beatrice Foods et je viens de relire le rapport de Marius Laliberté sur la vente aux Américains. C'est très avantageux pour la pâtisserie Vachon de faire partie de la famille Beatrice Foods. Le marché international s'ouvre devant nous.

— C'est vrai. Et surtout, on est certain que Vachon va rester Vachon.

Paul était sensible au fait que chaque compagnie affiliée à la multinationale conservait son autonomie et son identité. On faisait confiance aux gens qui avaient bâti l'entreprise. Paul demeurerait président et la même philosophie de gestion prévaudrait, le nouveau propriétaire se contentant d'encaisser les profits. L'idée qu'il serait appelé à participer aux réunions au siège social de Chicago l'enchantait.

— On sait à quoi s'attendre avec Beatrice, on voit comment ils agissent depuis des années, conclut-il. Avec la SGF, on plonge dans l'inconnu.

— Les nationalistes vont nous accuser d'être des traîtres.

— On doit rien à personne!

— C'est vrai.

Paul enleva le capuchon de son stylo. Il regarda son frère droit dans les yeux, pour s'assurer qu'il n'y lirait aucun regret.

— Tu peux signer, déclara Benoît.

Paul signa l'offre d'achat de Beatrice Foods.

* * *

Pour la première fois de sa vie, Paul Vachon connaissait l'angoisse. À mesure qu'approchait le 13 mars 1970, date convenue pour la signature du contrat de vente à Beatrice Foods, il éprouvait non pas un doute sur cette décision, mais du regret de voir l'entreprise créée par Rose-Anna et Arcade Vachon passer aux mains des Américains. Quelle ironie! Ses parents avaient acquis ce commerce pour empêcher que leurs fils ne s'exilent aux États-Unis...

Paul avait donc l'impression de trahir, un sentiment que renforçait une opinion publique défavorable à cette vente. Cette désapprobation se manifestait notamment dans la presse et, agacé, Paul avait dit à sa femme : «On va se faire planter par la grande gueule à Pierre Bourgault et par les autres nationalistes...»

Ces remous affectaient également Benoît qui se retira en Floride pour échapper au stress engendré par les négociations. Il se reposait en jouant au golf et tentait d'oublier que bientôt il ne serait plus chez lui dans l'usine où il s'était dépensé sans compter. Dans son esprit, cette vente était une affaire conclue. C'était la décision la plus raisonnable dans les circonstances, se disait-il. Toutefois son attachement à l'entreprise avait à voir avec le cœur, pas avec la raison.

Paul demeurait donc seul pour mener la barque. Vers la fin de février, il donna à Laval Cliche, un courtier en placements de Montréal, le mandat de trouver des Québécois possiblement intéressés à acquérir Vachon, au prix de treize millions de dollars. Les jours passaient et le courtier ne trouvait pas...

Au matin du 13 mars, Paul Vachon se leva avant l'aube. Il n'avait pas dormi de la nuit. Après un déjeuner avalé en vitesse, il se mit à tourner en rond dans la maison. Il ne pouvait se résoudre à cette vente à la multinationale américaine. À huit heures, il appela Laval Cliche chez lui :

— On signe le contrat avec Beatrice Foods à onze heures cet avant-midi. Si tu peux encore quelque chose, c'est le moment ou jamais. Je voudrais que Vachon reste québécois.

Interloqué, le courtier demeura un moment silencieux et lâcha finalement :

— Trois heures? Monsieur Vachon, vous me demandez un miracle! J'y suis pas arrivé en plusieurs semaines.

— Je te donne cinquante mille dollars si tu réussis.

— Cinquante mille!

— N'oublie pas : onze heures. Je serai à Québec, aux bureaux de notre comptable, Marius Laliberté.

— Je vais tenter l'impossible, monsieur Vachon.

Laval Cliche se précipita aussitôt à son bureau, rue Saint-Jacques, à Montréal. Il n'agissait pas que pour l'argent. Beauceron, et nationaliste de surcroît, il souhaitait par-dessus tout que l'entreprise de Sainte-Marie-de-Beauce, une réussite exemplaire, demeure propriété québécoise.

Avec son associé, Michel Latraverse, il établit une stratégie et tous les deux s'installèrent au téléphone afin de joindre ceux qui détenaient suffisamment de pouvoir pour décider de l'avenir de Vachon inc. Laval Cliche était conscient qu'aucun individu ne pouvait arrêter pareille décision sur-le-champ. Il importait donc de faire jouer les influences, de créer des interactions chez plusieurs décideurs, de faire naître un sentiment d'urgence.

Latraverse commença par Jean-Marie Couture, président de la Société de fiducie du Québec, qui connaissait bien le dossier de Vachon inc. Au cours des semaines précédentes, cette institution du Mouvement coopératif Desjardins avait été pressentie par Laval Cliche comme acheteur potentiel. Fort de l'appui de Jean-Marie Couture, Michel Latraverse donna ensuite un coup de téléphone à l'un de ses amis, Mario Beaulieu, ministre des Finances et président du Conseil du Trésor dans le gouvernement de l'Union nationale.

— Mario, il faut que tu nous aides. La compagnie Vachon ne doit pas passer sous contrôle américain, et on a besoin de l'appui du gouvernement. Il nous reste seulement deux heures...

L'influent ministre multiplia les appels téléphoniques. À Alfred Rouleau du Mouvement Desjardins, il dit :

— Vachon représente l'image du Québec. Il faut qu'on garde ça !

Mario Beaulieu fit lui aussi appel au président de la Société générale de financement, Jean Deschamps. Tandis que de son côté, Laval Cliche téléphonait à Claude Ryan, directeur du quotidien *Le Devoir*. Ce leader d'opinion jouissait d'une influence marquée sur les dirigeants en place qui le consultaient régulièrement. À son tour, Claude Ryan discuta de l'affaire avec Alfred Rouleau, puis il appela le premier ministre, Jean-Jacques Bertrand. Pendant ce temps-là, les membres du conseil d'administration de la Société de fiducie du Québec tenaient, par téléphone, une réunion extraordinaire. Il ne restait plus que quatre-vingt-dix minutes avant l'heure prévue pour la signature du contrat de vente de Vachon inc.

À Québec, ignorant le déroulement de ces démarches de dernière minute, Paul se morfondait tout en s'efforçant de paraître calme, sachant que dans leur suite du Château Frontenac les cadres de Beatrice Foods et leurs avocats jetaient un dernier coup d'œil au volumineux contrat. Il avait décidé d'attendre l'heure de l'ultime rencontre dans une salle du douzième étage de l'édifice Price, où Marius Laliberté avait ses bureaux. Tous les enfants étaient là, à l'exception de Lucette, l'une des filles de Joseph, qui venait d'accoucher.

Rentré de Floride la veille, Benoît montrait un visage morose. Il se pencha vers Paul et d'une voix brisée lui souffla à l'oreille :

— On se croirait à un enterrement. Il ne manque que le corps.

Paul ne put répondre et se contenta de presser le bras de son frère. Ces jeunes qui allaient apposer leur signature au bas du contrat n'avaient pas vraiment idée de ce que l'on s'apprêtait à céder. Vachon représentait une somme inouïe de travail, de peines et d'espoirs. Cela avait été le rêve de Rose-Anna et d'Arcade; cela avait été la vie de Joseph, d'Amédée, de Paul et de Benoît.

— Maman n'aurait jamais fait ça, murmura encore Benoît à l'adresse de son frère.

— Qu'est-ce que t'en sais? répondit Paul, tout bas. Je n'en suis pas si sûr. Quand il s'est agi de vendre la ferme de Saint-Patrice pour acheter la boulangerie, elle n'a pas hésité. Pourtant, c'était une terre héritée du grand-père Damase. Quand on a vendu la boulangerie, elle ne s'est pas opposée.

— C'est vrai qu'elle avait les deux pieds sur terre.

— À notre place, elle aurait sans doute pris la même décision que nous. On agit pour le mieux, Benoît.

Rasséréné par les propos de son frère, Benoît sourit pour la première fois en deux jours. Paul regarda sa montre. Le sort en était jeté, Laval Cliche n'avait pas réussi.

Tout à coup, Marius Laliberté apporta une nouvelle surprenante. Les gens de Beatrice Foods demandaient à reporter la signature du contrat à quatorze heures, leurs avocats ayant à étudier une clause dont ils n'appréciaient pas la rédaction.

Alors que ce contretemps semait l'émoi parmi les membres de la famille, Paul soupira d'aise. Un répit, si court soit-il. Tout pouvait encore arriver.

Mais le temps passa, trop vite au gré de Paul, sans que rien se produise. Il avait abandonné tout espoir quand, à treize heures quarante-cinq, on le demanda au téléphone. C'était Alfred Rouleau, du Mouvement Desjardins.

— Monsieur Vachon, notre filiale, la Société de fiducie du Québec, propose d'acheter vos entreprises. Nous avons l'appui du premier ministre et du ministre des Finances qui veulent garder Vachon dans le giron du Québec. Nous vous offrons quatre cent mille dollars de plus que Beatrice Foods. Pour le reste, nous acceptons tout ce qui était prévu avec les acheteurs américains.

Le cœur de Paul battait tellement fort qu'il se sentit étourdi. Il eut peine à écouter les détails et à la fin de la conversation, il ne put que balbutier quelques remerciements. Avant d'entrer dans la salle où se trouvaient les autres, il s'appuya au mur, le temps de rassembler ses idées...

ÉPILOGUE

En cette fin d'avril 1993, Paul et Benoît Vachon marchent côte à côte sur le trottoir qui borde la rue de la Station. À soixante-dix-neuf ans, Paul demeure svelte et alerte, toujours aussi curieux de tout ce qui se passe dans le monde. Benoît, son cadet, a gardé sa carrure d'athlète. Pas une journée sans qu'il joue au golf, parcourant les pelouses d'un pas capable d'essouffler des hommes bien plus jeunes que lui.

— Tu trouves que c'est une bonne idée, toi, ce musée de la famille Vachon? demande Paul.

— Si ça crée une attraction, tant mieux pour Sainte-Marie.

Ni l'un ni l'autre n'a cru possible la création de ce petit musée dans la maison autrefois habitée par la famille, près de la boulangerie aujourd'hui disparue. La maison où est mort leur père et que leur mère a eu peine à quitter. On ne peut pas recréer ce qui n'est plus...

J. A. Vachon et Fils n'existe plus pour eux qu'à l'état de souvenir. À l'autre bout du village, l'usine de Culinar leur rappelle que d'autres aujourd'hui portent leurs rêves. Et c'est bien ainsi.

— Là, c'était l'écurie, dit Benoît. Tu te rappelles quand papa attelait son Weaver? Ah! je pense qu'il aimait ce cheval autant que s'il avait été un de ses enfants.

Le sourire de Paul s'efface soudain; il reconnaît l'endroit où se trouvait la balançoire. Il repense à ce jour où, abandonnant son projet de devenir aviateur il a choisi le métier de pâtissier. Mais, n'est-ce pas plutôt le métier qui l'a choisi?

Extérieurement, la maison n'a presque pas changé. En approchant de la galerie, Benoît croit revoir sa mère, un châle sur les épaules, criant à sa fille qui revient de l'école : «Vite Simone. Les *buns* sont prêts!»

Paul pénètre dans la cuisine le premier et, une fois le seuil franchi, il esquisse un mouvement de recul. Pincement au cœur. Un malaise? Benoît le soutient.

— Tout est pareil, murmure Paul dans un souffle.

Et son frère constate lui aussi que l'intérieur est identique à ce qu'il a connu dans les années vingt.

— Ça va, Paul? Préfères-tu qu'on revienne une autre fois?

— Non, non, ça va mieux.

Les deux frères s'avancent dans la grande pièce où s'entassent des objets dénichés chez les enfants et les petits-enfants de Rose-Anna et d'Arcade. Cette chaise berçante...

— C'est celle de papa ou de maman? demande Paul qui caresse les accoudoirs usés.

Benoît examine le siège, et des larmes humectent ses yeux.

— Celle de maman... où elle se berçait quand elle est partie...

Benoît se laisse choir dans la chaise, le plancher craque. Il ferme les yeux dans l'espoir de contenir le flot des souvenirs qui resurgissent.

Paul effleure du bout des doigts l'arrondi du pilastre de l'escalier.

— Si ce poteau-là pouvait parler!

Il s'assoit sur une marche, les mains croisées sur les genoux. Son regard erre dans la pièce. Peu à peu le décor s'anime. Un poêle à bois ronfle, des beignes en train de frire exhalent une odeur délicieuse. Paul entend le pas pesant de Rose-Anna qui traverse la cuisine; un grand tablier blanc couvre le devant de sa robe noire. Il la revoit, attablée, inscrivant les ventes de la journée dans un cahier à couverture rigide. Arcade fume la pipe en se berçant. La grande horloge sonne neuf heures, et Rose-Anna dit à son fils de dix ans de fermer son livre et d'aller dormir. Paul réclame encore cinq minutes afin de terminer la page où le héros, un pilote de guerre anglais, tente un atterrissage d'urgence dans un champ.

Paul sursaute en entendant la voix de son frère.

— Soixante-dix ans! Une vie...

— Quoi? Qu'est-ce que t'as dit, Benoît?

— Je songeais aux grandes choses qu'on a réalisées avec nos frères. Tout est parti d'ici, de cette cuisine. Tiens, regarde près de la porte.

Paul tourne lentement la tête. Accroché au mur, un tablier... le tablier de Rose-Anna.

Remerciements

L'auteur désire exprimer toute sa gratitude aux quatre enfants encore vivants de Rose-Anna et d'Arcade Vachon soit Béatrice, Simone, Paul et Benoît, qui lui ont longuement raconté l'histoire de la famille et de l'entreprise, et qui ont mis à sa disposition leurs archives personnelles.

Merci à Rachelle Châteauneuf, Jean-Louis Bélanger, Marie Nappert et au Dr Dollard Simard; à Lucette, Pierre-Maurice et Doris (enfants de Joseph); à Noëlla, Pierrette et Miville (enfants d'Amédée); à Jean-Guy, Robert, Jacques et François (fils de Benoît); et à Raymond (fils de Louis). Tous ont de bonne grâce répondu à nos questions et évoqué de nombreux souvenirs.

L'auteur remercie chaleureusement plusieurs personnes — la plupart étant des employés retraités de l'entreprise, quelques-uns travailleurs de la première heure —, dont les souvenirs et les commentaires ont alimenté l'histoire de la célèbre famille Vachon.

Ce sont : Rémi Bilodeau, Gérard Bisson, Jean-Marie Blouin et Madame Blouin, Guy Brière et Madame Brière, Claude Boulet, Sébastien Bourbonnais, André Brousseau, Léon G. Cantin, Charles Carter, Jacques Corriveau et Madame Corriveau, Honorius Cloutier, Roger Cyr, Lévis Ferron, Clarence Fockler et Madame Fockler, Hélier Fortin, Richard Gagné, Georges Grenier, Albert Gosselin,

Odilon Gosselin, Roméo Guay, Henri-Paul Giguère, Joseph (Tit-Blanc) Giguère, Raymond Hébert, Serge Jacques, Dominique Lachance, Marius Laliberté, Mauril Leclerc, Noël Leroux, Jean-Louis Lévesque, Edgard Mercier et Madame Mercier, Marcel Mercier, Jean-Guy Nadeau, Marc Nadeau, Alexandre Nolet et Madame Nolet, Yvon Paré et Madame Paré, Paul-Eugène Pelchat, Bob Paisley, Harold Richard, Robert Renaud, Gérard Roy, Lucien Roy, Augustin Rousseau et Madame Rousseau, Juliette Tardif, Gaétan Turmel.

Merci à Nicole Gauthier, directrice des communications, et à Jean-René Halde, président et chef de la direction de Culinar, pour leur soutien et leur confiance.

Un grand merci à Jean-Pierre Chalifoux, bibliothécaire et conseiller en recherche, qui a longuement analysé et interprété de nombreux documents, a activement participé aux recherches, tout en prodiguant à l'auteur de judicieux conseils et en exposant des points de vue pertinents.

Un chaleureux merci à l'écrivain Jean-Yves Soucy pour sa participation à la rédaction de la version finale; il nous a fait bénéficier de son grand talent de romancier et de son érudition. Faire un livre, c'est parfois faire aussi un miracle... Celui-ci a été accompli grâce à l'équipe de Libre Expression, notamment André Bastien, éditeur authentique, exigeant et efficace, l'éditrice Carole Levert dont le bon jugement est proverbial, Daniel Larouche, directeur de la collection, Cécile Masse, Monique Godin et Monique Michaud. Merci à Suzanne Gagné pour sa participation à la recherche et à la rédaction de la première version de certains chapitres.

Des remerciements au comité de lecture : Gilles Bourque, Noëlla Turcotte, Marie Bodard, Chantal Girard, Jean-Jacques Morin, Nicole Gauthier et Patrice Léger Bourgoin.

Merci enfin à Claudette Contant, Rachèle Croteau, Micheline Sylvain, Barbara Chalifoux et Ginette Arès pour leur collaboration.

Au centre de recherche et de documentation de la Fondation Lionel-Groulx à Outremont, nous avons trouvé des réponses à de nombreuses questions d'ordre historique. Merci au personnel et à son directeur général, Jean-Marc Léger.

Enfin, un merci tout spécial à Hélène, ma femme, et à mon fils Martin qui, même en vacances, n'ont cessé d'entendre parler de ce livre depuis le début de sa réalisation, en avril 1986.

imprimerie gagné ltée

IMPRIMÉ AU CANADA